UNION GENERALE D'EDITIONS
8, rue Garancière - Paris VIe

LES PORTES DE LA PERCEPTION

PAR

ALDOUS HUXLEY

Traduit de l'anglais par
Jules Castier

« Si les portes de la perception étaient nettoyées, toute chose apparaîtrait à l'homme telle qu'elle est, infinie. »

WILLIAM BLAKE.

EDITIONS DU ROCHER

Editions du Rocher 1954
ISBN 2-264-00125-9

SOMMAIRE

PRÉFACE DU TRADUCTEUR

L'essai qui donne son titre au présent volume, Les Portes de la Perception, *est encore inédit en Angleterre, où il paraîtra au début de* 1954. *C'est la relation d'une expérience à laquelle s'est prêtée Aldous Huxley, par l'ingestion d'une dose de mescaline, alcaloïde actif du peyotl, ce cactus indien qui procure des « visions colorées », accompagnées de divers phénomènes psychologiques qu'on trouvera décrits ici avec une acuité et une précision qui font généralement défaut dans les récits de ceux qui prennent une drogue quelconque. Mais c'est beaucoup plus que cela. A propos des sensations qu'il a éprouvées, Aldous Huxley est amené à examiner le fonctionnement de la perception en général, et les idées et les hypothèses qu'il émet sont d'un intérêt passionnant, entr'ouvrant véritablement pour nous les « portes de la perception », selon l'expression de Blake. Il nous fait voir ainsi les rapports de notre perception ordinaire du monde et de celle que nous pouvons avoir parfois, et que le mystique possède continûment, de la Réalité ultime et du divin. Cet essai constitue ainsi une véritable « introduction à la vie mystique », qui doit intéresser tout particulièrement quiconque a lu les ouvrages philosophiques de l'auteur, tels que* La Fin et les Moyens, La Philosophie éternelle, L'Éminence grise, L'Éternité retrouvée, Thèmes et Variations, Temps futurs, Les Diables de Loudun.

C'est pourquoi il m'a paru convenable de faire suivre Les Portes de la Perception *d'un certain nombre d'autres essais du même auteur, également inédits en*

*France et même en Angleterre, et parus en Amérique (*1945-1949*) dans deux volumes collectifs de divers écrivains,* Vedanta for the Western World *et* Vedanta for Modern Man, *où Aldous Huxley éclaire de commentaires nouveaux et d'une clarté remarquable diverses questions qu'il a abordées dans les ouvrages précités, tels que : le progrès, le temps, la paix, le tempérament, le psychique et le spirituel, les distractions, les mots, l'action et la contemplation, etc. J'ai la conviction que ces commentaires seront appréciés de tous ceux qui ont goûté, même sans y apporter une adhésion totale, les écrits antérieurs d'Aldous Huxley, et renforceront leur admiration pour la clarté de son esprit et pour le courage avec lequel il aborde ces questions ardues et d'importance primordiale. Ces commentaires, s'ajoutant aux idées présentées dans* Les Portes de la Perception, *forment un ensemble nullement disparate, mais au contraire fort homogène, qui suscitera peut-être des discussions et des réserves, mais dont nul lecteur de bonne foi ne contestera l'originalité et l'opportunité.*

Enfin, le recueil se termine par deux essais tout récents, Le Désert *et* La Foi, le Goût et l'Histoire, *où, sans rien renier de ses tendances actuelles de pensée, l'auteur revient à une forme qu'il a pratiquée naguère avec bonheur (par exemple, dans* Chemin faisant*), et où une pointe d'humour vient relever l'austérité de l'ensemble.*

Décembre 1953. JULES CASTIER.

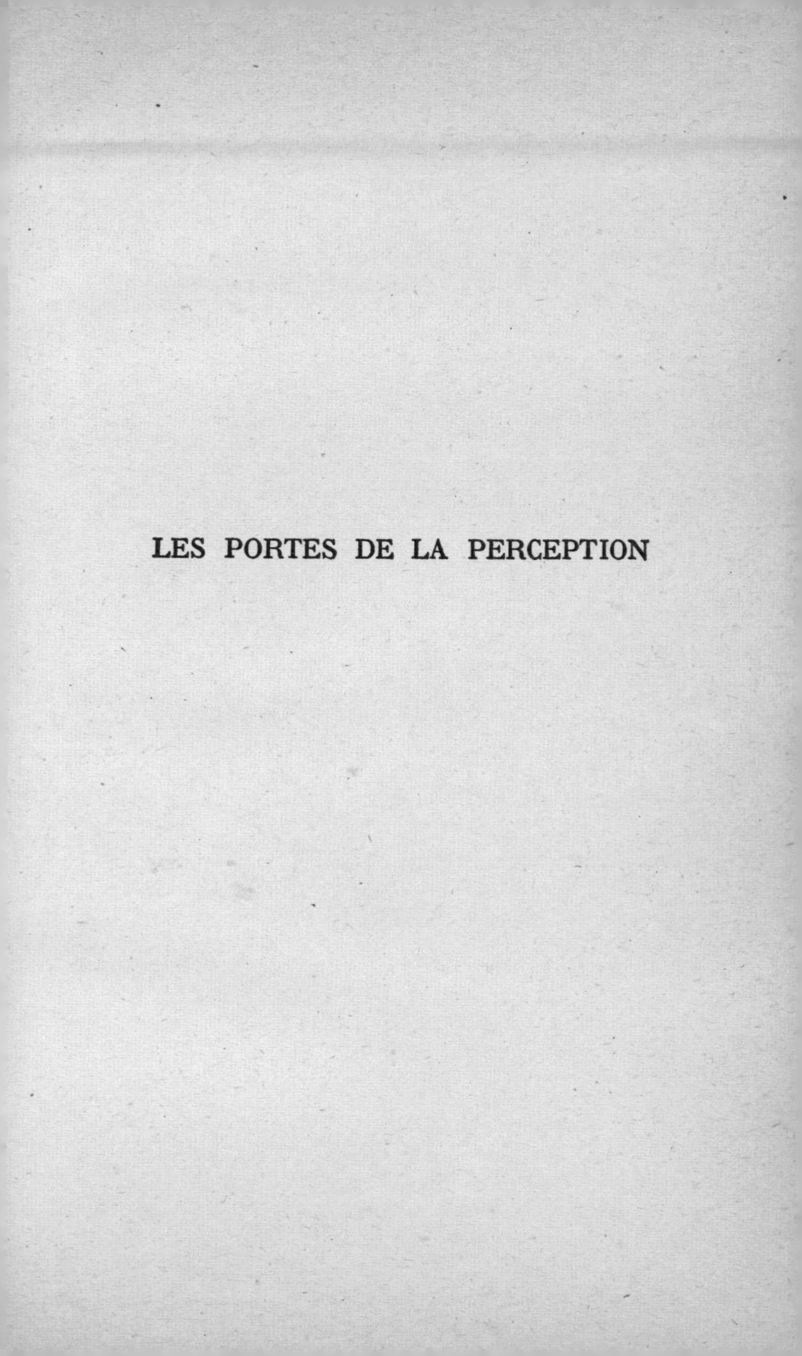

LES PORTES DE LA PERCEPTION

C'est en 1886 que le pharmacologiste allemand Ludwig Lewin publia la première étude systématique du cactus auquel on donna ultérieurement son nom. *Anhalonium Lewinii* était une nouveauté pour la science. Pour la religion primitive et les Indiens du Mexique et du sud-ouest Américain, il était un ami des temps immémoriaux. Voire, il était beaucoup plus qu'un ami. Comme l'a dit l'un des premiers visiteurs espagnols du Nouveau Monde, « ils mangent une racine qu'ils appellent Peyotl, et qu'ils vénèrent comme si elle était une divinité ».

La raison pour laquelle ils la vénéraient comme une divinité devint apparente lorsque des psychologues éminents, tels que Jaensch, Havelock Ellis et Weir Mitchell, commencèrent leurs expériences sur la mescaline, principe actif du peyotl. Certes, ils s'arrêtèrent bien en deçà de l'idolâtrie; mais tous furent d'accord pour assigner à la mescaline une position parmi les drogues d'une distinction suprême. Administrée à doses convenables, elle modifie la qualité du conscient d'une façon plus profonde, tout en étant moins toxique, que toute autre substance figurant au répertoire du pharmacologiste.

Les recherches sur la mescaline se sont poursuivies sporadiquement depuis l'époque de Lewin et de Havelock Ellis. Les chimistes ont non seulement isolé l'alcaloïde; ils ont appris à en effectuer la synthèse, de sorte que, pour s'en approvisionner, l'on n'est plus sous la dépendance de la récolte parcimonieuse et intermittente d'un cactus du désert. Des aliénistes ont absorbé des doses de mescaline dans l'espoir de parvenir ainsi à une compréhension meilleure, de première-main, des processus mentaux de leurs malades. Travaillant malheureusement sur un nombre trop restreint de sujets et dans un domaine de circonstances trop étroit, des psychologues ont observé et catalogué quelques-uns des effets les plus marquants de cette drogue. Des neurologues et des physiologistes ont fait certaines découvertes quant au mécanisme de son action sur le système nerveux central. Et un philosophe professionnel au moins a pris de la mescaline en raison de la lumière qu'elle pourra peut-être projeter sur des mystères anciens et non résolus, tels que la place de l'esprit dans la nature, et les rapports entre le cerveau et la conscience.

Les choses en étaient là lorsque, voici deux ou trois ans, fut observé un fait nouveau et peut-être éminemment significatif [1]. En réalité, le fait était là, étalé aux yeux de tout le monde, depuis plusieurs dizaines d'années; mais il se trouve que personne ne l'avait remarqué, jusqu'à ce qu'un jeune psychiatre anglais, travaillant à présent au Canada, eût été frappé par l'analogie étroite, quant à la composition chimique, entre la mescaline et l'adrénaline. Des recherches ultérieures révélèrent que l'acide lysergique, hallucinogène extrêmement puissant dérivé

1. Cf. les mémoires ci-après :
Schizophrenia : A new approach, par Humphry Osmond et John Smythies. Journal of Mental Science, vol. XCVIII, avril 1952.
On being mad (sur le fait d'être fou), par Humphry Osmond. Saskatchewan Psychiatric Services Journal, vol. I, nº 2, septembre 1952.
The mescalin Phenomena, par John Smythies. The British Journal of the Philosophy of Science, vol. III, février 1953.
Schizophrenia : A new approach, par Abram Hoffer, Humphry Osmond et John Smythies. The Journal of Mental Science, vol. C, nº 418, janvier 1953.
De nombreux autres mémoires, sur la biochimie, la pharmacologie, la psychologie et la neurophysiologie de la schizophrénie et les phénomènes de la mescaline, sont en préparation. *(N. d. l'A.)*

de l'ergotine, présente des rapports biochimiques avec ces autres corps. On découvrit ensuite que l'adrénochrome, produit de décomposition de l'adrénaline, peut produire un grand nombre d'entre les symptômes observés dans l'intoxication par la mescaline. Or, l'adrénochrome se produit probablement de façon spontanée dans le corps humain. En d'autres termes, chacun de nous est peut-être capable de fabriquer un produit chimique dont on sait que des doses minimes causent des modifications profondes dans la conscience. Certaines de ces modifications sont analogues à celles qui se produisent dans ce fléau bien caractéristique du XXe siècle, la schizophrénie. Le trouble mental est-il dû à un trouble chimique? Et ce trouble chimique est-il dû, à son tour, à des détresses psychologiques affectant les capsules surrénales? Il serait imprudent et prématuré de l'affirmer. Tout ce que l'on peut dire, c'est qu'il a été élaboré une sorte d'explication à première vue. Entre temps, on suit systématiquement cette piste; les limiers — biochimistes, psychiatres, psychologues — sont en chasse.

Grâce à une série de circonstances pour moi fort heureuses, je me suis trouvé, au printemps de 1953, nettement en travers de cette piste. L'un des limiers était venu, pour affaires, en Californie. En dépit de soixante-dix années de recherches sur la mescaline, les matériaux psychologiques à sa disposition étaient encore ridiculement insuffisants, et il désirait vivement les accroître. J'étais sur place, et disposé — voire empressé — à servir de cobaye. C'est ainsi qu'il se fit que, par une brillante matinée de mai, j'avalai quatre décigrammes de mescaline dissoute dans un demi-verre d'eau, et m'assis dans l'attente des résultats.

Nous vivons ensemble, nous agissons et réagissons les uns sur les autres; mais toujours, et en toutes circonstances, nous sommes seuls. Les martyrs entrent, la main dans la main, dans l'arène; ils sont crucifiés seuls. Embrassés, les amants essayent désespérément de fondre leurs extases isolées en une transcendance unique; en vain. Par sa nature même, chaque esprit incarné est condamné à souffrir et à jouir en solitude. Les sensations, les sentiments, les intuitions, les imaginations — tout cela est privé, et, sauf au moyen de symboles, et de seconde-main, incommunicable. Nous pouvons mettre en commun des renseignements sur des expériences éprouvées, mais jamais les expériences elles-mêmes. Depuis la famille jusqu'à la nation, chaque groupe humain est une société d'univers-îles.

La plupart des univers-îles se ressemblent suffisamment pour permettre une compréhension par inférence, ou même une « empathie » naturelle ou pénétration par le sentiment. C'est ainsi que, nous souvenant de nos propres pertes et humiliations, nous pouvons prendre part à la douleur des autres en des circonstances analogues, nous pouvons (toujours, bien entendu, dans un sens légèrement pickwickien[1], nous mettre à leur place. Mais dans certains cas, la communication entre ces univers est incomplète, ou même inexistante. L'esprit est son lieu propre, et les lieux habités par les déments et les exceptionnellement doués sont tellement différents des lieux où habitent les hommes et les femmes ordinaires, qu'il n'y a que peu ou point de terrain commun du souvenir qui puisse servir de base à la compréhension ou à un sentiment de sympathie. Des mots sont prononcés, mais ils sont incapables d'éclairer. Les choses et les événements auxquels se rapportent les symboles appartiennent à des domaines d'expérience qui s'excluent mutuellement.

Nous voir nous-mêmes comme les autres nous voient est un don fort salutaire. A peine moins importante est l'aptitude à voir les autres tels qu'ils se voient eux-mêmes. Mais qu'arrive-t-il si ces autres appartiennent à une espèce différente et habitent un univers radicalement autre? Par exemple, comment les sains d'esprit peuvent-ils parvenir à savoir ce qu'on ressent effectivement quand on est fou? Ou

1. C'est-à-dire autre que le sens normal : allusion au premier chapitre du roman de Dickens. *(N. d. T.)*

bien — en dehors de l'hypothèse d'une re-naissance en la personne d'un visionnaire, d'un médium, ou d'un génie musical — comment pourrons-nous jamais visiter les mondes qui, pour Blake, pour Swedenberg, pour Jean-Sébastien Bach, étaient leur foyer? Et comment un homme à la limite extrême de l'ectomorphisme et de la cérébrotonie pourra-t-il jamais se mettre à la place d'un homme à la limite de l'endomorphisme et de la viscérotonie, ou, à l'intérieur de certaines aires circonscrites, partager les sentiments de celui qui se tient à la limite du mésomorphisme et de la somatotonie? Pour le « behaviouriste »[1] sans mélange, des interrogations de ce genre sont, je le suppose, vides de sens. Mais pour ceux qui croient théoriquement ce qu'en pratique ils savent être vrai — savoir, que l'expérience possède un côté intérieur aussi bien qu'un côté extérieur — les problèmes ainsi posés sont des problèmes réels, d'autant plus graves qu'ils sont, les uns insolubles, d'autres solubles seulement dans des circonstances exceptionnelles et par des méthodes non accessibles à tout le monde. Ainsi, il semble virtuellement certain que je ne saurai jamais ce qu'on ressent quand on est Sir John Falstaff ou Joe Louis. D'autre part, il m'a toujours paru possible que, grâce à l'hypnose, par exemple, ou à l'auto-hypnose, au moyen de la méditation systématique, ou bien par l'absorption de la drogue appropriée, je puisse modifier mon mode ordinaire de conscience, de façon à pouvoir connaître, par l'intérieur, ce dont parlaient le visionnaire, le médium, et même le mystique.

D'après ce que j'avais lu au sujet de l'expérience de la mescaline, j'étais convaincu d'avance que la drogue me donnerait accès, au moins pour quelques heures, dans le genre de monde intérieur décrit par Blake et « A E. »[2]. Mais ce à quoi je m'étais attendu

1. Partisan de la doctrine du comportement, pour qui l'homme est exclusivement le produit du milieu et des circonstances extérieures. *(N. d. T.)*

2. Pseudonyme du poète irlandais George William Russell (né en 1867). *(N. d. T.)*

ne se produisit pas. Je m'étais attendu à rester étendu, les yeux fermés, en contemplant des visions de géométries multicolores, d'architectures animées, riches de gemmes et d'une beauté fabuleuse, de paysages animés de personnages héroïques, de drames symboliques, tremblant perpétuellement au bord même de l'ultime révélation. Mais je n'avais pas compté, la chose était évidente, avec les particularités de mon ensemble génétique mental, les faits de mon tempérament, de mon éducation et de mes habitudes.

Je suis, et ai toujours été, d'aussi loin que remontent mes souvenirs, un « visuel » indigent. Les mots, même les mots des poètes, chargés de résonances, n'évoquent point d'images dans mon esprit. Aucune vision hypnagogique ne m'accueille au seuil du sommeil. Quand je me rappelle quelque chose, le souvenir ne s'en présente pas à moi comme un événement ou un objet vu d'une façon brillante. Par un effort de volonté je puis évoquer une image non très vive de ce qui est arrivé hier après-midi, de l'aspect qu'avait le Lungarno avant la destruction des ponts, ou de Bayswater Road à l'époque où les seuls omnibus étaient verts et minuscules, et traînés par de vieux chevaux à la vitesse de six kilomètres à l'heure. Mais les images de ce genre ont peu de substance, et ne possèdent absolument aucune vie propre et autonome. Elles sont, par rapport aux objets réels et perçus, comme étaient les ombres d'Homère par rapport aux hommes de chair et de sang, qui venaient les voir au royaume des morts. C'est seulement lorsque j'ai la fièvre que mes images mentales acquièrent une vie indépendante. Pour ceux chez qui la faculté de représentation visuelle est forte, mon monde intérieur doit paraître curieusement terne, limité et inintéressant. Tel était le monde — chose indigente mais bien à moi — que je m'attendais à voir transformé en quelque chose de complètement différent de lui-même.

La modification qui eut lieu effectivement dans ce monde ne fut, en aucun sens, révolutionnaire. Une demi-heure après avoir avalé la drogue, j'eus conscience d'une danse lente de lumières dorées. Un peu plus tard, il y eut de somptueuses surfaces rouges, s'enflant et s'étendant à partir de nœuds d'énergie brillants qui vibraient d'une vie aux dessins continûment changeants. A un autre moment, la fermeture de mes yeux révéla un complexe de structures grises, dans lequel des sphères bleuâtres et pâles émergeaient constamment en prenant une solidité intense, et, étant apparues, montaient sans bruit, glissant hors de vue. Mais à aucun moment il n'y eut de visages ni de formes d'hommes ou d'animaux. Je ne vis pas de paysages, pas d'espaces immenses, pas de croissance ou de métamorphose magique d'édifices, rien qui ressemblât de loin à un drame ou à une parabole. L'autre monde auquel la mescaline me donnait accès n'était point le monde des visions; il existait là-bas, dans ce que je voyais, les yeux ouverts. Le grand changement était dans le domaine des faits objectifs. Ce qui était arrivé à mon univers subjectif était relativement sans importance.

J'avais pris ma pilule à onze heures. Une heure et demie plus tard, j'étais assis dans mon cabinet de travail, contemplant attentivement un petit vase en verre. Le vase ne renfermait que trois fleurs — une rose Belle-de-Portugal, largement épanouie, d'un rose-coquillage, avec un soupçon, à la base de chaque pétale, d'une teinte plus chaude, plus enflammée; un gros œillet magenta et crême; et, violet pâle à l'extrémité de sa tige brisée, le bouton fier et héraldique d'un iris. Fortuit et provisoire, le petit bouquet violait toutes les règles du bon goût traditionnel. Au déjeuner, ce matin-là, j'avais été frappé de la dissonance vive de ses couleurs. Mais la question n'était plus là. Je ne regardais plus, à présent, une disposition insolite de fleurs. Je voyais ce qu'Adam avait vu le matin de sa création — le miracle, d'instant en instant, de l'existence dans sa nudité.

« Est-ce agréable? » demanda quelqu'un. (Pendant

cette partie de l'expérience, toutes les conversations étaient enregistrées au moyen d'une machine à dicter, et j'ai pu me rafraîchir la mémoire quant à ce qui a été dit.)

« Ni agréable ni désagréable, répondis-je. Cela *est*, sans plus. »

Istigkeit — n'était-ce pas là le mot dont maître Eckhart aimait à se servir? Le fait d'être. L'Être de la philosophie platonicienne, — sauf que Platon semble avoir commis l'erreur énorme et grotesque de séparer l'Être du devenir, et de l'identifier avec l'abstraction mathématique de l'Idée. Jamais il n'avait pu voir, le pauvre, un bouquet de fleurs brillant de leur propre lumière intérieure, et quasi frémissantes sous la pression de la signification dont elles étaient chargées; jamais il n'avait pu percevoir que ce que signifiaient d'une façon aussi intense la rose, l'iris et l'œillet, ce n'était rien de plus, et rien de moins, que ce qu'ils étaient — une durée passagère qui était pourtant une vie éternelle, un périr perpétuel qui était en même temps un Être pur, un paquet de détails menus et uniques dans lesquels, par quelque paradoxe ineffable et pourtant évident en soi, se voyait la source divine de toute existence.

Je continuai à regarder les fleurs, et dans leur lumière vivante, il me sembla déceler l'équivalent qualitatif d'une respiration — mais d'une respiration sans retours à un point de départ, sans reflux récurrents, mais seulement une coulée répétée d'une beauté à une beauté rehaussée, d'une profondeur de signification à une autre, toujours de plus en plus intense. Des mots tels que Grâce et que Transfiguration me vinrent à l'esprit, et c'était cela, bien entendu, entre autres, qu'ils représentaient. Mes yeux passèrent de la rose à l'œillet, et de cette incandescence plumeuse aux banderoles lisses d'améthyste sentimentale qui étaient l'iris. La Vision de Béatitude, *Sat Chit Anada*, la Félicité de l'Avoir-Conscience, — pour la première fois je comprenais, non pas au niveau verbal, non pas par des indications rudimentaires ou à distance, mais d'une façon précise et complète, à quoi se rapportaient ces syllabes prodigieuses. Et je me souvins alors d'un passage que j'avais lu dans l'un des essais de Suzuki. « Qu'est-ce que le Corps-Dharma du Buddha? » (Le Corps-Dharma du Buddha est une autre façon de dire : l'Esprit, l'Être, le Vide, la Divinité.) Cette question est posée dans un monastère Zen, par un novice plein de sérieux et désorienté. Et, avec la prompte incohérence de l'un des Frères Marx, le Maître répond : « La haie au fond du jardin. » — « Et l'homme qui se rend compte de cette vérité, demande le novice, d'un ton dubitatif, qu'est-il, lui, si j'ose poser cette question? » Groucho lui applique sur les épaules un coup vigoureux de son bâton, et répond : « Un lion aux cheveux d'or. »

Ce n'avait été, lorsque je l'avais lu, qu'une absurdité vaguement grosse de quelque sens caché. Maintenant, c'était clair comme le jour, aussi évident qu'un théorème d'Euclide. Bien entendu, le Corps-Dharma du Buddha, c'était la haie au fond du jardin. En même temps, et non moins manifestement, c'était ces fleurs, c'était toute chose qu'il me plaisait — ou plutôt, qu'il plaisait au non-moi béni et délivré pour un instant de mon étreinte étouffante — de regarder. Les livres, par exemple, dont étaient tapissés les murs de mon cabinet. Comme les fleurs, ils luisaient, quand je les regardais, de couleurs plus vives, d'une signification plus profonde. Des livres rouges, semblables à des rubis; des livres émeraude; des livres reliés en jade blanche; des livres d'agate, d'aigue-marine, de topaze jaune; des livres de lapis-lazuli dont la couleur était si intense, si intrinsèquement pleine de sens, qu'ils me semblaient être sur le point de quitter les rayons pour s'imposer avec plus d'insistance encore à mon attention.

« Et les rapports spatiaux? » demanda l'enquêteur, tandis que je regardais les livres.

Il était difficile de répondre. Sans doute, à ce moment, la perspective paraissait assez bizarre, et les murs de la pièce ne semblaient plus se couper à angle droit. Mais ce n'étaient pas là les faits réellement importants. Les faits réellement importants, c'étaient que les rapports spatiaux avaient cessé d'avoir grand intérêt, et que mon esprit percevait le monde rapporté à autre chose qu'à des catégories spatiales. En temps ordinaire, l'œil se préoccupe de problèmes tels que : *Où ? A quelle distance? Situé comment par rapport à quoi ?* Dans l'expérience de la mescaline, les questions sous-entendues auxquelles répond l'œil sont d'un autre ordre. Le lieu et la distance cessent de présenter beaucoup d'intérêt. L'esprit effectue ses perceptions en les rapportant à l'intensité d'existence, à la profondeur de signification, à des relations à l'intérieur d'un motif-type. Je voyais les livres, mais je ne me préoccupais nullement de leurs positions dans l'espace. Ce que je remarquais, ce qui s'imposait à mon esprit, c'est qu'ils luisaient tous d'une lumière vivante, et que, chez certains, la splendeur était plus manifeste que chez d'autres. A cette occasion, la position et les trois dimensions étaient à côté de la question. Non point, bien entendu, que la catégorie de l'espace eût été abolie. Quand je me levai et me déplaçai par la pièce, je pus le faire d'une façon absolument normale, sans méjuger l'endroit où se trouvaient les objets. L'espace était toujours là; mais il avait perdu sa prédominance. L'esprit se préoccupait primordialement, non pas de mesures et de situations, mais d'être et de signification.

Et l'indifférence en ce qui concerne l'espace était accompagnée d'une indifférence vraiment complète en ce qui concerne le temps.

« Il semble y en avoir à foison », — voilà tout ce que je pus répondre quand l'enquêteur me demanda ce que je ressentais au sujet du temps.

A foison; mais exactement combien — voilà qui était totalement à côté de la question. J'aurais pu, bien entendu, consulter ma montre; mais ma montre, je le savais, était dans un autre univers. Mon expérience effective avait été, et était encore, celle d'une durée infinie, ou bien celle d'un perpétuel présent constitué par une révélation unique et continuellement changeante.

Quittant les livres, l'enquêteur dirigea mon attention sur le mobilier. Il y avait, au centre de la pièce, une petite table de dactylo; plus loin (par rapport à moi) il y avait un fauteuil de rotin, et plus loin encore, un bureau. Ces trois meubles formaient un motif compliqué d'horizontales, de verticales, et de diagonales, — motif d'autant plus intéressant qu'il n'était pas interprété en le rapportant à des relations spatiales. La table, le fauteuil et le bureau étaient assemblés dans une composition ressemblant à quelque toile de Braque ou de Juan Gris, à une nature morte ayant quelque rapport reconnaissable avec le monde objectif, mais rendue sans profondeur, sans aucune tentative de réalisme photographique. Je regardais mes meubles, non pas comme l'utilitariste qui doit s'asseoir dans des fauteuils, et écrire devant des bureaux et des tables, et non pas comme le photographe ou l'enregistreur scientifique, mais comme l'esthète pur qui se préoccupe uniquement des formes et de leurs rapports dans le champ visuel ou le cadre du tableau. Mais, à mesure que je regardais, cette vue effectuée par un œil de cubiste céda la place à ce que je ne puis décrire autrement que la vision sacramentelle de la beauté. Je me retrouvais où j'avais été tandis que je regardais les fleurs — j'étais revenu dans un monde où tout brillait de la Lumière Intérieure et était infini dans sa signification. Les pieds, par exemple, de ce fauteuil — combien miraculeuse était leur tubularité, combien surnaturelle l'égalité polie de leur surface! Je passai plusieurs minutes — ou fut-ce plusieurs siècles? — non pas simplement à contempler ces pieds en bambou, mais à les *être* effectivement — ou plutôt à être moi-même en eux; ou, pour être encore plus précis (car le « moi » n'était pas en cause dans cette affaire, non plus qu'en un certain sens, ils ne l'étaient, « eux ») à être mon non-moi dans le non-moi qui était mon fauteuil.

Réfléchissant à ce que j'ai éprouvé, je me trouve d'accord avec l'éminent philosophe de Cambridge, le Dr C. D. Broad, quand il dit « que nous ferions bien d'examiner avec beaucoup plus de sérieux que nous ne l'avons fait jusqu'ici le type de théorie que Bergson a mise en avant au sujet de la mémoire et de la perception sensorielle. Ce qu'il suggère, c'est que la fonction du cerveau, du système nerveux et des organes des sens est, dans l'ensemble, *éliminative*, et non productive. Toute personne est, à tout moment, capable de se souvenir de tout ce qui lui est jamais arrivé, et de percevoir tout ce qui se produit partout dans l'univers. La fonction du cerveau et du système nerveux est de nous empêcher d'être submergés et confus sous cette masse de connaissances en grande partie inutiles et incohérentes, en interceptant la majeure partie de ce que, sans cela, nous percevrions ou nous rappellerions à tout instant, et ne laissant que ce choix très réduit et spécial qui a des chances d'être utile en pratique. » Selon une théorie de ce genre, chacun de nous est, en puissance, l'Esprit en Général. Mais, pour autant que nous sommes des animaux, notre rôle est de survivre à tout prix. Afin de rendre possible la survie biologique, il faut que l'Esprit en général soit creusé d'une tuyauterie passant par la valve de réduction constituée par le cerveau et le système nerveux. Ce qui sort à l'autre extrémité, c'est un égouttement parcimonieux de ce genre de conscience qui nous aidera à rester vivants à la surface de cette planète particulière. Afin de formuler et d'exprimer le contenu de ce conscient réduit, l'homme a inventé et perfectionné sans fin ces systèmes de symboles et de philosophies implicites que nous appelons les langues. Tout individu est à la fois le bénéficiaire et la victime de la tradition linguistique dans laquelle l'a placé sa naissance, — le bénéficiaire, pour autant que la langue donne accès à la documentation accumulée de l'expérience des autres; la victime, en ce qu'elle le confirme dans la croyance que le conscient réduit est le seul conscient, et qu'elle ensorcelle son sens de la réalité, si bien qu'il n'est que trop disposé à prendre ses concepts pour des données, ses mots pour des choses effectives. Ce que, dans le langage de la religion, l'on appelle « ici-bas », c'est l'univers du conscient réduit, exprimé et en quelque sorte pétrifié par le langage. Les divers « autres mondes », avec lesquels des êtres humains prennent erratiquement contact, sont autant d'éléments de la totalité du conscient appartenant à l'Esprit en Général. La plupart des gens, la plupart du temps, ne connaissent que ce qui passe dans la valve de réduction et est consacré comme étant authentiquement réel par la langue locale. Certaines personnes, toutefois, semblent être nées avec une sorte de conduit de dérivation qui évite la valve de réduction. Chez d'autres, des conduits de dérivation temporaires peuvent s'acquérir, soit spontanément, soit comme résultat d' « exercices spirituels » délibérément voulus, soit par l'hypnose, soit au moyen de drogues. Par ces dérivations permanentes ou temporaires, coule, non pas, en vérité, la perception « de tout ce qui se produit partout dans l'univers » (car la dérivation n'abolit pas la valve de réduction, qui exclut toujours le contenu total de l'Esprit en Général), mais quelque chose de plus, et surtout quelque chose d'autre, que les matériaux utilitaires soigneusement choisis, que notre esprit individuel rétréci considère comme une image complète, ou du moins suffisante, de la réalité.

Le cerveau est muni d'un certain nombre de systèmes d'enzymes qui servent à en coordonner le fonctionnement. Quelques-unes de ces enzymes règlent l'arrivée du glucose dans les cellules du cerveau. La mescaline inhibe la production de ces enzymes, et diminue ainsi la quantité de glucose disponible pour un organe qui a constamment besoin de sucre. Lorsque la mescaline réduit la ration normale de sucre pour le cerveau, que se passe-t-il? Le nombre des cas observés est trop faible, de sorte qu'il est encore impossible de donner une réponse d'ensemble. Mais on peut résumer comme suit ce qui se produit chez la plupart de ceux qui ont pris de la mescaline sous surveillance compétente :

1° l'aptitude à se souvenir et à « penser droit » est peu diminuée, si tant est qu'elle le soit. (En écoutant les enregistrements de ma conversation alors que j'étais sous l'influence de la drogue, je ne puis découvrir que j'étais alors plus bête que je ne le suis d'ordinaire);

2° les impressions visuelles sont considérablement intensifiées, et l'œil recouvre en partie l'innocence perceptuelle de l'enfance, alors que le « sensum » n'était pas immédiatement et automatiquement subordonné au concept. L'intérêt porté à l'espace est diminué, et l'intérêt porté au temps tombe presque à zéro;

3° bien que l'intellect demeure non affaibli, et bien que la perception soit énormément améliorée, la volonté subit une modification profonde, en mal. Celui qui a pris de la mescaline ne voit aucune raison de faire quoi que ce soit en particulier, et trouve profondément inintéressante la plupart des causes pour lesquelles, en temps ordinaire, il était prêt à agir et à souffrir. Il ne peut se laisser tracasser par elles, pour la bonne raison qu'il a des choses meilleures pour occuper sa pensée;

4° ces choses meilleures peuvent être éprouvées (comme je les ai éprouvées) « là-bas » ou « ici », ou dans les deux mondes, l'intérieur et l'extérieur, simultanément ou successivement. Qu'elles soient effectivement meilleures, cela paraît évident en soi à tous ceux qui absorbent de la mescaline en ayant le foie en bon état et l'esprit en repos.

Ces effets de la mescaline sont du genre de ceux auxquels on s'attendrait à la suite de l'administration d'une drogue ayant le pouvoir de diminuer l'efficacité de la valve de réduction cérébrale. Quand le cerveau manque de sucre, le moi sous-alimenté s'affaiblit, ne peut se tracasser pour entreprendre les tâches nécessaires et ennuyeuses, et perd tout intérêt à ces rapports spatiaux et temporels qui sont si importants pour un organisme préoccupé d'améliorer sa situation dans le monde. A mesure que l'Esprit en Général s'égoutte en passant à côté de la valve qui n'est plus hermétique, toutes sortes de choses biologiquement inutiles se mettent à se produire. Dans certains cas il peut y avoir des perceptions extra-sensorielles. D'autres personnes découvrent un monde de beauté visionnaire. A d'autres, encore, est révélée la splendeur, la valeur infinie et la richesse de signification de l'existence nue, de l'événement donné et non conceptualisé. Au stade final de l'absence du moi, — et je ne sais si aucun preneur de mescaline y est jamais parvenu — il y a une « connaissance obscure » que Tout est dans tout, — que Tout est effectivement chacun. C'est là, me semble-t-il, le point le plus proche où un esprit fini puisse parvenir de l'état où il « perçoit tout ce qui se produit partout dans l'univers ».

A ce propos, combien est significatif le rehaussement énorme, sous l'effet de la mescaline, de la perception des couleurs! Pour certains animaux, il est très important, biologiquement, de pouvoir distinguer certaines teintes. Mais au-delà des limites de leur spectre utilitaire, la plupart des créatures sont presque complètement insensibles aux couleurs. Les abeilles, par exemple, passent la majeure partie de leur temps à « déflorer les fraîches vierges du printemps »; mais, comme l'a fait voir von Frisch, elles ne sont capables de distinguer que fort peu de couleurs. Le sentiment éminemment développé des couleurs chez l'homme est un luxe biologique — inestimablement précieux pour lui en tant qu'être intellectuel et spirituel, mais superflu pour sa survie en tant qu'animal. A en juger d'après les adjectifs qu'Homère leur met dans la bouche, les héros de la guerre de Troie ne surpassaient guère les abeilles quant à l'aptitude à distinguer les couleurs. De ce point de vue, tout au moins, le progrès de l'humanité a été prodigieux.

La mescaline élève toutes les couleurs à une puissance supérieure, et rend le percepteur de sensations conscient d'innombrables nuances fines de différence, auxquelles, en temps ordinaire, il est complètement aveugle. Il semblerait que, pour l'Esprit en Général, les prétendus caractères secondaires des choses fussent primaires. Différant en cela de Locke, il sent évidemment que les couleurs sont plus importantes, et méritent plus d'attention, que les masses, les positions et les dimensions. Comme ceux qui prennent de la mescaline, beaucoup de mystiques perçoivent des couleurs surnaturellement brillantes, non seulement par le regard intérieur, mais même dans le monde objectif qui les entoure. Des psychiques et des sujets sensibles rapportent des choses analogues. Il y a certains médiums pour qui la brève révélation du preneur de mescaline est une chose d'expérience quotidienne, et de toutes les heures, durant de longues périodes.

Après cette longue mais indispensable excursion dans le royaume de la théorie, nous pouvons revenir à présent aux faits miraculeux — aux quatre pieds de fauteuil en bambou au milieu d'une pièce. Comme les asphodèles de Wordsworth [1], ils ont apporté toutes sortes de richesses — le don, d'un prix inestimable, d'une pénétration nouvelle et directe dans la nature même des choses, joint à un trésor plus modeste de compréhension, dans le domaine, tout particulièrement, des arts.

Une rose, si elle est une rose, est une rose. Mais ces pieds de fauteuil étaient des pieds de fauteuil, étaient saint Michel et tous les anges. Quatre ou cinq heures après l'événement, alors que les effets d'une disette de sucre cérébral commençaient à s'atténuer, on me fit faire un petit tour par la ville, tour qui comprit une visite, vers l'heure du coucher du soleil, à ce qui se prétend modestement être le Plus Grand « Drug-Store » du Monde. Au fond du P.G.D.S.M., parmi les jouets, les cartes de vœux et les journaux amusants, il y avait, chose assez étonnante, une rangée de livres d'art. Je pris le premier volume qui

1. Allusion à un poème bien connu. *(N. d. T.)*

me tomba sous la main. Il était consacré à Van Gogh, et le tableau sur lequel le livre s'ouvrit fut *La Chaise* — cet étonnant portrait d'un *Ding an sich*, que le peintre dément avait vu, avec une espèce de terreur adoratrice, et avait essayé de rendre sur sa toile. Mais c'était une tâche pour laquelle le pouvoir même du génie se révéla totalement insuffisant. La chaise qu'avait vue Van Gogh était manifestement la même, en essence, que le fauteuil que j'avais vu. Mais, bien qu'incomparablement plus réelle que la chaise de la perception ordinaire, la chaise de son tableau ne demeurait rien de plus qu'un symbole, exceptionnellement expressif, du fait. Le fait, ç'avait été la Réalité manifestée; ce n'était ici qu'un emblème. De tels emblèmes sont des sources de connaissance réelle au sujet de la nature des choses, et cette connaissance réelle peut préparer l'esprit qui l'accepte à des intuitions immédiates pour son propre compte. Mais rien de plus. Quelque expressifs qu'ils soient, les symboles ne peuvent jamais être les choses qu'ils représentent.

Il serait intéressant, à ce propos, de faire une étude des œuvres d'art qui étaient disponibles aux grands connaisseurs de la Réalité. Quel genre de tableaux regardait Eckhart? Quelles sculptures et quelles peintures ont joué un rôle dans l'expérience religieuse de saint Jean de la Croix, d'Hakuin, de Hui-neng, de William Law? Il est au-delà de mon pouvoir de répondre à ces questions; mais je soupçonne fort que la plupart des grands connaisseurs de la Réalité ont prêté fort peu d'attention à l'art — les uns refusant totalement de s'en mêler, d'autres se contentant de ce qu'un œil critique considérerait comme des œuvres de second ordre, voire de dixième. (Pour une personne dont l'esprit transfiguré et transfigurant est capable de voir le Tout dans chaque *ceci*, le fait qu'un tableau, même religieux, soit de second ordre, ou même de dixième ordre, sera une question de la plus souveraine indifférence.) L'art, je le suppose, ne s'adresse qu'aux débutants, ou bien à ces gens résolus à rester dans leur impasse et à se contenter de l'*ersatz* de la Réalité, des symboles plutôt que de ce qu'ils signifient, du menu élégamment composé, au lieu du dîner effectif.

Je remis le Van Gogh dans son rayon, et pris le volume suivant. C'était un livre sur Botticelli. Je le feuilletai. *La Naissance de Vénus,* — ce n'avait jamais été un de mes préférés. *Vénus et Mars,* — cette splendeur si passionnément dénoncée par le pauvre Ruskin au sommet de sa longue tragédie sexuelle. *La Calomnie d'Apelles,* d'une richesse et d'une complication merveilleuses. Et puis, un tableau un peu moins familier et non très bon, *Judith.* Mon attention fut arrêtée, et je contemplai, fasciné, non pas l'héroïne pâle et névrosée ou sa suivante, non pas la tête hirsute de la victime, ni le paysage printanier constituant le fond du décor, mais la soie pourprée du corsage plissé et des longues jupes ballonnées de Judith.

C'était là quelque chose que j'avais déjà vu — vu ce matin même, entre les fleurs et les meubles, lorsque, abaissant par hasard mon regard, je continuai à fixer passionnément, par libre choix, mes propres jambes croisées. Ces plis du pantalon — quel labyrinthe de complexité significative et sans fin! Et la texture de la flanelle grise — comme elle était riche, et profondément, mystérieusement somptueuse! Et je les revoyais ici, dans le tableau de Botticelli.

Les êtres humains civilisés portent des vêtements; il ne peut donc y avoir de portrait, de narration mythologique ou historique, sans représentation de textiles avec des plis. Mais bien qu'il puisse en expliquer les origines, le simple art du tailleur ne peut jamais rendre compte du développement luxuriant des draperies en tant que thème majeur de tous les arts plastiques. Les artistes, la chose est évidente, ont toujours aimé les draperies pour elles-mêmes — ou plutôt, pour eux-mêmes. Quand on peint ou sculpte des draperies, on peint, on sculpte des formes qui, à toutes fins pratiques, sont non-représentationnelles — de ce genre de formes non conditionnées sur lesquelles les artistes, même de la tradition la plus naturaliste, s'en donnent à cœur joie. Dans la Vierge ou l'Apôtre quelconque, l'élément strictement humain, pleinement représentationnel, compte pour environ dix pour cent de l'ensemble. Tout le reste consiste en variations multicolores sur le thème inépuisable de la laine ou de la toile chiffonnées. Et ces neuf dixièmes non représentationnels de Vierge ou d'Apôtre peuvent être aussi importants, qualitativement, qu'ils le sont quantitativement. Très souvent ils donnent le ton à toute l'œuvre d'art, ils indiquent la clef dans laquelle le thème est rendu, ils expriment le mode, le tempérament, l'attitude de l'artiste devant la vie. La sérénité stoïque se révèle dans les surfaces lisses, les larges plis non tourmentés, des draperies de Piero. Tiraillé entre le fait et le souhait, entre le cynisme et l'idéalisme, le Bernin tempère la vraisemblance quasi caricaturale de ses visages, au moyen d'énormes abstractions vestimentaires, qui sont l'incarnation, dans la pierre ou le bronze, des éternels lieux communs de la rhétorique — l'héroïsme, la sainteté, le sublime, auxquels aspire perpétuellement l'humanité, la plupart du temps en vain. Et voici les jupes et les manteaux viscéraux et inquiétants du Greco; voici les plis anguleux, tordus, semblables à des flammes, dont Cosimo Tura revêt ses personnages : chez celui-là, la spiritualité traditionnelle sombre dans une aspiration physiologique anonyme; chez celui-ci, se tord un sentiment douloureux de l'étrangeté et de l'hostilité essentielles du monde. Ou bien, que l'on considère Watteau; ses hommes et ses femmes jouent du luth, se préparent à se rendre à des bals et à prendre part à des arlequinades, s'embarquent, sur des pelouses de velours et sous de nobles feuillages, pour la Cythère qui est le rêve de tout amant; leur mélancolie immense et la sensibilité à vif, atrocement douloureuse, de leur créateur, trouvent leur expression, non pas dans les actions enregistrées, non pas dans les gestes et les visages dépeints, mais dans le relief et la texture de leurs jupes en taffetas, de leurs capes et de leurs pourpoints en satin. Il n'y a pas ici un pouce de surface lisse, pas un instant de paix ou de confiance, — rien qu'un désert soyeux d'innombrables petits plis et rides, avec une modulation incessante — l'incertitude intérieure, rendue avec l'assurance parfaite d'une main de maître — d'un ton dans un autre ton, d'une couleur indéterminée dans une autre. Dans la vie, l'homme propose, et Dieu dispose. Dans les arts plastiques, c'est le sujet qui se charge de proposer; ce qui dispose, en fin de compte, c'est le tempérament de l'artiste, approximativement (du moins dans le portrait, les ouvrages d'histoire et de « genre ») les draperies, sculptées ou peintes. A eux deux, ils peuvent décréter qu'une fête galante émouvra jusqu'aux larmes, qu'une crucifixion sera sereine au point d'en être joyeuse, qu'une apposition de stigmates sera presque intolérablement empreinte de sexe, que le portrait d'un prodige d'absence de cerveau féminin (je songe ici à l'incomparable Mme Moitessier, d'Ingres) exprimera l'intellectualité la plus austère, la plus intransigeante.

Mais ce n'est point là toute l'histoire. Les draperies, comme je l'avais à présent découvert, sont beaucoup plus que des procédés pour l'introduction de formes non-représentationnelles dans des peintures ou des sculptures naturalistes. Ce que le reste d'entre nous ne voit que sous l'influence de la mescaline, l'artiste est équipé congénitalement pour le voir tout le temps. Sa perception n'est pas limitée à ce qui est utile biologiquement ou socialement. Un peu de la connaissance de l'Esprit en Général se glisse à côté de la valve de réduction du cerveau et du moi, et pénètre dans son conscient. C'est une connaissance de la signification intrinsèque de tout existant. Pour l'artiste comme pour celui qui a pris de la mescaline, les draperies sont des hiéroglyphes vivants qui représentent, de quelque manière particulièrement infaillible, le mystère insondable de l'être pur. Plus même que le fauteuil, quoique moins, peut-être, que ces fleurs entièrement surnaturelles,

les plis de mon pantalon de flanelle gris étaient chargés d'« istigkeit ». A quoi devaient-ils leur statut privilégié, je ne sais. Est-ce, peut-être, parce que les formes d'une draperie à plis sont tellement étranges et dramatiques qu'elles accrochent l'œil et imposent ainsi à l'attention le fait miraculeux de l'existence même? Qui sait? Ce qui est important, c'est moins la raison de l'expérience que l'expérience elle-même. Contemplant les jupes de Judith, là-bas dans le Plus Grand Drug-Store du Monde, je savais que Botticelli — et non seulement Botticelli, mais bien d'autres encore — avaient regardé des draperies avec les mêmes yeux transfigurés et transfigurants que les miens, tels qu'ils avaient été ce matin-là. Ils avaient vu l'« istigkeit », le Tout et l'Infini du drap plié, et avaient fait de leur mieux pour le rendre en peinture ou en pierre. Nécessairement, bien entendu, sans succès. Car la splendeur et la merveille de l'existence appartiennent à un autre ordre, que l'art, même le plus élevé, est impuissant à exprimer. Mais je voyais nettement, dans la jupe de Judith, ce que, si j'avais été un peintre de génie, j'aurais pu faire de mon vieux pantalon de flanelle gris. Pas grand-chose, le ciel m'en est témoin, en comparaison de la réalité; mais de quoi ravir génération sur génération de contempleurs, de quoi leur faire comprendre un peu, tout au moins, de la véritable signification de ce que, dans notre imbécillité touchante, nous appelons « les simples choses », et négligeons en faveur de la télévision.

« C'est ainsi qu'il faudrait voir, disais-je sans cesse, tandis que j'abaissais les yeux sur mon pantalon, ou jetais un regard sur les livres brillants comme des joyaux, sur les pieds de mon fauteuil infiniment plus que van-goghien. C'est ainsi qu'il faudrait voir ce que sont réellement les choses. » Et pourtant, il y avait des réserves à faire. Car si l'on voyait toujours ainsi, on ne voudrait jamais faire autre chose. On se contenterait simplement de regarder, d'être le divin non-moi de la fleur, du livre, du fauteuil, de la flanelle. Cela suffirait. Mais, dans ce cas, qu'adviendrait-il d'autrui? Qu'adviendrait-il des rapports humains? Dans l'enregistrement des conversations de cette matinée, je trouve cette interrogation constamment réitérée : « Qu'advient-il des rapports humains? » Comment pouvait-on concilier cette félicité intemporelle de voir comme il faudrait voir, avec les devoirs temporels de faire ce qu'il faudrait faire et de sentir comme il faudrait sentir? « Il faudrait pouvoir, disais-je, voir ce pantalon comme infiniment important, et les êtres humains comme encore infiniment plus importants. » Il faudrait — mais en pratique, cela semblait impossible. Cette participation à la splendeur manifeste des choses ne laissait pas de place, pour ainsi dire, aux préoccupations ordinaires, nécessaires, de l'existence humaine, et surtout aux préoccupations impliquant des personnes. Car les personnes sont des *moi*, et, d'un point de vue tout au moins, j'étais à présent un non-moi, percevant et étant simultanément le non-moi des choses qui m'environnaient. Pour ce non-moi nouveau-né, le comportement, l'aspect, et même l'idée du moi qu'il avait cessé d'être, et des autres moi, ses semblables de naguère, semblaient, non pas, certes, déplaisants (car la déplaisance n'était pas l'une des catégories auxquelles je rapportais mes pensées), mais immensément à côté de la question. Contraint par l'enquêteur à analyser et à exposer ce que je faisais (et comme je désirais ardemment qu'on me laissât seul avec l'éternité dans une fleur, avec l'Infini dans quatre pieds de fauteuil, et avec l'absolu dans les plis d'un pantalon de flanelle!), je me rendis compte que j'évitais de propos délibéré le regard de ceux qui étaient avec moi dans la pièce, que je m'abstenais délibérément d'avoir trop conscience d'eux. L'une de ces personnes était ma femme, l'autre un homme que je respectais et aimais beaucoup; mais elles appartenaient toutes deux au monde duquel, pour le moment, la mescaline m'avait libéré — au monde des moi, des jugements moraux et des considérations utilitaires, au monde (et c'est cet aspect de la vie humaine que je désirais, plus que toute autre chose, oublier) de l'affirmation du moi, de l'assurance outrecuidante, des mots exagérément prisés et des idées idolâtrement adorées.

A ce stade de l'expérience, on me tendit une grande reproduction en couleurs d'un portrait bien connu de Cézanne par lui-même — la tête et les épaules d'un homme coiffé d'un large chapeau de paille, aux joues rouges, aux lèvres rouges, aux abondants favoris noirs, à l'œil sombre et peu amical. C'est un tableau magnifique; mais ce n'est pas en tant que tableau que je le voyais à présent. Car la tête assuma soudain une troisième dimension et se mit à vivre comme un petit homme elfin regardant par une fenêtre, dans la page que j'avais devant les yeux. Je me mis à rire. Et quand on me demanda pourquoi : « Quelle prétention! » répétai-je constamment. « Pour qui diable se prend-il? » Cette interrogation ne s'adressait pas à Cézanne en particulier, mais à l'espèce humaine en général. Pour qui donc se prenaient-ils tous?

« Cela me rappelle Arnold Bennett [1] dans les Dolomites », dis-je, me souvenant soudain d'une scène, heureusement immortalisée dans un instantané représentant A. B., quatre ou cinq ans avant sa mort, trottinant le long d'une route, en hiver, à Cortina d'Ampezzo. Autour de lui s'étendait la neige vierge; à l'arrière-plan se dressait une apparition plus que gothique de rocs rouges et dentelés. Et il y avait là le cher, bon, malheureux A. B., exagérant le rôle de son personnage préféré de roman, lui-même, « The Card » en personne [2]. Il allait, trottinant lentement sous le brillant soleil alpin, les pouces passés dans les emmanchures d'un gilet jaune qui se bombait un peu plus bas, avec la courbe gra-

1. Célèbre romancier et dramaturge anglais, mort en 1931. Il est l'évocateur puissant des « Five Towns », centre industriel de Staffordshire (poterie), et l'auteur de *The Old Wives Tale*. *(N. d. T.)*

2. C'est le héros de plusieurs romans d'Arnold Bennett, entreprenant et passablement arriviste, mais sans aucune méchanceté. *(N. d. T.)*

cieuse d'un bow-window Régence[1] à Brighton — la tête rejetée en arrière comme pour lancer quelque phrase bégayée, à la façon d'un obusier, vers le dôme bleu des cieux. Ce qu'il dit effectivement, je l'ai oublié; mais ce que toute sa manière, son air et sa posturc criaient véritablement, c'était : « Je vaux bien ces sacrées montagnes! » Et, par certains côtés, bien entendu, il valait infiniment mieux; mais non pas, comme il le savait très bien, de la façon dont aimait à se l'imaginer son héros préféré de roman.

Avec succès (quel que puisse être le sens de ce mot), ou sans succès, nous exagérons tous le rôle de notre héros préféré de roman. Et le fait, le fait à peu près infiniment improbable, d'être effectivement Cézanne, n'y change rien. Car le peintre achevé, avec son petit « pipe-line » vers l'Esprit en Général passant en dérivation à côté de la valve cérébrale et du filtre au moi, était également et tout aussi authentiquement cet elfe à favoris et à l'œil peu amical.

A titre de dérivatif, je me remis à regarder les plis de mon pantalon. « C'est ainsi qu'il faudrait voir », répétai-je encore. Et j'aurais pu ajouter : « Voilà le genre de choses qu'il faudrait regarder. Des choses sans prétention, satisfaites d'être simplement elles-mêmes, suffisantes en leur réalité, ne jouant pas un rôle, n'essayant pas, d'une façon insensée, d'« y aller » seules, isolées du Corps-Dharma, en un défi luciférien à la grâce de Dieu. »

« Ce qui s'en rapprocherait le plus, dis-je, ce serait un Vermeer. »

Oui, un Vermeer. Car cet artiste mystérieux était triplement doué — de la vision qui perçoit le Corps-Dharma sous la forme de la haie au fond du jardin, du talent de rendre, de cette vision, tout ce que permettent les limitations de la capacité humaine,

1. Les Anglais appellent Régence la période (1811-1820) pendant laquelle George, prince de Galles (plus tard George IV) exerça la régence, durant la folie de son père George III. *(N. d. T.)*

et de la prudence de se borner, dans ses tableaux, aux aspects relativement praticables de la réalité, car bien que Vermeer ait représenté des êtres humains, il a toujours été un peintre de nature-morte. Cézanne, qui disait à ses modèles féminins de s'efforcer d'avoir l'air de pommes, a essayé de peindre des portraits dans le même esprit. Mais ses femmes semblables à des reinettes s'apparentent aux idées de Platon, plutôt qu'au Corps-Dharma dans la haie. Elles sont l'Éternité et l'Infini vus, non pas dans le sable ou dans une fleur, mais dans les abstractions de quelque genre très supérieur de géométrie. Vermeer n'a jamais demandé à ses jeunes filles d'avoir l'air de pommes. Au contraire, il insistait pour qu'elles fussent jeunes filles jusqu'à l'extrême limite, — mais toujours avec cette condition qu'elles s'abstinssent de se conduire comme des jouvencelles Elles pouvaient s'asseoir ou se tenir debout tranquillement, mais ne devaient jamais glousser de rire, ne jamais faire montre d'embarras, ne jamais dire leurs prières ou se languir d'amoureux absents, ne jamais potiner, ne jamais contempler avec envie les bébés des autres, ne jamais flirter, ne jamais aimer, ni haïr, ni travailler. En faisant quelqu'une de ces choses, elles deviendraient sans aucun doute plus intensément elles-mêmes, mais cesseraient, pour cette raison même, de manifester leur non-moi divin et essentiel. Lorsque, pour utiliser l'expression de Blake, les portes de la perception n'étaient que partiellement nettoyées, un seul panneau était devenu presque parfaitement transparent; le reste de la porte était encore maculé de boue. Le non-moi essentiel pouvait être perçu fort nettement chez les choses et chez les créatures vivantes en deçà du bien et du mal. Chez les êtres humains il était visible seulement quand ils étaient au repos, l'esprit non troublé, le corps immobile. Dans ces conditions, Vermeer voyait la Réalité dans toute sa beauté céleste, — il la voyait, et, dans une faible mesure, était capable de la rendre en une nature morte subtile et somptueuse. Vermeer est incontestablement le plus grand peintre de natures-mortes humaines. Mais il y en a eu d'autres : par exemple, les contemporains français de Vermeer, les frères Le Nain. Ils se sont proposé, je le suppose, d'être des peintres « de genre »; mais ce qu'ils ont effectivement produit, c'est une série de natures-mortes humaines, dans lesquelles leur perception « nettoyée » de la signification infinie de toutes choses est rendue, non pas, comme chez Vermeer, par un subtil enrichissement de la couleur et de la texture, mais par une clarté rehaussée, une netteté obsédante de forme, dans une tonalité austère, presque monochromatique. De nos jours, nous avons en Vuillard, peintre, à ses meilleurs jours, de tableaux inoubliablement splendides du Corps-Dharma manifesté dans une chambre à coucher bourgeoise, de l'Absolu flamboyant au milieu de la famille de quelque agent de change, prenant le thé dans un jardin de banlieue.

Ce qui fait que l'ancien bandagiste renie
Le comptoir dont le faste alléchait les passants,
C'est son jardin d'Auteuil, où, veufs de tout encens,
Les zinnias ont l'air d'être en tôle vernie.

Pour Laurent Tailhade, le spectacle était simplement obscène. Mais si l'ancien bandagiste était resté suffisamment tranquille dans son fauteuil, Vuillard n'aurait vu en lui que le Corps-Dharma, il eût peint, sous les traits des zinnias, de la mare aux poissons rouges, de la tourelle mauresque et des lanternes chinoises, un coin de l'Eden avant la Chute.

Mais, entre temps, mon interrogation demeurait sans réponse. Comment cette perception « nettoyée » pouvait-elle se concilier avec la préoccupation convenable des rapports humains, avec les tâches ennuyeuses et les devoirs nécessaires, sans parler de la charité et de la compassion pratique? Le débat, vieux comme le monde, entre actifs et contemplatifs, se renouvelait — et, en ce qui me concerne, avec une acuité sans précédent. Car, jusqu'à ce matin-là, je n'avais connu la contemplation que sous ses formes assez humbles et ordinaires, — comme méditation logique; comme absorbement ravi de l'esprit dans la poésie, la peinture, ou la musique; comme attente patiente de ces inspirations, sans lesquelles même l'écrivain le plus terre à terre ne saurait espérer accomplir quoi que ce soit; comme éclairs occasionnels, dans la nature, de ce que Wordsworth appelle « quelque chose de bien plus profondément entrefondu »; comme silence systématique conduisant, quelquefois, à des indications d'une « obscure connaissance. » Mais maintenant, je connaissais la contemplation à ses sommets. A ses sommets, mais non pas encore dans sa plénitude. Car, dans sa plénitude, le chemin de Marie comprend en lui le chemin de Marthe et l'élève, en quelque sorte, à sa propre puissance supérieure. La mescaline ouvre le chemin de Marie, mais ferme la porte sur celui de Marthe. Elle donne accès à la contemplation — mais à une contemplation qui est incompatible avec l'action et même avec la volonté d'action, avec l'idée même d'action. Dans les intervalles entre ses révélations, celui qui prend de la mescaline a tendance à sentir que, bien qu'en un sens tout soit suprêmement tel qu'il doit être, en un autre sens il y a quelque chose qui cloche. Son problème est essentiellement le même que celui qui confronte le quiétiste, l'*arhat*, et, à un autre niveau, le peintre de paysages et le peintre de natures-mortes humaines. La mescaline ne pourra jamais résoudre ce problème-là : elle ne peut que le poser, d'une façon révélatrice, pour ceux à qui il ne s'était encore jamais présenté. La solution pleine et définitive ne peut être trouvée que par ceux qui sont disposés à mettre en œuvre le genre convenable de *Weltanschanung* au moyen du genre convenable de conduite et du genre convenable de vigilance constante et spontanée. En contraste avec le quiétiste, il y a le contemplatif-actif, le saint, l'homme qui, comme l'a dit Eckhart, est prêt à descendre du septième ciel afin de porter un verre d'eau à son frère malade. En contraste avec l'*arhat*, qui bat en retraite devant les apparences pour entrer dans un Nirvana entièrement transcendental, il y a le Bodhisattva, pour qui la Réalité et le monde des contingences ne font qu'un, et par la compassion sans bornes de qui chacune de ces contingences est une occasion, non seulement d'intuition transfiguratrice, mais aussi de charité la plus pratique. Et, dans l'univers de l'art, en contraste avec Vermeer et les autres peintres de natures-mortes humaines, en contraste avec les maîtres de la peinture de paysage chinois et japonais, en contraste avec Constable et Turner, avec Sisley, Seurat et Cézanne, il y a l'art de Rembrandt, qui embrasse tout. Ce sont là des noms immenses, des éminences inaccessibles. Quant à moi, en cette mémorable matinée de mai, je ne pouvais qu'être reconnaissant d'une expérience qui m'avait montré, plus nettement que je ne l'avais jamais vue, la nature temporelle du défi et la réponse complètement libératrice.

Qu'on me permette d'ajouter, avant que nous ne quittions ce sujet, qu'il n'y a point de forme de contemplation, même la plus quiétiste, qui soit dénuée de valeurs éthiques. La moitié au moins de toute morale est négative, et consiste à se garder du mal. L'oraison dominicale comporte moins de cinquante mots, et six d'entre eux sont consacrés à demander à Dieu de ne pas nous induire en tentation. Le contemplatif partiel laisse inaccomplies bien des choses qu'il devrait faire; mais, à titre de compensation, il s'abstient de faire une foule de choses qu'il ne doit pas faire. La somme du mal, a dit Pascal, serait considérablement réduite, si seulement les hommes pouvaient apprendre à rester tranquillement dans leur chambre. Le contemplatif dont la perception a été « nettoyée » n'est pas tenu de rester dans sa chambre. Il peut aller vaquer à ses affaires, si complètement satisfait de voir et d'être une partie de l'Ordre divin des Choses, qu'il ne sera jamais tenté de s'adonner à ce que Traherne a appelé « les gentillesses malpropres du monde ». Quand nous nous sentons les seuls héritiers de l'univers, quand « la mer coule en nos veines... et que les astres sont nos joyaux », quand toutes choses sont perçues comme étant infinies et sacrées, quel motif pouvons-nous avoir d'être cupides ou d'affirmer notre moi, de poursuivre le pouvoir ou les formes un peu lugubres du plaisir? Les contemplatifs ont peu de chances de devenir des joueurs, ou des procureurs, ou des ivrognes; ils ne prêchent pas, en général, l'intolérance, ni ne font la guerre; ils n'estiment pas nécessaire de voler, d'escroquer, ni de pressurer les pauvres. Et à ces énormes vertus négatives, on peut en ajouter une autre qui, bien qu'elle soit difficile à définir, est à la fois positive et importante. L'*arhat* et le quiétiste peuvent bien ne pas pratiquer la contemplation dans sa plénitude; mais, si tant est qu'ils la pratiquent, ils peuvent en rapporter des rumeurs d'une autre contrée de l'esprit, d'une contrée transcendante; et s'ils la pratiquent à son sommet, ils deviendront des conduits par lesquels quelque influence bénéfique pourra couler hors de cette contrée, dans un monde de *moi* obscurcis, mourant chroniquement d'en être privés.

Entre temps, quittant, à la demande de l'enquêteur, le portrait de Cézanne, pour revenir à ce qui se passait dans ma tête, je fermai les yeux. Cette fois, le paysage intérieur fut curieusement dénué d'intérêt. Le champ de ma vision était rempli de structures brillamment colorées, constamment changeantes, qui semblaient être faites de matière plastique ou de tôle émaillée.

« Ca ne vaut pas cher, commentai-je. C'est banal. Comme des objets dans un Uniprix. »

Et toute cette pacotille existait dans un monde fermé, à l'étroit.

« C'est comme si l'on était dans l'entrepont d'un bateau, dis-je. D'un bateau de quatre sous. »

Et tandis que je regardais, il apparaissait fort nettement que ce bateau de quatre sous était, en quelque façon, en rapport avec les prétentions humaines. L'intérieur suffocant d'un bateau « Uniprix » était mon propre moi personnel; ces mobilescamelote, de tôle et de matière plastique, étaient mes contributions personnelles à l'univers.

Je sentis que la leçon était salutaire, mais je regrettais néanmoins qu'elle dût m'être administrée à ce moment et sous cette forme. En général, le preneur de mescaline découvre un monde intérieur qui est aussi manifestement une donnée, aussi évidemment infini et sacré, que ce monde extérieur transfiguré que j'avais vu, les yeux ouverts. Dès l'abord, mon cas, à moi, avait été différent. La mescaline m'avait doué temporairement du pouvoir de voir les choses, les yeux fermés; mais elle ne pouvait pas révéler, ou du moins ne révélait pas en cette circonstance, une vue intérieure comparable même de loin à mes fleurs, à mon fauteuil, ou à mon pantalon de flanelle « là-bas ». Ce qu'elle m'avait permis de percevoir, à l'intérieur, ce n'était pas le Corps-Dharma en images, mais mon propre esprit; ce n'était pas l'Archétype de la Réalité, mais une série de symboles — en d'autres termes, un succédané, « fabriqué-maison », de la Réalité.

La plupart des visuels sont transformés par la mescaline en visionnaires. Quelques-uns d'entre eux — et ils sont peut-être plus nombreux qu'on ne le suppose d'ordinaire — n'ont point besoin de transformation; ils sont tout le temps des visionnaires. L'espèce mentale à laquelle appartenait Blake est assez largement répandue, même chez les sociétés urbaines et industrielles de l'époque présente. Le caractère unique de l'artiste-poète ne réside pas dans le fait que (pour citer un mot de son *Catalogue descriptif*) il *vit* effectivement « ces originaux merveilleux dénommés Chérubins dans les Saintes Écritures ». Il ne réside pas en ce que « ces originaux merveilleux vus dans mes visions avaient, certains d'entre eux, cent pieds de haut[1]... et renfermaient tous quelque signification mythologique et absconse. » Il réside exclusivement en son aptitude à traduire, en paroles ou (d'une façon un peu moins

1. 30 mètres. *(N. d. T.)*

heureuse) en lignes et en couleurs, quelque indication tout au moins d'une expérience non excessivement rare. Le visionnaire sans talent peut percevoir une réalité intérieure non moins formidable, belle et significative que le monde contemplé par Blake, mais il manque totalement de l'aptitude à exprimer, en symboles littéraires ou plastiques, ce qu'il a vu.

D'après les traces laissées par la religion et les monuments de la poésie et des arts plastiques qui subsistent, il se voit nettement que, dans la plupart des époques et dans la plupart des lieux, les hommes ont attaché plus d'importance au paysage intérieur qu'aux existants objectifs; ils ont senti que ce qu'ils voyaient en fermant les yeux possédait une signification spirituellement supérieure à ce qu'ils voyaient, les yeux ouverts. La raison? La familiarité engendre le mépris [1], et la manière de survivre est un problème dont la gamme d'urgence s'étend du chroniquement ennuyeux au douloureusement torturant. Le monde extérieur est ce à quoi nous nous réveillons tous les matins de notre vie, c'est le lieu où, bon gré — mal gré, il nous faut essayer de faire notre vie. Dans le monde intérieur, il n'y a ni travail, ni monotonie. Nous ne le visitons que dans les rêves et les rêveries, et son étrangeté est telle, que nous ne trouvons jamais le même monde en deux cas consécutifs. Qu'y a-t-il donc d'étonnant à ce que les êtres humains, dans leur recherche du divin, aient généralement préféré regarder vers l'intérieur! Généralement, mais non toujours. Dans leur art non moins que dans leur religion, les Taoïstes et les Buddhistes Zen ont regardé au-delà des visions, vers le Vide, et, à travers le Vide, vers les dix mille objets de la réalité objective. En raison de leur doctrine du Verbe qui s'est fait chair, les Chrétiens auraient dû pouvoir, dès l'abord, adopter une attitude analogue à l'égard de l'univers qui les environne. Mais en raison de la doctrine de la Chute, ils ont éprouvé beaucoup de difficulté à le faire. A une époque aussi récente que

1. C'est un dicton anglais familier. *(N. d. T.)*

voici trois cents ans, une expression de déni total du monde, et même de condamnation du monde, était à la fois orthodoxe et compréhensible. « Nous ne devons nous étonner d'absolument rien dans la Nature, si ce n'est, toujours de l'Incarnation du Christ. » Au XVIIe siècle, la formule de Lallemant semblait avoir un sens. Aujourd'hui, elle rend un son de démence.

En Chine, l'élévation de la peinture de paysage au rang d'un art majeur a eu lieu il y a environ mille ans; au Japon, il y a environ six cents ans; et en Europe, voici quelque trois cents ans. Le fait d'égaler le Corps-Dharma à la haie fut l'œuvre de ces maîtres Zen, qui allièrent le naturalisme taoïste avec le transcendentalisme buddhiste. C'est donc exclusivement dans l'Extrême-Orient que les peintres paysagistes ont considéré consciemment leur art comme étant religieux. Dans l'Occident, la peinture religieuse consistait à faire le portrait de personnages sacrés, à illustrer des textes sacro-saints. Les peintres paysagistes se considéraient comme des séculiers. Aujourd'hui, nous reconnaissons en Seurat l'un des maîtres suprêmes de ce qu'on peut appeler la peinture mystique de paysage. Et pourtant, cet homme qui savait, plus efficacement que tout autre, rendre l'Un par le nombre, se montra fort indigné quand quelqu'un le félicitait de la « poésie » de son œuvre. « Je ne fais qu'appliquer le système », protesta-t-il. En d'autres termes, il était simplement un pointilliste, et, à ses propres yeux, n'était rien de plus. On conte une anecdote analogue sur John Constable. Un jour, vers la fin de sa vie, Blake rencontra Constable à Hampstead, et on lui montra l'un des croquis de l'artiste cadet. En dépit de son mépris de l'art naturaliste, le vieux visionnaire savait reconnaître une belle œuvre quand il la voyait — sauf, bien entendu, lorsqu'elle était de Rubens. « Ce n'est pas du dessin, cela, s'écria-t-il, c'est de l'inspiration! » — « J'avais l'intention que ce fût du dessin », répondit caractéristiquement Constable. Chacun des deux hommes avait raison. C'était bien du dessin, précis et véridique; et c'était en même temps de l'inspiration — inspiration d'un ordre au moins aussi élevé que celle de Blake. Les pins sur la lande de Hampstead avaient effectivement été vus comme identiques au Corps-Dharma. Le croquis était une traduction, nécessairement imparfaite, mais encore profondément impressionnante, de ce qu'une perception « nettoyée » avait révélé aux yeux ouverts d'un grand peintre. A partir d'une contemplation, dans la tradition de Wordsworth et de Whitman, du Corps-Dharma en tant que haie, et à partir de visions, comme celles de Blake, des « originaux merveilleux » à l'intérieur de l'esprit, les poètes contemporains se sont retirés dans la recherche du subconscient personnel, en tant qu'opposé au plus-que-personnel, et dans la traduction, en termes éminemment abstraits, non pas du fait donné, objectif, mais de simples notions scientifiques et théologiques. Et il s'est produit quelque chose d'analogue dans le domaine de la peinture. Nous avons été témoins là d'un abandon général du paysage, forme d'art prédominante au XIXe siècle. Cet abandon du paysage n'a pas été une entrée dans cet autre Donné, intérieur et divin, dont s'étaient préoccupées la plupart des écoles traditionnelles du passé — dans ce Monde Archétype où les hommes ont toujours trouvé la matière première du mythe et de la religion. Non, ç'a été une retraite, à partir du Donné extérieur, dans le subconscient personnel, dans un monde mental plus malpropre et plus étroitement fermé que ne l'est même le monde de la personnalité consciente. Ces assemblages baroques de fer blanc et de matières plastiques aux couleurs vives, — où donc les avais-je déjà vus? Mais, dans toutes les galeries de tableaux qui exposent le dernier cri en matière d'art non-représentationnel.

Quelqu'un apporta alors un phonographe, et mit en place un disque sur le plateau. J'écoutai avec plaisir, mais je n'éprouvai rien de comparable à mes révélations visuelles de fleurs ou de flanelle. Un musicien doué par la nature *entendrait*-il les révélations qui, pour moi, avaient été exclusivement visuelles? Il serait intéressant d'en faire l'expérience. Entre temps, bien que non transfigurée, bien que conservant sa qualité et son intensité normales, la musique contribuait plus qu'un peu à ma compréhension de ce qui m'était arrivé et des problèmes plus vastes qu'avaient soulevés ces événements.

La musique instrumentale, chose assez curieuse, me laissa assez froid. Le concerto pour piano en ut mineur, de Mozart, fut arrêté après le premier mouvement, et fut remplacé par un enregistrement de quelques madrigaux de Gesualdo.

« Ces voix, dis-je avec satisfaction, ces voix, elles sont une espèce de pont pour revenir au monde humain. »

Et elles demeurèrent un pont, même lorsqu'elles chantèrent les compositions les plus étonnamment chromatiques du prince dément. Au travers des phrases rocailleuses des madrigaux, la musique poursuivit son cours, ne restant jamais dans le même ton durant deux mesures consécutives. Chez Gesualdo, ce personnage fantastique extrait d'un mélodrame de Webster, la désintégration psychologique avait exagéré, avait poussé à sa limite extrême, une tendance inhérente à la musique modale, en tant qu'opposée à la pleinement tonale. Les œuvres qui en résultaient me semblaient avoir pu être écrites par le Schoenberg de la dernière époque.

« Et pourtant, me sentis-je contraint de dire, en écoutant ces étranges produits d'une psychose de Contre-Réforme travaillant sur une forme d'art médiéval tardif, et pourtant, peu importe qu'il soit tout en fragments. L'ensemble est désorganisé. Mais chaque fragment individuel est bien en ordre, et est représentatif d'un Ordre supérieur. L'Ordre supérieur prévaut, même dans la désintégration. La totalité est présente, même dans les fragments rompus. Plus nettement présente, peut-être, que dans une œuvre complètement cohérente. Du moins n'est-on pas doucement poussé dans un sentiment de fausse sécurité par quelque ordre simplement humain et fabriqué. On est obligé de compter sur sa perception immédiate de l'ordre ultime. De sorte qu'en un certain sens, la désintégration peut avoir ses avantages. Supposez qu'on ne puisse pas revenir, sortir du chaos... »

Quittant les madrigaux de Gesualdo, nous bondîmes, franchissant un gouffre de trois siècles, jusqu'à Alban Berg et à la *Suite lyrique.*

« Ceci, annonçai-je d'avance, va être l'enfer. »

Mais il se trouva que je me trompais. En réalité, la musique parut un peu comique. Arrachées au subconscient personnel, les angoisses à douze tons se succédaient; mais ce qui me frappa, ce fut seulement l'incongruité essentielle qui existait entre une désintégration psychologique encore plus complète que celle de Gesualdo, et les ressources prodigieuses, en talent et en technique, utilisées pour son expression.

« Comme il se lamente sur lui-même! » commentai-je, avec un manque de sympathie railleur. Et puis « *Katzenmusik*[1] — une savante *Katzenmusik.* » Et enfin, après encore quelques minutes de cette angoisse : « Qui donc s'intéresse à ce qu'il a éprouvé? Pourquoi ne peut-il s'occuper d'autre chose? »

A titre de critique de ce qui est indubitablement une œuvre fort remarquable, c'était injuste et insuffisant, — mais non pas à côté de la question, me semble-t-il. Je la cite pour ce qu'elle vaut, et parce que c'est ainsi que, dans un état de contemplation pure, je réagis à la *Suite lyrique.*

Quand elle fut terminée, l'enquêteur proposa un tour au jardin. J'y consentis; et bien que mon corps semblât s'être presque complètement dissocié de mon esprit — ou, pour être plus précis, bien que ma conscience du monde extérieur transfiguré ne fût plus accompagnée d'une conscience de mon organisme physique, — je me trouvai capable de me lever, d'ouvrir la porte-fenêtre, et de sortir, avec seulement un minimum d'hésitation. Il était bizarre,

1. Musique de chat. *(N. d. T.)*

bien entendu, de sentir que « je » n'étais pas la même chose que ces bras et ces jambes « là-bas », que ce tronc, ce cou et même cette tête complètement objectifs. C'était bizarre; mais on s'y habituait bientôt. D'ailleurs, le corps semblait parfaitement en état de s'occuper de lui-même. En réalité, bien entendu, il s'occupe toujours, effectivement, de lui-même. Tout ce que peut faire le moi conscient, c'est de formuler des désirs, qui sont alors mis à exécution par des forces sur lesquelles il a fort peu de maîtrise et qu'il ne comprend absolument pas. Quand il fait quelque chose de plus — quand il s'efforce trop, par exemple, quand il s'inquiète, quand il est en proie à des appréhensions au sujet de l'avenir — il diminue l'efficacité de ces forces, et peut même faire en sorte que le corps dévitalisé tombe malade. Dans l'état où j'étais alors, la conscience ne se rapportait point à un moi, elle était, en quelque sorte, livrée à elle-même. Cela signifiait que l'intelligence physiologique gouvernant le corps était également livrée à elle-même. Pour le moment, ce névrosé indiscret qui, dans les heures de veille, essaye de faire marcher la boutique, était, par bonheur, mis à l'écart.

Traversant la porte-fenêtre, je sortis sous une sorte de pergola couverte en partie d'un rosier grimpant, en partie de lattes de deux centimètres de largeur, séparées par des intervalles d'environ un centimètre. Le soleil brillait, et les ombres des lattes traçaient un dessin zébré sur le sol et sur le siège et le dossier d'un fauteuil de jardin qui se trouvait à l'extrémité de la pergola. Ce fauteuil — l'oublierai-je jamais? Là où les ombres tombaient sur le rembourrage en toile, des bandes d'indigo sombre mais resplendissant alternaient avec des bandes d'une incandescence si intensément brillante qu'il était difficile de croire qu'elles pussent être faites d'autre chose que de feu bleu. Pendant ce qui me parut être un temps immensément long, je contemplai sans savoir, sans même désirer savoir, ce qui me confrontait. A tout autre moment, j'aurais vu un fauteuil, barré alternativement de lumière et d'ombre. Aujourd'hui, le percept avait englouti le concept. J'étais si complètement absorbé à regarder, si abasourdi par ce que je voyais effectivement, que je ne pouvais avoir conscience d'autre chose. Le mobilier de jardin, les lattes, le soleil, l'ombre — ce n'étaient là rien de plus que des noms et des notions, que de simples verbalisations après l'événement, pour des besoins utilitaires ou scientifiques. L'événement, c'était cette succession de portes de fournaises d'un bleu d'azur, séparées par des gouffres de gentiane insondable. C'était indiciblement merveilleux, merveilleux au point d'en être presque terrifiant. Et soudain, j'eus un soupçon de ce qu'on doit éprouver lorsqu'on est fou. La schizophrénie a ses paradis, aussi bien que ses enfers et ses purgatoires; et je me souviens de ce que m'a dit un vieil ami, mort depuis bien des années, au sujet de sa femme, folle. Un jour, au début de la maladie, alors qu'elle avait encore ses intervalles de lucidité, il était allé à l'hôpital, pour causer avec elle de leurs enfants. Elle avait écouté quelque temps, puis l'avait arrêté net. Comment pouvait-il supporter de gaspiller son temps à propos de deux enfants absents, alors que tout ce qui importait réellement, ici même et maintenant, c'était l'ineffable beauté des motifs qu'il traçait, vêtu de ce veston de tweed brun, chaque fois qu'il remuait les bras? Hélas, ce paradis de la perception « nettoyée », de la contemplation pure et unique, ne devait pas persister. Ces intermittences heureuses se firent plus rares, plus brèves, jusqu'à ce que, finalement, il n'y en eût plus; il n'y eut plus que l'horreur.

La plupart de ceux qui prennent de la mescaline n'éprouvent que la partie paradisiaque de la schizophrénie. La drogue n'apporte l'enfer et le purgatoire qu'à ceux qui ont souffert récemment d'une jaunisse, ou qui subissent des dépressions périodiques ou une angoisse chronique. Si, comme les autres drogues d'un pouvoir comparable, fût-ce de loin, la mescaline était notoirement toxique, son absorption suffirait, par elle-même, à causer de l'angoisse. Mais la personne raisonnablement bien portante sait d'avance qu'en ce qui la concerne, la mescaline est complètement inoffensive, que ses effets disparaitront au bout de huit ou dix heures, sans laisser de traces fâcheuses, et, partant, de désir d'un renouvellement de la dose. Fortifiée par cette connaissance, elle s'embarque sans crainte dans l'expérience — en d'autres termes, sans aucune prédisposition à convertir une expérience d'une étrangeté sans précédent et autre qu'humaine, en une chose effrayante, en une chose véritablement diabolique.

Confronté avec un fauteuil qui avait l'air du Jugement dernier — ou, pour être plus précis, avec un Jugement dernier que, au bout d'un temps long et au prix d'une difficulté considérable, je reconnus être un fauteuil — je me trouvai tout à coup au bord d'une panique. Voici, sentis-je soudain, quelque chose qui allait trop loin. Trop loin, bien que ce fût pour pénétrer dans une beauté plus intense, dans une signification plus profonde. La crainte, telle que je l'analyse rétrospectivement, était celle d'être submergé, d'être désintégré sous une pression de réalité plus forte qu'un esprit habitué à vivre la plupart du temps dans un monde douillet de symboles, n'en pouvait supporter. La littérature de l'expérience religieuse abonde d'allusions aux souffrances et aux terreurs accablant ceux qui sont venus, trop soudainement, face à face avec quelque manifestation du *Mysterium tremendum*. Dans le langage théologique, cette crainte est due à l'incompatibilité entre l'égotisme de l'homme et la pureté divine, entre le caractère de séparation, aggravée par l'homme lui-même, et l'infini de Dieu. A la suite de Boehme et de William Law, on peut dire que, pour des âmes non régénérées, la lumière divine dans son plein éclat ne peut être appréhendée que comme un feu brûlant du purgatoire. On trouve une doctrine presque identique dans *Le Livre tibétain des Morts*, où l'âme disparue est décrite comme se dérobant, dans une souffrance affreuse, à la claire Lumière du Vide, et même aux Lumières moindres, tempérées, afin de s'élancer dans les ténèbres réconfortantes du moi, sous la forme d'un être humain renaissant, ou même sous celle d'une bête, d'un esprit malheureux, d'un habitant de l'enfer. N'importe quoi, plutôt que cet éclat brûlant de la Réalité sans mélange — n'importe quoi.

Le schizophrène est une âme non pas simplement non régénérée, mais désespérément malade par-dessus le marché. Sa maladie consiste en l'incapacité à se réfugier hors de la réalité intérieure et extérieure (comme le fait en général le sain d'esprit) dans l'univers, « fabriqué-maison » du sens commun — dans le monde strictement humain des idées utiles, des symboles partagés et des conventions socialement acceptables. Le schizophrène ressemble à un homme sous l'influence permanente de la mescaline, et, en conséquence, incapable d'exclure l'expérience ressentie d'une réalité avec laquelle il n'est pas assez sain pour vivre, qu'il ne peut éliminer par le raisonnement parce qu'elle est le plus opiniâtre des faits primordiaux, et qui, parce qu'elle ne lui permet jamais de regarder le monde avec des yeux simplement humains, l'effraye au point de lui faire interpréter son étrangeté ininterrompue, sa brûlante intensité de signification, comme étant des manifestations de la méchanceté humaine ou même cosmique, nécessitant les représailles les plus désespérées, depuis la violence meurtrière à l'une des extrémités de l'échelle, jusqu'à la catatonie, ou suicide psychologique, à l'autre. Et, une fois lancé sur ce chemin descendant, ce chemin infernal, on ne pourrait jamais s'arrêter. Voilà ce qui, à présent, n'était que trop évident.

« Une fois qu'on serait mal parti, dis-je, en réponse aux questions de l'enquêteur, tout ce qui arriverait constituerait une preuve de la conspiration ourdie contre vous. Tout se justifierait de soi-même. On ne pourrait aspirer un souffle d'air sans savoir que cela fait partie du complot. »

« Vous croyez donc savoir en quoi réside la folie? »

Ma réponse fut un « Oui » convaincu et bien senti.

« Et vous ne pourriez la maîtriser? »

« Non, je ne pourrais la maîtriser. Si l'on commençait en ayant pour prémisses majeures la peur et la haine, on serait forcé de poursuivre jusqu'à la conclusion. »

« Serais-tu capable, demanda ma femme, de fixer ton attention sur ce que *Le Livre tibétain des Morts* appelle la Claire Lumière? »

Cela me parut douteux.

« Cela éloignerait-il le mal, si tu pouvais la fixer? Ou ne serais-tu pas capable de la fixer? »

Je réfléchis quelque temps à cette question.

« Peut-être, finis-je par répondre, peut-être le pourrais-je — mais seulement s'il y avait quelqu'un pour me parler de la Claire Lumière. C'est une chose qu'on ne pourrait pas faire tout seul. C'est là l'intérêt, je le suppose, du rituel tibétain, — quelqu'un assis, là, tout le temps, et vous disant ce qu'il en est. »

Après avoir écouté l'enregistrement de cette partie de l'expérience, je pris mon exemplaire de l'édition Evan-Wentz du *Livre tibétain des Morts*, et l'ouvris au hasard. « O noblement né, ne laisse pas distraire ton esprit. » C'était là le problème : rester non-distrait. Non-distrait par le souvenir des péchés passés, par le plaisir imaginé, par l'arrière-goût des torts et des humiliations anciens, par toutes les craintes, les haines et tous les désirs qui éclipsent d'ordinaire la Lumière. Ce que ces moines buddhistes faisaient pour les mourants et les morts, le psychiatre moderne ne pourrait-il le faire pour les déments? Qu'il y ait une voix pour leur assurer, de jour et même quand ils sont endormis, que, malgré toute la terreur, tout l'affolement et toute la confusion, la Réalité ultime demeure inébranlablement elle-même, et est de la même substance que la lumière intérieure de l'esprit même le plus tourmenté. Au moyen d'instruments tels que les enregistreurs, les commutateurs commandés par une horloge, les systèmes des discours publics et les parleurs d'oreillers, il doit être très facile de rappeler constamment ce fait primordial aux hôtes d'une institution, même dotée d'un personnel insuffisant. Peut-être quelques-unes des âmes perdues pourraient-elles ainsi être aidées à gagner un certain degré de maîtrise sur l'univers — à la fois beau et effrayant, mais toujours autre qu'humain, toujours totalement incompréhensible — dans lequel elles se voient condamnées à vivre.

Il n'était certes pas trop tôt qu'on m'éloignât des splendeurs inquiétantes du fauteuil de mon jardin. Retombant en paraboles vertes du haut de la haie, les frondaisons de lierre brillaient d'une espèce de rayonnement vitreux, semblable à du jade. L'instant d'après, une touffe de tritomes, en pleine floraison, avait fait explosion dans mon champ de vision. Si passionnément vivantes qu'elles semblaient sur le point même de provoquer des paroles, les fleurs se tendaient là-haut vers l'azur. Comme le fauteuil sous les lattes, elles protestaient exagérément. J'abaissai mon regard sur les feuilles, et découvris une complexité caverneuse de lumières et d'ombres vertes les plus délicates, animées d'une pulsation de mystère indéchiffrable.

Des roses :
Les fleurs sont faciles à peindre,
Les feuilles, difficiles.

Ce *haïku* de Shiki (que je cite d'après la traduction de F. H. Blyth) exprime, indirectement, et avec précision, ce que je ressentais alors — la splendeur excessive, trop manifeste, des fleurs, en contraste avec le miracle plus subtil de leur feuillage.

Nous sortîmes dans la rue. Une grosse automobile bleu-pâle stationnait au bord du trottoir. A sa vue, je fus soudain saisi d'une gaieté énorme. Quelle suffisance, quelle absurde satisfaction de soi, rayonnait de ces surfaces bombées revêtues de l'émail le plus luisant! L'homme avait créé cet objet à sa propre image — ou plutôt à l'image de son personnage de roman préféré. Je me mis à rire, au point que les larmes me ruisselèrent sur les joues.

Nous rentrâmes dans la maison. Un repas avait

été préparé. Quelqu'un, qui n'était pas encore identique à moi, se mit à manger avec un appétit d'affamé. D'une distance considérable, et sans grand intérêt, j'en fus le spectateur.

Le repas terminé, nous montâmes dans la voiture et fîmes une promenade. Les effets de la mescaline étaient déjà sur leur déclin; mais les fleurs des jardins tremblaient encore au bord du surnaturel, les poivriers et les caroubiers bordant les rues secondaires appartenaient encore manifestement à quelque bois sacré. L'Eden alternait avec Dodone, Yggdrasil avec la Rose mystique. Et puis, brusquement, nous nous trouvâmes à un croisement, attendant de traverser Sunset Boulevard. Devant nous, les voitures roulaient en un flot continu, — par milliers, toutes brillantes et luisantes comme un rêve d'agent de publicité, et chacune plus risible que la précédente. Je fus repris d'un rire convulsif.

La Mer rouge du trafic s'ouvrit enfin, et nous passâmes dans une autre oasis d'arbres, de pelouses, et de roses. Au bout de quelques minutes, nous avions gagné un point culminant parmi les hauteurs, et la ville s'étendait là, à nos pieds. Je fus un peu déçu de constater qu'elle était fort semblable à la ville que j'avais vue en d'autres circonstances. En ce qui me concerne, la transfiguration était proportionnelle à la distance. Plus la chose contemplée était proche, plus elle était divinement autre. Ce panorama vaste et indistinct n'était guère différent de lui-même.

Nous poursuivîmes notre promenade, et, tant que nous restâmes sur les hauteurs, et qu'une vue succédait à une autre, la valeur significative était à son niveau quotidien, bien au-dessous du point de transfiguration. La magie ne recommença à opérer que lorsque nous descendîmes dans un faubourg nouveau, et que nous roulâmes entre deux rangées de maisons. Là, en dépit de la hideur toute particulière de l'architecture, il y eut des renouveaux d'« autreté » transcendentale, des soupçons du paradis de la matinée. Des cheminées en briques et des toits en simili-tuiles vertes luisaient au soleil, comme des fragments de la Nouvelle Jérusalem. Et tout à coup je vis ce que Guardi avait vu et (avec quelle incomparable habileté!) avait si souvent rendu dans ses tableaux — un mur de stuc avec une ombre le traversant obliquement, nu mais d'une beauté inoubliable, vide mais chargé de toute la signification et de tout le mystère de l'existence. La Révélation s'amorça, et disparut au bout d'une fraction de seconde. La voiture avait poursuivi son chemin; le temps découvrait une nouvelle manifestation de l'éternelle Réalité. « A l'intérieur de l'uniformité il y a différence. Mais il n'est nullement de l'intention de tous les Buddhas que la différence diffère de l'uniformité. Leur intention est à la fois la totalité et la différentiation. » Cette masse de géraniums rouges et blancs, par exemple — elle était entièrement différente de ce mur en stuc à cent mètres de là, le long de la route. Mais l'« istigkeit » de l'une et de l'autre était la même, la qualité éternelle de leur caractère passager était la même.

Une heure plus tard, ayant laissé en sécurité derrière nous quinze kilomètres de plus et la visite au Plus Grand Drug-Store du Monde, nous étions de retour à la maison, et j'étais revenu à cet état rassurant mais profondément peu satisfaisant qui s'appelle « être en possession de tous ses esprits ».

Que l'humanité en général puisse jamais se passer de Paradis artificiels, cela semble fort peu probable. La plupart des hommes et des femmes mènent une vie si douloureuse dans le cas le plus défavorable, si monotone, pauvre, et bornée dans le cas le meilleur, que le besoin de s'évader, le désir de se transcender eux-mêmes, ne fût-ce que pour quelques instants, est et a toujours été l'un des principaux appétits de l'âme. L'art et la religion, les carnavals et les saturnales, la danse et l'audition des prouesses oratoires — tout cela a servi, pour employer la formule de H. G. Wells, de Portes dans le Mur. Et pour l'usage privé et quotidien, il y a toujours eu des excitants chimiques. Tous les sédatifs et les narcotiques végétaux, tous les euphoriques qui poussent sur les arbres, les hallucinogènes qui mûrissent dans les baies ou qu'on peut extraire, par pression, des racines, — tous, sans exception, sont connus et ont été utilisés systématiquement par les êtres humains depuis les temps immémoriaux. Et à ces modificateurs naturels de la conscience, la science moderne a ajouté son contingent de produits synthétiques, — le chloral, par exemple, et la benzédrine, les bromures et les barbituriques.

La plupart de ces modificateurs de la conscience ne peuvent, actuellement, être absorbés que sur l'ordre d'un médecin, ou sinon, d'une façon illégale, et moyennant des risques considérables. Pour l'usage sans restriction, l'Occident n'a autorisé que l'alcool et le tabac. Toutes les autres Portes chimiques dans le Mur sont étiquetées « Dope », et ceux qui en font un usage non autorisé sont des toxicomanes.

Nous dépensons actuellement beaucoup plus en boisson et en fumée qu'en instruction. Ce n'est pas surprenant, bien entendu. Le besoin de s'évader hors du moi et du milieu existe presque tout le temps chez presque tout le monde. Le désir d'être utile aux jeunes n'est vigoureux que chez les parents, et encore, au cours des quelques années pendant lesquelles leurs enfants vont à l'école. L'attitude courante envers la boisson et le tabac est également peu surprenante. En dépit de l'armée grossissante des alcooliques sans espoir, en dépit des centaines de milliers de personnes annuellement mutilées ou tuées par des conducteurs d'automobiles ivres, les comiques populaires continuent à servir des plaisanteries sur l'alcool et ceux qui s'y adonnent. Et en dépit des indices montrant qu'il y a corrélation entre les cigarettes et le cancer du poumon, à peu près tout le monde considère qu'il est presque aussi normal de fumer du tabac que de manger. Du point de vue de l'utilitaire rationaliste, cela peut paraître bizarre. Pour l'historien, c'est exactement ce à quoi il faudrait s'attendre. Une ferme conviction de la réalité matérielle de l'Enfer n'a jamais empêché les chrétiens du moyen âge de faire ce que suggérait leur ambition, leur désir ou leur cupidité. Le cancer du poumon, les accidents de circulation, et les millions d'alcooliques misérables et créateurs de misère, sont des faits encore plus certains que ne l'était, à l'époque de Dante, le fait de l'Enfer. Mais tous ces faits sont lointains et peu substantiels, comparés au fait proche et ressenti d'un besoin, ici même et maintenant, d'évasion ou de sédation, d'un verre ou d'une cigarette.

Notre époque est celle, entre autres, de l'automobile et d'une population qui monte en chandelle. L'alcool est incompatible avec la sécurité sur les routes, et sa production, comme celle du tabac, condamne virtuellement à la stérilité bien des millions d'arpents des terres les plus fertiles. Les problèmes soulevés par l'alcool et le tabac ne sauraient, cela va sans dire, être résolus par la prohibition. On ne saurait abolir le besoin universel et toujours présent de la transcendance du moi, en claquant les Portes couramment populaires dans le Mur. La seule politique raisonnable, c'est d'ouvrir d'autres portes, meilleures, dans l'espoir d'inciter les hommes et les femmes à échanger leurs mauvaises habitudes anciennes contre de nouvelles, moins nuisibles. Quelques-unes de ces portes nouvelles et meilleures seront de nature sociale et technologique, d'autres, de nature religieuse ou psychologique, d'autres, de nature diététique, éducative, athlétique. Mais le besoin de congés chimiques hors du moi intolérable et du milieu repoussant subsistera indubitablement. Ce qu'il faut, c'est une drogue nouvelle qui soulagera et consolera notre espèce souffrante, sans faire plus de mal, à longue échéance, qu'elle ne fait de bien dans l'immédiat. Il faut qu'une pareille drogue soit puissante à doses minimes, et préparable par synthèse. Si elle ne possède pas ces qualités, sa production, comme celle du vin, de la bière, des spiritueux et du tabac, gênera l'obtention des aliments et des fibres indispensables. Il faut qu'elle soit moins toxique que l'opium ou la cocaïne, moins apte à produire des conséquences sociales indésirables que l'alcool ou les barbituriques, moins nuisible au cœur et aux poumons que les goudrons et la nicotine des cigarettes. Et, sur le plan positif, elle devra produire des modifications de la conscience plus intéressantes, plus intrinsèquement précieuses, que la simple sédation ou la rêverie, que les illusions d'omnipotence ou la délivrance des inhibitions.

Pour la plupart des gens, la mescaline est presque complètement inoffensive. A la différence de l'alcool, elle n'entraîne pas celui qui la prend dans ce genre d'actions dénuées d'inhibition qui ont pour résultats des rixes, des crimes de violence et des accidents de circulation. Un homme sous l'influence de la mescaline se contente de s'occuper tranquillement de ce qui le regarde. En outre, ce dont il s'occupe, c'est une expérience du genre le plus illuminateur, qui n'a point besoin d'être acquise au prix (et c'est assurément là une chose importante) d'une séquelle compensatoire. Quant aux conséquences à longue échéance de l'absorption régulière de mescaline, nous savons là-dessus fort peu de chose. Les Indiens qui consomment des boutons de peyotl ne semblent pas être avilis, physiquement ni moralement, par cette habitude. Quoi qu'il en soit, les témoignages disponibles sont encore rares et rudimentaires [1].

1. Dans sa monographie, *Menomini Peyotism*, publiée (décembre 1952) dans les *Transactions of the American Philosophic Society*, le professeur J. S. Slotkin a écrit que « l'usage habituel du peyotl ne semble produire aucune tolérance ou dépendance accrue. Je connais beaucoup de gens qui sont peyotistes depuis quarante à cinquante ans. La quantité de peyotl qu'ils utilisent dépend de la solennité de la circonstance; en général, ils ne prennent pas plus de peyote actuellement qu'ils n'en prenaient il y a des années. En outre, il s'écoule parfois un intervalle d'un mois ou davantage entre les rites, et ils se passent de peyote pendant cette période sans en éprouver aucun désir violent. Personnellement, même après une série de rites correspondant à quatre « week-ends » consécutifs, je n'ai ni augmenté la quantité de peyotl consommée, ni n'en ai ressenti aucun besoin persistant. » C'est probablement à bon escient que « le peyotl n'a jamais été déclaré légalement être un narcotique, ni son usage interdit par le gouvernement fédéral ». Toutefois, « au cours de la longue

Bien qu'elle soit manifestement supérieure à la cocaïne, à l'opium, à l'alcool et au tabac, la mescaline n'est pas encore la drogue idéale. A côté de la majorité des preneurs de mescaline transfigurés de façon heureuse, il y a une minorité, qui ne trouve en la drogue que l'enfer ou le purgatoire. En outre, pour une drogue qui doit être utilisée, comme l'alcool, pour la consommation générale, ses effets persistent pendant un temps incommodément long. Mais la chimie et la physiologie sont capables, actuellement, de réaliser à peu près n'importe quoi. Si les psychologues et les sociologues veulent bien définir l'idéal, on pourra compter sur les neurologues et les pharmacologistes pour découvrir le moyen grâce auquel cet idéal pourra être réalisé, ou tout au moins (car il se peut qu'un idéal de ce genre ne puisse jamais, en vertu de la nature même des choses, être pleinement réalisé) approché de plus près que dans le passé buveur de vin, que dans le présent absorbeur de whisky, fumeur de marijuana, et avaleur de barbituriques.

Le besoin de transcender la suffisance du moi est, comme je l'ai dit, l'un des principaux appétits de l'âme. Lorsque, pour une raison quelconque, les hommes et les femmes ne réussissent pas à se transcender au moyen du culte religieux, des bonnes œuvres et des exercices spirituels, ils ont tendance à recourir aux succédanés chimiques de la religion — à l'alcool et aux « pilules pour nigauds » dans l'Occident moderne, à l'alcool et à l'opium dans l'Orient, au hachich dans le monde musulman, à l'alcool et à

histoire du contact entre Indiens et Blancs, les fonctionnaires blancs ont généralement essayé de supprimer l'usage du peyotl, parce qu'ils concevaient qu'il violait leur propre morale. Mais ces tentatives ont toujours échoué. » Dans une note, le Dr Slotkin ajoute qu'« il est surprenant d'entendre les récits fantastiques au sujet des effets du peyote et de la nature du rite, que font les fonctionnaires blancs et indiens-catholiques de la Réserve Menomini. Aucun d'entre eux ne possède la moindre expérience de première main relative à la plante ni à la religion, et pourtant certains s'imaginent être des autorités, et écrivent des rapports officiels sur la question. » *(N. d. l'A.)*

la marijuana dans l'Amérique centrale, à l'alcool et à la coca dans les Andes, à l'alcool et aux barbituriques dans les régions plus « à la page » de l'Amérique du Sud. Dans *Poisons sacrés, Ivresses divines*, Philippe de Félice a traité longuement et avec une grande richesse de documentation des rapports immémoriaux entre la religion et l'absorption de drogues. Voici, en résumé ou en citation directe, ses conclusions. L'emploi de substances toxiques à des fins religieuses est « extraordinairement répandu... Les pratiques étudiées dans ce volume peuvent s'observer dans toutes les régions de la terre, chez les primitifs non moins que chez ceux qui sont parvenus à un haut degré de civilisation. Nous ne traitons donc pas de faits exceptionnels, qu'on serait fondé à négliger, mais d'un phénomène général et humain au sens le plus large du mot, d'un genre de phénomène qui ne saurait être négligé par quiconque essaye de découvrir ce qu'est la religion, et quels sont les besoins profonds auxquels elle doit satisfaire. »

Idéalement, chacun devrait pouvoir trouver la transcendance du moi sous quelque forme de religion pure ou appliquée. Dans la pratique, il semble fort peu probable que ce résultat espéré sera jamais réalisé. Il y a, et il y aura sans doute toujours, des hommes et des femmes d'une excellente piété pratiquante, pour qui, malheureusement, la piété ne suffit pas. Feu G. K. Chesterton, qui, dans ses écrits, a chanté la boisson d'une façon au moins aussi lyrique que la dévotion, peut leur servir de porte-parole éloquent.

Les Églises modernes, à part quelques exceptions parmi les sectes protestantes, tolèrent l'alcool; mais les plus tolérantes elles-mêmes n'ont pas tenté de convertir cette drogue au christianisme, ni d'en rendre l'usage sacramentel. Le buveur pieux est contraint de prendre sa religion dans un compartiment, son succédané de religion dans un autre. Et c'est peut-être inévitable. Le boire ne peut être rendu sacramentel, si ce n'est dans des religions qui n'attachent aucune importance au décorum. Le culte de Dionysos ou du dieu celtique de la bière, était une affaire bruyante et tumultueuse. Les rites du christianisme sont incompatibles avec l'ivresse, fût-elle religieuse. Cela ne fait aucun mal aux distillateurs, mais c'est fort mauvais pour le christianisme. Il y a des personnes innombrables qui désirent la transcendance du moi, et qui seraient heureuses de la trouver à l'église. Mais, hélas, « les ouailles affamées lèvent les yeux, et ne sont point nourries. » Elles participent aux rites, elles répètent les prières; mais leur soif demeure inassouvie. Déçues, elles se tournent vers la bouteille. Pendant quelque temps au moins, cela fonctionne. On peut bien continuer à aller à l'église; mais ce n'est rien de plus que la Banque musicale, dans *Erewhon*, de Samuel Butler. On peut bien continuer à reconnaître Dieu; mais Il n'est Dieu qu'au niveau verbal, qu'en un sens strictement pickwickien[1]. L'objet efficace du culte est la bouteille, et la seule expérience religieuse est cet état d'euphorie non-inhibée et belliqueuse qui suit l'ingestion du troisième cocktail.

On voit donc que le christianisme et l'alcool ne se mélangent pas et ne peuvent se mélanger. Le christianisme et la mescaline semblent beaucoup plus compatibles. Cela a été démontré par de nombreuses tribus indiennes, depuis le Texas jusqu'à une région aussi septentrionale que le Wisconsin. Parmi ces tribus, on trouve des groupes affiliés à l'Église américaine autochtone, secte dont le rite principal est une sorte d'Agape des premiers chrétiens, ou Festival d'Amour, où des tranches de peyotl remplacent le pain et le vin sacramentels. Ces Américains autochtones considèrent le cactus comme le don spécial de Dieu aux Indiens, et en identifient les effets à l'opération de l'Esprit divin.

Le professeur J. S. Slotkin, — l'un des très rares blancs qui aient jamais participé aux rites d'une communauté religieuse peyotiste, — dit de ses

1. Voir note p. 12. *(N. d. T.)*

coadorateurs qu'ils ne sont « certainement jamais stupéfiés ni ivres... Ils ne perdent jamais le rythme ni ne bredouillent en parlant, comme le ferait un homme ivre ou stupéfié... Ils sont tous tranquilles, courtois, et pleins d'égards les uns pour les autres. Je ne suis jamais entré dans le lieu du culte d'un blanc, où il y ait autant de sentiment religieux aussi bien que de decorum. » Et, permettons-nous de le demander, qu'éprouvent ces peyotistes dévôts et pleins de retenue? Non pas ce léger sentiment de vertu qui soutient l'homme assidu aux offices du dimanche au travers de quatre-vingt-dix minutes d'ennui. Non pas même ces sentiments plus élevés, inspirés par des réflexions sur le Créateur et le Rédempteur, le Juge et le Consolateur, qui animent les pieux. Pour ces Américains autochtones, l'expérience religieuse est quelque chose de plus direct et de plus illuminateur, de plus spontané, quelque chose qui est moins le « fabriqué-maison » de l'esprit superficiel et suffisant. Parfois (selon les rapports recueillis par le Dr Slotkin) ils ont des visions, qui peuvent être celle du Christ lui-même. Parfois ils entendent la voix du Grand Esprit. Parfois ils prennent conscience de la présence de Dieu et de ces imperfections personnelles qui doivent être corrigées s'ils doivent accomplir Sa volonté. Il semble que les conséquences pratiques de l'ouverture chimique de ces portes d'accès à l'Autre Monde soient entièrement bonnes. Le Dr Slotkin rapporte que les peyotistes habituels sont, dans l'ensemble, plus industrieux, plus tempérés (beaucoup d'entre eux s'abstiennent complètement de prendre de l'alcool), plus paisibles, que les non-peyotistes. Un arbre qui porte des fruits aussi satisfaisants ne saurait être condamné a priori comme mauvais.

En rendant sacramentel l'usage du peyotl, les Indiens de l'Église américaine autochtone ont fait une chose qui est à la fois psychologiquement raisonnable et historiquement respectable. Dans les premiers siècles du christianisme, beaucoup de rites et de fêtes païens furent baptisés, pour ainsi dire, et utilisés aux fins de l'Église. Ces réjouissances n'étaient pas particulièrement édifiantes; mais elles satisfaisaient une certaine faim psychologique, et, au lieu d'essayer de les supprimer, les premiers missionnaires eurent l'intelligence de les accepter pour ce qu'elles étaient, des expressions, satisfaisantes pour l'âme, de besoins fondamentaux, et de les incorporer à la texture de la religion nouvelle. Ce qu'ont fait les Américains autochtones est essentiellement analogue. Ils ont pris une coutume païenne (coutume, soit dit en passant, bien plus élévatrice et illuminatrice que la plupart des réjouissances et mômeries assez brutales adoptées à partir du paganisme européen), et lui ont donné une signification chrétienne.

Bien qu'elles n'aient été introduites que récemment dans les États-Unis du nord, l'ingestion du peyotl et la religion fondée sur elle sont devenues des symboles importants du droit du Peau-Rouge à l'indépendance spirituelle. Certains Indiens ont réagi à la suprématie du blanc en s'américanisant, d'autres en se retirant dans l'indianisme traditionnel. Mais quelques-uns ont essayé de tirer parti au mieux des deux mondes, voire de tous les mondes — de l'indianisme, du christianisme, et de ces autres mondes de l'expérience transcendentale où l'âme se connaît comme inconditionnée et de même nature que le Divin. D'où l'Église américaine autochtone. En elle, deux grands appétits de l'âme — le besoin d'indépendance et de la libre disposition de soi-même, et le besoin de transcendance du moi — se sont fondus avec un troisième, à la lumière duquel ils ont été interprétés, — le besoin d'adorer, de justifier les voies de Dieu à l'égard de l'homme, d'expliquer l'univers au moyen d'une théologie cohérente.

Voyez, le pauvre Indien, dont l'esprit inculte
Le vêt par-devant, mais le laisse nu par derrière[1].

1. C'est un distique célèbre de Pope, mais dont le second vers est impitoyablement parodié. *(N. d. T.)*

Mais en fait, c'est nous, les blancs riches et éminemment cultivés, qui nous sommes laissés nus par derrière. Nous recouvrons notre nudité antérieure de quelque philosophie — chrétienne, marxienne, freudo-physicaliste — mais, par derrière, nous demeurons découverts, à la merci de tous les vents des circonstances. Le pauvre Indien, par contre, a eu l'esprit de se protéger par derrière en complétant la feuille de vigne d'une théologie au moyen du pagne de l'expérience transcendentale.

Je ne suis pas assez sot pour égaler ce qui se produit sous l'influence de la mescaline ou de toute autre drogue, préparée ou préparable dans l'avenir, à la prise de conscience de la fin et du but ultime de la vie humaine : l'Illumination, la Vision de Béatitude. Tout ce que je hasarde, c'est que l'expérience de la mescaline est ce que les théologiens catholiques appellent une « grâce gratuite », non nécessaire au salut, mais utile en puissance, et qu'il faut accepter avec gratitude, si elle devient disponible. Être secoué hors des ornières de la perception ordinaire, avoir l'occasion de voir pendant quelques heures intemporelles le monde extérieur et l'intérieur, non pas tels qu'ils apparaissent à un animal obsédé par la survie ou à un être humain obsédé par les mots et les idées, mais tels qu'ils sont appréhendés, directement et inconditionnellement, par l'Esprit en Général — c'est là une expérience d'une valeur inestimable pour chacun, et tout particulièrement pour l'intellectuel. Car l'intellectuel est, par définition, l'homme pour qui, selon la formule de Gœthe, « le verbe est essentiellement fécond ». Il est l'homme qui sent que « ce que nous percevons par la vue nous est étranger en tant que tel, et ne doit pas nous impressionner profondément ». Et pourtant, bien qu'il fût lui-même un intellectuel et l'un des maîtres suprêmes du langage, Gœthe n'a pas toujours été d'accord avec sa propre estimation du verbe. « Nous parlons beaucoup trop, a-t-il écrit dans sa maturité. Nous devrions parler moins et dessiner davantage. Personnellement, il me plairait de renoncer complètement à la parole, et, comme la Nature organique, de communiquer tout ce que j'ai à dire au moyen de croquis. Ce figuier, ce petit serpent, le cocon sur l'appui de ma fenêtre, dans l'attente tranquille de son avenir — ce sont là des signatures importantes. Une personne capable d'en déchiffrer convenablement la signification serait bientôt en mesure de se passer complètement de la parole écrite ou parlée. Plus j'y songe, plus il y a, dans la parole, quelque chose de futile, de médiocre, et même (serais-je tenté de dire) d'affété. Par contraste, comme la gravité de la Nature et de son silence vous font tressaillir, quand vous êtes face à face avec elle, non distrait, devant une crête dénudée, ou parmi la désolation des montagnes antiques. » Nous ne pourrons jamais nous passer de langage et des autres systèmes de symboles; car c'est par leur entremise, et seulement par leur entremise, que nous nous sommes haussés au-dessus des bêtes, au niveau d'êtres humains. Il nous faut maintenant apprendre à manier les mots d'une façon efficace; mais, en même temps, il nous faut conserver, et au besoin intensifier, notre aptitude à regarder directement le monde, et non à travers ce milieu à demi-opaque de concepts, qui déforme chaque fait donné à la ressemblance, hélas trop familière, de quelque étiquette générique ou abstraction explicative.

Littéraire ou scientifique, libérale ou spécialisée, toute notre instruction est prédominamment verbale, et, en conséquence, elle ne réussit pas à accomplir ce qu'elle est censée faire. Au lieu de transformer les enfants en adultes pleinement développés, elle fabrique des étudiants en sciences naturelles qui n'ont aucune conscience de la Nature en tant que fait primordial d'expérience, elle inflige au monde des étudiants en Humanités qui ne connaissent rien de l'humanité, la leur ou celle de quiconque.

Les psychologues de la « gestalt », tels que Samuel Renshaw, ont conçu des méthodes pour élargir le champ et accroître l'acuité des perceptions humaines. Mais nos éducateurs les appliquent-ils? La réponse est : non.

Les professeurs dans tous les domaines de l'adresse psycho-physique, depuis la vision oculaire jusqu'au tennis, depuis l'art du danseur de corde jusqu'à la prière, ont découvert, à force d'essais et d'erreurs, les conditions du fonctionnement optimum dans leurs domaines spéciaux. Mais quelqu'une des grandes Fondations a-t-elle financé un projet de coordination de ces constatations empiriques en une théorie générale et une pratique de créativité rehaussée? Là encore, la réponse, au mieux de ma connaissance, est : non.

Toutes sortes de « cultistes » et d'originaux enseignent toutes sortes de techniques pour acquérir la santé, le contentement, la paix de l'esprit; et pour beaucoup de leurs auditeurs, beaucoup de ces techniques sont (la chose est démontrable) efficaces. Mais voyons-nous des psychologues, des philosophes et des ecclésiastiques respectables, descendre hardiment dans ces puits bizarres et parfois malodorants, au fond desquels la pauvre Vérité est si souvent condamnée à s'asseoir? Une fois de plus, la réponse est : non.

Et considérons maintenant l'histoire des recherches sur la mescaline. Il y a soixante-dix ans, des hommes aux capacités de premier ordre ont décrit les expériences transcendentales qu'éprouvent ceux qui, en bonne santé, dans des conditions convenables et dans l'esprit qu'il faut, prennent cette drogue. Combien de philosophes, combien de théologiens, combien d'éducateurs professionnels, ont eu la curiosité d'ouvrir cette Porte dans le Mur? La réponse, pour tous les besoins de la pratique, est : aucun.

Dans un monde où l'instruction est, d'une façon prédominante, verbale, les gens instruits éprouvent une quasi-impossibilité à prêter une attention sérieuse à tout ce qui n'est pas mots ou idées. Il y a toujours de l'argent, il y a toujours des doctorats, à consacrer à la savante sottise des recherches concernant ce qui, pour les érudits, est le problème d'importance suprême : Qui a influencé qui à dire quoi, et quand? Même en cette ère de technologie, on honore les humanités verbales. Les humanités non verbales, les arts consistant à avoir directement conscience des faits donnés de notre existence, sont presque complètement passés sous silence. Un catalogue, une bibliographie, une édition définitive des *ipsissima verba* d'un versificateur de troisième ordre, un index prodigieux pour mettre fin à tous les index — tout projet authentiquement alexandrin est assuré de trouver une approbation et un soutien financier. Mais quand il s'agit de découvrir comment vous ou moi, nos enfants et petits-enfants, nous pourrons accroître notre faculté de perception, prendre plus intensément conscience de la réalité intérieure et extérieure, devenir plus ouverts à l'Esprit, moins aptes, par de mauvaises pratiques psychologiques, à nous rendre physiquement malades, et plus capables de maîtrise sur notre système nerveux automatique — quand il s'agit de n'importe quelle forme d'instruction non-verbale plus fondamentale (et ayant plus de chances d'être de quelque utilité pratique) que la gymnastique suédoise, aucune personne vraiment respectable d'aucune université ou église vraiment respectable ne veut s'en occuper en quoi que ce soit. Les verbalistes se méfient du non-verbal; les rationalistes craignent le fait donné, non rationnel; les intellectuels ont le sentiment que « ce que nous percevons par la vue (ou par tout autre moyen) nous est étranger en tant que tel, et ne doit pas nous impressionner fortement. » D'ailleurs, cette question de l'instruction ès-humanités non verbales, ne rentre dans aucune des cases établies. Ce n'est pas de la religion, ni de la neurologie, ni de la gymnastique, ni de la morale ou de l'instruction civique, ni même de la psychologie expérimentale. Cela étant, ce sujet est, pour les besoins académiques et ecclésiastiques, inexistant, et peut être en toute sécurité laissé complètement de côté, ou abandonné, avec un sourire condescendant, à ceux que les Pharisiens de l'orthodoxie verbale appellent originaux, médicastres, charlatans et amateurs non qualifiés.

« J'ai toujours constaté, a écrit Blake avec une certaine amertume, que les Anges ont la vanité de parler d'eux-mêmes comme étant les seuls sages. Ils le font avec une insolence confiante née du raisonnement systématique. »

Le raisonnement systématique est une chose dont, comme espèce ou comme individus, nous ne pourrions absolument pas nous passer. Mais nous ne pouvons nous passer davantage, si nous devons demeurer sains d'esprit, de la perception directe — et moins elle sera systématique, mieux cela vaudra — des mondes intérieur et extérieur dans lesquels nous a plongés la naissance. Cette réalité donnée est un infini qui passe toute compréhension et qui est pourtant susceptible d'être appréhendé directement et, en quelque sorte, totalement. Elle est une transcendance appartenant à un ordre autre que l'humain, et pourtant elle peut nous être présente en tant qu'immanence sentie, que participation éprouvée. Être illuminé, c'est avoir conscience, toujours, de la réalité totale dans son « autreté » immanente — en avoir conscience, tant en restant dans des conditions qui permettent de survivre en tant qu'animal, de penser et de sentir en tant qu'être humain, de recourir chaque fois qu'il est expédient au raisonnement systématique. Notre but est de découvrir que nous avons toujours été là où nous devrions être. Malheureusement, nous nous rendons cette tâche excessivement difficile. Entre temps, toutefois, il y a des grâces gratuites, sous la forme d'intuitions partielles et passagères. Dans un système d'instruction plus réaliste, moins exclusivement verbal que le nôtre, tout Ange (au sens donné à ce mot par Blake) serait autorisé, à titre de plaisir dominical, — serait incité, et même, au besoin, contraint — à faire un petit voyage occasionnel à travers quelque Porte chimique dans le Mur, dans le monde de l'expérience transcendentale. Si ce voyage l'emplissait de terreur, ce serait regrettable, mais probablement salutaire. S'il lui apportait une illumination brève mais intemporelle, tant mieux. Dans l'un et l'autre cas, l'Ange pourrait perdre un peu de l'insolence confiante née du raisonnement systématique et de la conscience d'avoir lu tous les livres.

En approchant de la fin de sa vie, saint Thomas d'Aquin a fait l'expérience de la Contemplation infuse. Par la suite, il refusa de se remettre au travail et de reprendre son livre inachevé. En comparaison de *cela*, tout ce qu'il avait lu, au sujet de quoi il avait raisonné et écrit — Aristote et les Sentences, les Questions, les Propositions, les Sommes majestueuses — ne valait pas mieux que de la balle ou de la paille. Pour la plupart des intellectuels, une telle grève des bras croisés serait peu recommandable, voire moralement mauvaise. Mais le Docteur Angélique avait à son actif plus de raisonnement systématique que douze Anges ordinaires, et était déjà mûr pour la mort. Il avait acquis le droit, dans ces derniers mois de sa vie mortelle, de se détourner de la paille et de la balle simplement symbolique, pour s'appliquer au pain du Fait véritable et substantiel. Pour les Anges d'un ordre inférieur et ayant plus de perspectives de longévité, il doit y avoir un retour à la paille. Mais l'homme qui revient après avoir franchi la Porte dans le Mur ne sera jamais tout à fait le même que l'homme qui y était entré. Il sera plus sage, mais moins prétentieusement sûr; plus heureux, mais moins satisfait de lui; plus humble en reconnaissant son ignorance, et pourtant mieux équipé pour comprendre les rapports entre les mots et les choses, entre le raisonnement systématique et le Mystère insondable dont il essaye, à jamais et en vain, d'avoir la compréhension.

LA RELIGION ET LE TEMPÉRAMENT

« Nos Saints Pères nous ont précédemment enseigné que nous devrions connaître l'étendue de notre don, et travailler à sa mesure; et sans forcer notre talent, en en feignant plus de sentiment que nous n'en avons... Celui qui possède la grâce, si peu que ce soit, et renonce volontairement à la développer et s'oblige à travailler péniblement dans une autre, qu'il n'a pas encore, mais seulement parce qu'il voit ou entend que d'autres hommes l'ont fait, en vérité il pourra courir longtemps, jusqu'à ce qu'il soit las, et puis il reviendra vers son foyer; et, à moins qu'il n'y prenne garde, il se pourra blesser les pieds à quelques fantaisies avant d'y rentrer. Mais celui qui travaille dans telle grâce qu'il possède, et aspire par la prière, avec soumission et constance, à en posséder davantage, et sent ensuite son cœur mû à suivre la grâce qu'il désirait, celui-là pourra courir en sécurité s'il conserve la soumission... C'est pourquoi il est utile que nous connaissions les dons qui nous sont octroyés par Dieu, car c'est par eux que nous serons sauvés : ainsi certains, par des œuvres corporelles et des actions miséricordieuses; certains, par grande pénitence corporelle; certains, par la douleur et les larmes versées toute leur vie à raison de leurs péchés; certains, par la prédication et l'enseignement; certains, par diverses grâces et dons de dévotion, seront sauvés et atteindront à la félicité. »

Ces paroles, empruntées à *L'Echelle de la Perfection*, de Walter Hilton, furent écrites par un moine anglais du XIVe siècle. Mais le message qu'elles transmettent dépasse toute époque et tout lieu particuliers. Sous une forme ou une autre, il a été énoncé par tous les maîtres de la vie spirituelle, occidentaux et orientaux, actuels et anciens. La libération, le salut, la Vision de Béatitude, la connaissance unitive de Dieu — la fin, toujours et partout, est la même. Mais les moyens par lesquels on cherche à réaliser cette fin sont aussi variés que les êtres humains qui s'appliquent à cette tâche.

On a fait bien des tentatives en vue d'établir une classification des variétés du tempérament humain. C'est ainsi que, dans l'Occident, nous avons la classification d'Hippocrate, en quatre types rapportés aux « humeurs » (flegmatique, colérique, mélancolique et sanguin), — classification qui a dominé la théorie et la pratique de la médecine pendant plus de deux mille ans, et dont la terminologie est indélébilement imprimée dans toutes les langues européennes. Un autre système de classification qui a connu la popularité, qui a également laissé sa trace dans le langage moderne, a été le système à sept types des astrologues. Nous décrivons encore les gens en les rapportant à des termes planétaires, tels que jovial, mercurial, saturnien, martial. L'un et l'autre de ces systèmes avaient leurs mérites, et l'on a même pu défendre, jusqu'à un certain point, la classification physiognomonique, rapportée à une ressemblance supposée avec divers animaux. Tous ces systèmes se fondaient dans une certaine mesure sur l'observation.

De nos jours, on a tenté un certain nombre d'essais de classification nouveaux — ceux de Stockard, de Kretschmer, de Viola, et, plus satisfaisant et mieux documenté que tous les autres, celui du Dr William Sheldon, dont les deux ouvrages, *The Varieties of Human Physique* et *The Varieties of Temperament* sont au nombre des contributions récentes les plus importantes à la science de l'Homme.

Les recherches de Sheldon l'ont conduit à cette conclusion, que le système de classification le plus satisfaisant est celui qui se rapporte à trois types de tempérament, qu'il appelle le viscérotonique, le somatotonique et le cérébrotonique. Tous les êtres humains sont de type mélangé. Mais chez les uns, les divers éléments sont mêlés à parts à peu près égales, tandis que chez certains, l'un des éléments a tendance à prédominer aux dépens des deux autres. Chez certains, d'autre part, le mélange est bien équilibré, alors que chez d'autres il y a un déséquilibre qui a pour résultat un conflit interne aigu et une extrême difficulté à s'adapter à la vie. Aucune forme de médication par les hormones, ni d'autre traitement, ne peut modifier le motif fondamental du tempérament, qui est une donnée qu'il faut accepter et utiliser au mieux. En un mot, le motif psycho-physique est l'une des expressions du karma. Il y a de bons karmas, et il y en a de mauvais; mais il dépend de l'individu de faire un mauvais usage du meilleur karma, et un bon usage du plus mauvais. Il y a un degré de libre arbitre inclus dans un système de prédestination.

Une religion ne peut survivre, à moins qu'elle ne s'adresse aux hommes de toutes sortes et de toutes conditions. Cela étant, nous devons nous attendre à trouver dans toutes les religions existantes du monde des éléments de croyance, de précepte, et de pratique, apportés par chacune des catégories principales d'êtres humains. Les constatations du Dr Sheldon confirment cette attente, et fournissent des instruments nouveaux pour l'analyse des phénomènes religieux. Examinons brièvement, à présent, les trois types polaires dans leurs rapports avec les religions mondiales organisées.

Le tempérament viscérotonique est associé à ce que le Dr Sheldon a appelé le physique endomorphe — le type de physique dans lequel l'intestin est le trait prédominant, et qui a tendance, quand les conditions extérieures sont bonnes, à se déployer sous forme de carrure, de graisse et de poids. Sont caractéristiques de la viscérotonie extrême : le temps de réaction lent, l'amour du confort et du luxe, l'amour de la nourriture, le plaisir de la digestion, l'amour du rituel de la prise de nourriture en compagnie (le repas partagé est pour lui un sacrement naturel), l'amour du cérémonial courtois, une certaine qualité non atténuée d'avachissement; l'amabilité sans distinction; l'aversion à l'égard de la solitude; le besoin de gens autour de soi quand on est en difficulté; l'orientation vers l'enfance et les relations familiales.

Le tempérament somatotonique est associé au physique mésomorphe, dans lequel le trait prédominant est la musculature. Les mésomorphes sont vigoureux physiquement, actifs et athlétiques. Parmi les caractéristiques de la somatotonie extrême on trouve les suivantes : l'affirmation de la posture et du mouvement; l'amour de l'aventure physique; le besoin d'exercice; l'amour du risque; l'indifférence à la douleur; l'énergie et la rapidité de décision; l'avidité de puissance et de domination; le courage au combat; l'esprit de concurrence; la claustrophobie; l'insensibilité psychologique; l'absence de scrupules dans la réalisation de la fin désirée; l'extraversion dirigée vers l'activité plutôt que vers les gens (comme elle l'est chez le viscérotonique); l'orientation vers les buts et les activités de la jeunesse.

Le tempérament cérébrotonique est associé au physique ectomorphe, dans lequel la prédominance du système nerveux a pour résultat un haut degré de sensibilité. La cérébrotonie extrême a les caractéristiques ci-après : la retenue dans la posture et le mouvement; l'excès de réaction physiologique (dont l'une des conséquences est la sexualité extrême); l'amour de l'existence privée; un certain excès d'attention et d'appréhension; le secret des sentiments et la retenue émotive; l'aversion à l'égard de la compagnie; la timidité et l'inhibition de la parole en public; l'agoraphobie; la résistance à la formation d'habitudes et l'incapacité à constituer des routines; la conscience de processus mentaux intérieurs et la tendance à l'introversion; le besoin de solitude en cas de difficulté; l'orientation vers la maturité et la vieillesse.

Ce sont là des descriptions sommaires; mais elles sont suffisantes pour indiquer la nature des contributions faites à la religion par chacun des trois types polaires. A l'état non régénéré, le viscérotonique aime le cérémonial de politesse et le luxe, et se fait un fétiche de l'acte de manger rituellement en public. C'est à cause de lui que les églises et les temples sont magnifiquement ornés, que les rites sont si solennels et si compliqués, et que le sacramentalisme, ou adoration du divin par l'entremise de symboles matériels, joue un rôle si important dans la religion organisée.

L'idéal d'amour fraternel universel représente la rationalisation, le raffinement et la sublimation de l'amabilité congénitale du viscérotonique envers tous et chacun. De même, c'est dans sa sociophilie native que l'idée de l'Église ou d'une confraternité de croyants trouve son origine. Les divers cultes de l'enfance divine et de la maternité divine ont leur source dans son goût nostalgique pour revenir en pensée à sa propre petite enfance et aux premiers rapports avec la famille. (Il est éminemment significatif, à ce sujet, de noter la différence entre le culte ordinaire, viscérotonique, du Christ-enfant, et la version cérébrotonique de ce culte, produite par les Oratoriens français du XVIIe siècle. Dans le culte ordinaire, l'enfant Jésus est conçu et représenté sous les traits d'un bel enfant d'environ deux ans. Dans le culte oratorien, l'enfant est beaucoup plus jeune, et l'adorateur est encouragé à se représenter la première enfance, non pas comme était une période de charme et de beauté, mais comme une condition d'abjection et d'impuissance à peine moins complète que celle de la mort. Il faut remercier le Christ d'avoir volontairement assumé l'effrayante humiliation d'être un bébé. Entre ce point de vue, et le point de vue implicite dans l'une des Vierges à l'Enfant de Raphaël, il existe un gouffre, en matière de tempérament, à peu près infranchissable.)

C'est au somatotonique que les religions doivent

ce qu'elles possèdent de dureté et d'énergie. Le zèle du prosélytisme, la recherche du martyre et l'empressement à persécuter sont des caractéristiques somatotoniques. De même, les formes extrêmes de l'ascétisme, et toute l'humeur stoïque et puritaine. De même la façon dogmatique dont elles insistent sur les flammes de l'enfer et les aspects un peu sombres de Dieu. De même, encore, la préoccupation des bonnes œuvres actives, en tant qu'opposée à la préoccupation du viscérotonique, — celle des sacrements, et à celle du cérébrotonique, qui a trait à la dévotion privée et à la méditation. Une autre particularité significative du somatotonique est citée par le Dr Sheldon, qui signale que c'est parmi les personnes de ce type que s'observe le plus fréquemment le phénomène de conversion soudaine. Il faut en chercher la raison, semble-t-il, dans leur extraversion active, qui les rend profondément ignorantes du fonctionnement intérieur de leur propre esprit. Quand la religion ouvre à leur vue la vie intérieure de l'âme, cette découverte leur vient, très souvent, avec la force d'une révélation. Ils sont convertis violemment, et se mettent alors, avec toute l'énergie caractéristique de leur type, à agir conformément à leur connaissance nouvelle. La conversion religieuse n'est plus répandue parmi les classes cultivées; mais sa place a été prise, comme le signale le Dr Sheldon, par la conversion psychologique. Car c'est sur les somatotoniques mal équilibrés que la psychanalyse produit ses effets les plus frappants, et ce sont eux ses croyants les plus fervents et ses missionnaires les plus énergiques.

Il en va tout différemment du cérébrotonique, qui vit habituellement en contact avec son être intérieur, et pour qui les révélations de la religion et de la psychiatrie n'ont rien qui soit d'une nouveauté marquante. C'est pour cela, et en raison de sa retenue émotive, qu'il est peu sujet à la conversion violente. Pour lui, les modifications du cœur et de la vie ont tendance à se produire graduellement. Avec le viscérotonique, à qui manque l'énergie nécessaire pour se laisser convertir violemment, le cérébrotonique est particulièrement malheureux quand il se trouve faire partie, de naissance, d'une secte qui considère la conversion violente comme une condition nécessaire du salut. Son tempérament est tel, qu'il ne peut tout bonnement point éprouver la convulsion qui vient si facilement à ses prochains somatotoniques. En raison de cette incapacité, il est contraint, soit de feindre la conversion, au moyen d'une tromperie consciente ou inconsciente, soit de se considérer, et d'être considéré par autrui, comme irrémédiablement perdu.

La grande contribution cérébrotonique à la religion, c'est le mysticisme, l'adoration de Dieu dans une solitude contemplative, sans l'adjuvant du rituel ni des sacrements. Parce qu'il n'en éprouve pas le besoin, le cérébrotonique est parfois poussé, avec le Buddha, à dénoncer le culte ritualiste comme l'une des entraves empêchant l'âme de se libérer.

Le viscérotonique non régénéré aime à être entouré de luxe et de « jolies choses ». Lorsqu'il devient religieux, il renonce aux « jolies choses » pour lui-même, mais les veut pour son église ou son temple. Il n'en va pas de même du cérébrotonique. Pour lui, la vie de pauvreté naturelle semble non seulement tolérable, mais souvent désirable à l'extrême; et il aime à adorer dans un temple d'une nudité aussi austère que sa cellule. Quand l'amour cérébrotonique de la nudité et de la pauvreté s'associe au zèle somatotonique du prosélytisme, on a l'iconoclasme.

Au nombre des inventions cérébrotoniques figurent les ermitages et les ordres contemplatifs. La plupart des exercices spirituels sont conçus par des cérébrotoniques comme adjuvant à la dévotion privée et comme préparation à l'expérience mystique. Et enfin, les grands systèmes de philosophie spiritualiste, tels que ceux de Sankara, de Plotin, d'Eckhart, sont l'œuvre d'esprits cérébrotoniques.

Voilà, donc, ce qu'on peut dire sur les éléments qu'ont apportés à la religion les trois types polaires de tempérament. Il se présente maintenant deux questions à notre examen. *Primo*, lequel de ces types a eu le plus d'influence dans la constitution des grandes religions du monde? Et, *secundo*, lequel de ces types est le mieux adapté à découvrir la vérité au sujet de la Réalité ultime?

Les religions de l'Inde sont des religions prépondéramment viscérotoniques et cérébrotoniques du rituel et du mysticisme, ayant peu de zèle de prosélytisme et peu d'intolérance, et attribuant une valeur plus élevée à la vie contemplative qu'à l'active. Il semble qu'il en soit de même du Taoïsme chinois, tout au moins dans ses formes non corrompues.

Le confucianisme semblerait être, d'une façon prépondérante, viscérotonique — religion de formes et de cérémonies, dans laquelle le culte de la famille est d'une importance centrale.

L'islamisme est nettement plus somatotonique qu'aucune des religions nées dans l'Inde et la Chine. Dans sa forme primitive, il est dur, militant et puritain; il encourage l'esprit du martyre, il est empressé à faire des prosélytes, et n'a point de scrupules pour décréter des « guerres saintes » et pour organiser des persécutions. Quelques siècles après la mort du prophète, il a engendré l'école du mysticisme Sufi — école dont les théologiens ont toujours eu quelque difficulté à défendre la stricte orthodoxie islamique.

Nous avons, dans le christianisme, une religion dans laquelle (jusqu'à ces dernières années) le noyau central a toujours été cérébrotonique et viscérotonique, contemplatif et ritualiste. Mais, dans une mesure bien plus large que pour le buddhisme et l'hindouisme, ces éléments cérébrotoniques et viscérotoniques ont toujours été associés à d'autres, d'une nature fortement somatotonique. Le christianisme a été une religion militante, de prosélytisme et de persécution. A diverses périodes de son histoire, le stoïcisme et le puritanisme ont été florissants à l'intérieur de l'église, et, à d'autres moments, les « bonnes œuvres » actives ont été estimées à l'égal de la contemplation, ou même comme ayant une valeur supérieure. C'est ce qui a lieu tout particulièrement à l'époque présente. Car, comme l'a indiqué le Dr Sheldon, notre époque a été témoin d'une véritable révolution somatotonique. L'expression de cette révolution dans le domaine politique est trop manifeste pour exiger un commentaire. Dans le domaine de la vie personnelle, la révolte contre la contemplation pure et la vénération sacramentelle à l'égard des objets matériels s'étudie de la façon la meilleure dans les pages d'annonces de nos journaux et revues. En ce qui concerne la religion, la révolte n'est pas tant à l'encontre des éléments viscérotoniques, qu'à l'encontre des cérébrotoniques ou des contemplatifs. Les deux mots-clefs de la religion occidentale contemporaine sont respectivement viscérotonique et somatotonique, savoir : « camaraderie » et « service social ». Les choses que représentent ces mots sont bonnes et précieuses; mais leur pleine valeur ne pourra être connue que lorsque la contemplation de la Réalité ultime donnera un sens à la chaleur émotive de la camaraderie et une direction à l'activité du service.

Risquant une généralisation, nous pouvons dire que la principale fonction sociale des grandes religions a été d'empêcher les somatotoniques congénitalement énergiques et souvent violents de se détruire eux-mêmes, et de détruire leurs semblables et la société en général. Éminemment significatif à ce sujet est le Bhagavad Gita, qui est adressé à un kshatriya princier, somatotonique héréditaire et professionnel. Son enseignement de l'action « privée d'attache » a été complété dans l'Inde, par la théorie et la pratique des castes, avec sa doctrine primordialement importante de la suprématie de l'autorité spirituelle sur le pouvoir temporel. Le christianisme orthodoxe soutient la même doctrine en ce qui concerne l'autorité spirituelle. Au cours des quatre derniers siècles, toutefois, cette doctrine a subi des assauts, non seulement en pratique, de la part de souverains ambitieux, mais aussi en théorie, de la part de philosophes et de sociologues. Dès le XVIe siècle, Henry VIII a fait de sa personne, selon les paroles de l'évêque Stubbs, « le Pape, le Pape tout entier et quelque chose de plus que le Pape ». Depuis cette époque, son exemple a été suivi dans toutes les régions de la chrétienté, tant et si bien qu'il n'y a point actuellement de pouvoir temporel organisé qui reconnaisse, même théoriquement, la suprématie d'une autorité spirituelle, quelle qu'elle soit. Le triomphe de la somatotonie sans retenue est actuellement complet.

Nous arrivons maintenant à notre seconde question : lequel des trois types polaires est le mieux adapté à découvrir la vérité de la Réalité ultime? On ne peut, pour répondre à cette question, que s'en remettre au jugement des experts — en l'espèce, des grands saints théocentriques des religions supérieures. Le témoignage de ces grands hommes et femmes ne prête à aucun malentendu. C'est dans la contemplation pure que les êtres humains s'approchent le plus, dans la vie d'ici-bas, de la vision de béatitude de Dieu. Or, le désir de la contemplation et l'aptitude à la pratiquer sont des caractéristiques cérébrotoniques. (Mais, bien entendu, ceux qui appartiennent prépondéramment aux autres types polaires peuvent toujours parvenir à la contemplation, s'ils remplissent les conditions nécessaires pour recevoir la grâce de la connaissance unitive. On peut douter, cependant, que des personnes de tempérament viscérotonique et somatotonique aient jamais l'idée de s'embarquer dans la voie qui mène à la contemplation, si cette voie n'avait été préalablement explorée par des cérébrotoniques dont l'âme est, en quelque sorte, *naturaliter contemplativa.*)

Dans quelle mesure le viscérotonique est-il fondé à prétendre que le rituel, le culte en groupe, et le sacramentalisme lui permettent d'établir un contact avec la Réalité ultime? C'est là une question à laquelle il est fort difficile de répondre. Que de tels processus permettent à ceux qui les pratiquent d'entrer en contact avec quelque chose de plus grand qu'eux-mêmes, — voilà qui paraît n'admettre aucun doute. Mais quelle peut être la nature de ce quelquechose, — est-ce quelque aspect, révélé par la médiation, de la Réalité spirituelle, ou bien, peut-être, quelque genre de cristallisation psychiquement objective, de sentiment dévôt éprouvé par la longue succession d'adorateurs qui ont utilisé le même cérémonial dans le passé? — Je ne me hasarderai même pas à tenter d'en décider.

Il reste à noter une conclusion pratique. L'analyse semble montrer que la religion est un système de relativités à l'intérieur d'une charpente de référence absolue. La fin que propose la religion est la connaissance du fait inaltérable de Dieu. Ses moyens sont relatifs, selon l'hérédité et l'éducation sociale de ceux qui recherchent cette fin. Cela étant, il semble extrêmement imprudent de promouvoir au rang d'un absolu dogmatique l'un quelconque de ces moyens purement relatifs. Par exemple, une confraternité organisée, poursuivant des fins spirituelles et la préservation de la connaissance traditionnelle est, manifestement et aussi à titre de fait d'expérience empirique, une chose fort précieuse. Mais nous n'avons nul droit à procéder à une quasi-déification de l'Église et d'un dogme d'infaillibilité. *Mutatis mutandis*, on peut en dire autant des rituels, des sacrements, des conversions soudaines. Ce sont là des moyens en vue de la fin ultime — moyens qui, pour certaines personnes, sont extrêmement précieux et, pour d'autres, de tempérament différent, de peu ou point de valeur. C'est pour cette raison qu'il ne faut pas les traiter comme si c'étaient des absolus. C'est là la voie de l'idolâtrie.

Le cas des principes éthiques est différent. L'expérience montre que des états d'esprit tels que l'orgueil, la colère, la cupidité et l'envie sont totalement incompatibles avec la connaissance de la réalité ultime; et cette incompatibilité existe pour les personnes de toutes les variétés de tempérament et d'éducation. En conséquence, on peut à bon droit inculquer ces préceptes sous une forme absolue. « Si tu désires Dieu, il est absolument essentiel pour toi de ne pas désirer être Napoléon, ou Jay Gould, ou Casanova. »

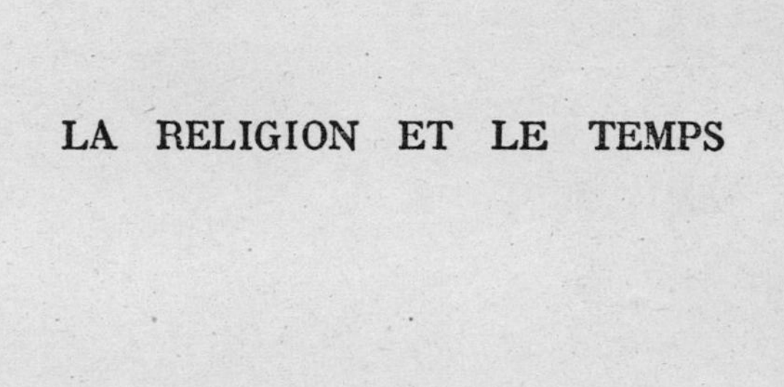

LA RELIGION ET LE TEMPS

La religion est aussi diverse que l'humanité. Ses réactions à l'égard de la vie sont quelquefois intelligentes et créatrices, quelquefois stupides, abêtissantes et destructrices. Au moyen de ses doctrines, elle présente parfois une image satisfaisante de la nature et de la qualité de la Réalité ultime, parfois une image colorée par les plus bas des désirs humains, et, partant, complètement fausse. Ses conséquences sont parfois très bonnes, parfois monstrueusement et diaboliquement mauvaises.

Quand on considère un groupe de religions organisées, ou les croyances et les pratiques religieuses d'un groupe d'individus, comment peut-on distinguer entre le plus et le moins vrai, le meilleur et le moins bon? L'une des réponses données par tous les grands maîtres religieux, c'est que « vous les reconnaîtrez à leurs fruits ». Mais, malheureusement, il faut souvent longtemps pour observer les fruits; les pleines conséquences de l'adhésion à une religion ne se manifesteront pas en toutes circonstances, et le critique en puissance est souvent contraint d'attendre, avant de prononcer son jugement, que des événements extérieurs fournissent l'occasion de faire une observation cruciale. Et ce n'est pas tout. Les fruits de certaines pratiques moins bonnes et de certaines croyances moins vraies ne prennent point la forme d'actions positivement mauvaises ou de désastres manifestement reconnaissables. Ils sont d'un genre plus subtil, plus négatif — non pas des péchés, mais des échecs dans l'obtention du développement le plus élevé dont est capable l'individu ou le groupe non pas des catastrophes, mais la non-réalisation des fruits de l'esprit : l'amour, la joie et la paix. Mais de tels échecs et non-réalisations ne peuvent être mesurés que par des observateurs doués d'une pénétration plus qu'ordinaire, ou par ceux qui sont placés de telle façon qu'ils puissent contempler rétrospectivement une longue durée de la carrière des individus ou des groupes que l'on considère.

Il apparaît donc clairement qu'outre le critère des fruits, il nous en faut un autre, plus prompt à appliquer — un critère grâce auquel on pourra juger les racines et les fleurs d'où naissent les fruits. Grâce à la pénétration de certains individus particulièrement doués, et à l'expérience collective de générations d'adorateurs, de tels critères, pour l'évaluation des doctrines et des pratiques de la religion, ont été découverts, et ils n'exigent que d'être intelligemment appliqués.

Le critère le plus élémentaire est celui qui a trait à l'unicité ou à la pluralité de l'objet du culte. On a constaté que les doctrines et les pratiques du monothéisme sont, d'une façon générale, plus vraies et meilleures que celles du polythéisme, et conduisent à des résultats plus satisfaisants, aussi bien pour les individus que pour les sociétés. Mais la distinctior entre le monothéisme et le polythéisme ne suffit pas Deux hommes peuvent être l'un et l'autre monothéistes; mais la nature du Dieu en qui croit le premier peut être profondément différente de celle du Dieu en qui croit le second, et leurs pratiques religieuses peuvent être aussi diverses que leurs conceptions théoriques. Mais l'un des Dieux — et cela est affirmé par tous ceux qui ont rempli les conditions qui, seules, rendent possible une vue nette de la nature et de la qualité de la Réalité — est un Dieu d'amour. A la lumière de ces vues pénétrantes, nous pouvons raffiner notre critère, et affirmer que, de ces croyances et de ces pratiques, celles qui ont pour objet un Dieu unique d'amour seront plus vraies et meilleures. Mais même un Dieu d'amour peut être conçu, et, partant, adoré, de diverses façons. Pour devenir pleinement satisfaisant, il faut que notre critère soit encore raffiné. Une fois de plus, la nouvelle réserve à faire sur le critère élémentaire est fournie par ces mystiques théocentriques qui seuls ont rempli les conditions sur lesquelles repose l'illumination. Les formes plus vraies de religion sont celles où Dieu est conçu, non seulement comme un et aimant, mais aussi comme éternel (c'est-à-dire en dehors du temps); et les formes meilleures de la pratique religieuse sont celles qui visent à créer dans l'esprit une condition qui se rapproche de l'intemporalité. (La Réalité ne peut se manifester si ce n'est à ceux qui ont rempli les conditions nécessaires de « mortification », et se sont rendus commensurables avec Dieu en devenant, autant qu'ils le peuvent, unifiés, aimants, et, dans une certaine mesure, intemporels.) Inversement, les formes moins vraies de croyance religieuse sont celles qui mettent l'accent sur l'éternité de Dieu. plutôt que sur sa présence éternelle dans un Maintenant intemporel; et les pratiques religieuses moins bonnes sont celles qui insistent sur l'importance de la prière en pétition adressée à un Dieu temporel, afin d'obtenir des avantages personnels ou sociaux dans des affaires temporelles, et qui, d'une façon générale, substituent à la présence intemporelle de la Réalité éternelle, dont se préoccupe le mystique, une préoccupation du temps futur.

En théorie, toutes les religions supérieures ont insisté sur ce que la fin dernière de l'homme, le but de son existence sur la terre, est la prise de conscience, partiellement dans la vie présente, d'une façon complète dans quelque autre état, de la Réalité intemporelle. Toutefois, en pratique, la majorité des adhérents à ces religions se sont toujours conduits comme si la préoccupation primordiale de l'homme était, non pas l'éternité, mais le temps. A n'importe quel moment donné, plusieurs religions fort différentes sont connues sous le nom de christianisme, par exemple, ou de buddhisme, ou de taoïsme, — religions qui s'étendent depuis le mysticisme le plus pur, jusqu'au fétichisme le plus grossier.

Dans toutes les religions supérieures, les doctrines au sujet de la Réalité éternelle, et les pratiques destinées à permettre aux fidèles de se rendre suffisamment intemporels pour appréhender un Dieu éternel, ont une étroite ressemblance de famille. Eckhart, comme l'a fait voir le professeur Otto dans son *Mysticism East and West*, formule une philosophie qui est, en substance, la même que celle de Sankara; et l'enseignement pratique des mystiques indiens et chrétiens est identique sur des points tels que l'« indifférence sacrée » envers les affaires temporelles; la mortification de la mémoire quant au passé et à l'inquiétude de l'avenir; la renonciation à la prière en pétition, en faveur du simple abandon à la volonté de Dieu; la purification, non seulement de la volonté, mais aussi de l'imagination et de l'intellect, de sorte que le conscient du fidèle puisse participer dans une certaine mesure à l'intense intemporalité non différenciée de ce qu'il désire appréhender et avec quoi il désire s'unir. Pour les mystiques théocentriques, tant de l'Orient que de l'Occident, il est axiomatique qu'il faut « chercher d'abord le royaume de Dieu » (le royaume intemporel d'un Dieu éternel); et que, seulement si l'on agit ainsi, il y a quelque espoir que « tout le reste y soit surajouté. »

Dans les formes moins vraies des religions authentiques, et, plus encore, dans les pseudo-religions humanistes du nationalisme, du fascisme, du communisme, et autres analogues, la position est complètement inversée. Car là, le commandement fondamental et la promesse qui l'accompagne sont : « Cherchez d'abord tout le reste, et le royaume de Dieu et sa justice vous sera donné de surcroît. »

Parmi les gens religieux, la recherche primordiale des valeurs temporelles est toujours associée à l'idée d'un Dieu qui, étant dans le temps plutôt que dans l'éternité, n'est pas spirituel, mais « psychique ». Ceux qui croient à un Dieu temporel font usage de la prière en pétition, passionnément voulue et intensément sentie, pour obtenir des bienfaits concrets, tels que la santé et la prospérité avant la mort, et, après, une place dans quelque paradis éternel. Ces prières en pétition sont accompagnées de rituels et de sacrements qui, en stimulant l'imagination et en intensifiant les émotions, contribuent à créer ce « champ » psychique, à l'intérieur duquel la prière en pétition reçoit le pouvoir de se faire exaucer. Le fait que la « guérison spirituelle » (plus exactement : la « guérison psychique ») réussisse souvent, et que les prières pour la santé, la richesse et le bonheur du pétitionnaire et d'autrui soient souvent exaucées, est constamment mis en avant par les dévôts d'une religion temporelle comme preuve qu'ils sont secourus directement par Dieu. On pourrait tout aussi bien arguer qu'on est secouru directement par Dieu parce qu'on a un réfrigérateur qui marche, ou parce que quelqu'un répond quand on compose un numéro sur le cadran du téléphone. Tout ce qu'on a le droit de dire au sujet des choses telles que la « guérison spirituelle » et l'exaucement des prières, c'est que ce sont là des choses permises par Dieu, exactement de même que sont permis d'autres phénomènes psychophysiques naturels. Que l'esprit possède des pouvoirs étendus, dépassant ceux qui sont utilisés d'ordinaire dans la vie quotidienne, — c'est là une chose connue depuis des temps immémoriaux, et à toutes les époques et dans tous les pays, ces pouvoirs ont été exploités, en bien ou en mal, par les médiums, guérisseurs, prophètes, médicastres, magiciens, hatha yogins, et autres personnages bizarres qui existent et ont toujours existé en marge de toute société. Au cours des deux ou trois dernières générations, on a fait quelques efforts pour étudier ces pouvoirs et les conditions dans lesquelles ils se manifestent. Les phénomènes d'hypnotisme et de suggestion ont été explorés avec soin. Sous les auspices de la Society of Psychical Research, est née une littérature de l'anormal, parfaitement respectable et critique. Des recherches sur la perception extra-sensorielle sont effectuées dans un certain nombre de laboratoires d'universités; et il s'édifie présentement, dans l'un au moins de ces laboratoires, des témoignages significatifs en faveur de la « P K » (psycho-kinèse), ou aptitude des personnes à influencer les mouvements d'objets matériels au moyen d'un acte purement mental. Si des gens travaillant dans les conditions du laboratoire, — certes les moins inspiratrices qui soient, — sont capables de perceptions de « voyance », d'exercer une pré-connaissance, et d'affecter la chute des dés, au moyen d'actes purement mentaux, — alors nous n'avons manifestement nul droit à invoquer une intervention directe de Dieu quand il s'agit de phénomènes analogues, simplement parce qu'ils se trouvent avoir lieu dans une église, ou à l'accompagnement de rites religieux.

A ce sujet, il est éminemment significatif que les grands mystiques théocentriques ont toujours établi une nette distinction entre le « psychique » et le « spirituel ». A leur avis, les phénomènes de la première de ces catégories ont leur existence dans une extension peu familière, mais nullement supérieure intrinsèquement, du monde de l'espace-temps. Les phénomènes spirituels, par contre, appartiennent à l'ordre intemporel et éternel, à l'intérieur duquel l'ordre temporel a son existence moins réelle. L'attitude des mystiques à l'égard des « miracles » est celle de l'acceptation intellectuelle, et du détachement émotionnel et volitionnel. Des miracles se produisent, mais ils sont de fort peu d'importance. En outre, il faut toujours résister à la tentation d'accomplir des miracles. Pour les mystiques, cette tentation est particulièrement forte; car ceux qui essaient de se rendre intemporellement conscients de la Réalité éternelle acquièrent fréquemment, au cours de ce processus, des pouvoirs psychiques inhabituels. Quand cela se produit, il est essentiel de s'abstenir de faire usage de ces pouvoirs; car celui qui les utilise place ainsi un obstacle entre lui et la Réalité à laquelle il espère être uni. Ce conseil est donné aussi nettement par les maîtres de la spiritualité occidentale que par les buddhistes et les védantistes. Mais, malheureusement pour le christianisme, l'enseignement des évangiles à ce sujet est assez confus. Jésus dénonce ceux qui demandent des « signes », mais Il effectue Lui-même bien des miracles de guérison et autres analogues. On peut probablement trouver l'explication de cette incohérence apparente dans le passage où Il demande à Ses critiques ce qui est le plus facile, d'ordonner au malade de se lever et de marcher, ou de lui dire que ses péchés lui sont pardonnés. Il semblerait résulter de là, implicitement, que les « signes » physiques sont légitimes, si la personne qui les accomplit est unie d'une façon si complète à la Réalité éternelle, qu'elle puisse, par la qualité même de son être, modifier l'être intérieur de ceux pour qui les « signes » sont effectués. Mais cette réserve immensément importante a généralement été négligée, et ceux qui adhèrent aux formes moins vraies de la religion chrétienne attachent une importance énorme à des phénomènes purement « psychiques » tels que la guérison et l'exaucement de la prière en pétition. En agissant ainsi, ils s'interdisent formellement de parvenir à ce degré d'union avec la Réalité intemporelle qui, seul, pourrait rendre l'accomplissement d'un « miracle » inoffensif à son auteur et bienfaisant, d'une façon permanente, pour la personne sur qui, ou pour qui, il est effectué.

Une autre forme que prend souvent la religion temporelle, c'est l'apocalyptisme — la croyance à un événement cosmique extraordinaire, devant se produire dans un avenir non trop éloigné, conjointement avec les pratiques estimées appropriées à cet état de choses. Là aussi, la préoccupation intense du temps futur interdit absolument à l'apocalyptiste la possibilité d'une conscience intemporelle de la Réalité éternelle.

A certains points de vue, toutes les pseudo-religions humanistes, jouissant actuellement d'une telle popularité, ressemblent étroitement aux perversions apocalyptiques de la religion véritable. Car chez elles aussi, une préoccupation intense d'événements hypothétiques à venir prend la place de la préoccupation authentiquement religieuse de la Réalité, maintenant, dans le présent éternel. Mais, alors que ceux qui croient à la fin prochaine du monde estiment rarement nécessaire de contraindre ou de massacrer ceux qui ne sont pas d'accord avec eux, la coercition et le massacre ont constitué une partie essentielle du programme mis en avant par les « croisés » des pseudo-religions humanistes. Pour le révolutionnaire, qu'il soit de droite ou de gauche, le fait d'importance suprême est l'âge d'or de la paix, de la prospérité et de l'amour fraternel, — lequel, sa foi lui en donne l'assurance, ne pourra manquer de poindre dès que son genre particulier de révolution aura été accompli. Il n'y a point d'obstacle entre le présent misérable du peuple et son avenir triomphant, sauf une minorité — peut-être une majorité — d'individus pervers ou simplement ignorants. Tout ce qui est nécessaire, c'est de liquider quelques milliers, ou peut-être quelques millions, de ces vivants obstacles au progrès et d'user ensuite de coercition et de propagande auprès des autres pour obtenir leur acquiescement. Quand ces préliminaires désagréables mais nécessaires seront effectués, l'âge d'or commencera. Telle est la théorie de cet apocalyptisme séculier qui est la religion des révolutionnaires. Mais, en pratique — il est à peine besoin de le dire — les moyens employés garantissent véritablement que la fin effectivement atteinte sera profondément différente de celle qu'avaient envisagée les théoriciens prophétiques.

Le bonheur ne s'obtient pas par la poursuite consciente du bonheur; il est généralement le sous-produit d'autres activités. Ce « paradoxe hédoniste » peut être généralisé pour s'étendre à notre vie entière dans le temps. Les conditions temporelles ne seront acceptées comme satisfaisantes, que par ceux dont la première préoccupation n'est pas du temps, mais de la Réalité éternelle, et de cet état de conscience virtuellement intemporelle, dans lequel, seul, il est possible d'être conscient de la Réalité. En outre, dans toute société donnée, les conditions temporelles seront généralement ressenties comme tolérables, et seront, en fait, aussi exemptes des maux majeurs que peuvent l'être jamais les conditions humaines, lorsque — et seulement lorsque — la philosophie courante de la vie insistera sur l'éternité plus que sur le temps, et qu'une minorité d'individus dans la société s'efforceront sérieusement de vivre, dans la pratique, conformément à cette philosophie. Il est éminemment significatif, comme l'a signalé Sorokine, qu'un homme plongé par la naissance dans le XIIIe siècle, où régnait la conscience de l'éternité, avait bien plus de chances de mourir dans son lit, qu'un homme de notre XXe siècle, obsédé par le temps et, pourtant, nationaliste, révolutionnaire et violent. *Si monumentum requiris, circumspice* : telle est l'épitaphe gravée sur la tombe de Wren [1] dans la cathédrale de Saint-Paul. De même, si l'on veut un monument à la préoccupation qu'a l'homme moderne de l'avenir, à l'exclusion de l'éternité présente, il suffit de regarder autour de soi les champs de bataille du monde, et, rétrospectivement, l'histoire qui s'étend sur le cours de la vie d'un homme de soixante-dix ans — l'histoire de cette « génération du matérialisme » de la fin de l'ère victorienne, si bien esquissée dans un livre récent du professeur Carlton Hayes, et l'histoire de la génération qui lui a inévitablement succédé, celle des guerres et des révolutions. La réalité ne peut être passée sous silence, sauf moyennant un prix à payer; et plus on persiste à la passer sous silence, plus le prix à payer devient élevé et terrible.

1. Sir Christopher Wren (1632-1723), astronome, mathématicien et architecte, auteur, entre autres, d'un grand nombre d'églises de Londres, et tout particulièrement de la cathédrale de Saint-Paul. *(N. d. T.)*

LE MAGIQUE ET LE SPIRITUEL

La création, le mal, le temps — trois mystères, au sujet desquels, en dernière analyse, on peut dire seulement qu'ils sont en quelque sorte liés entre eux, et que leur rapport avec le mystère plus grand de la Réalité divine est un rapport de limitation. La création et le temps sont les résultats de quelque processus cosmique de limitation de la substance spirituelle éternelle, alors que le mal est le nom que nous donnons à un processus secondaire de limitation effectué par les créatures à l'intérieur de l'ordre de la création, — limitation de l'état individuel de créature envers son propre moi, à l'exclusion de toutes les autres créatures, et envers ce qui s'étend au-delà de toutes les créatures.

La réalité est présente chez toutes les créatures; mais toutes les créatures n'ont pas également connaissance de ce fait. Celles chez qui l'esprit n'est développé que d'une façon rudimentaire ou imparfaite ne peuvent probablement jamais avoir conscience de la Réalité, sinon peut-être sous son aspect physiologique, en tant que fonctionnement normal et naturel, qu'état de rapports convenable et parfait entre les parties de l'organisme et entre l'organisme, pris dans son ensemble, et son milieu. Chez l'homme, toutefois, il n'en est pas de même. Grâce à leur développement mental, les êtres humains peuvent prendre conscience de la Réalité qui est en eux, non seulement au niveau physiologique, mais aussi par appréhension spirituelle directe. Bien qu'il soit projeté, par la naissance, dans le temps et dans l'illusion, l'homme est capable de Réalité et d'Éternité. Qu'il fasse usage de cette capacité, ou qu'au contraire il se borne aux activités éclipsant Dieu de la vie ordinaire, non-régénérée, cela dépend de son propre choix.

Afin d'actualiser leur capacité innée à la Réalité et à l'Éternité, il faut que les êtres humains se soumettent à un ensemble d'exercices de détachement, — détachement, tout d'abord, d'avec cette limitation au moi et à l'état de créature propre aux créatures, qui constitue le mal, et en second lieu, d'avec les limitations cosmiques imposées aux créatures par l'acte de création, savoir : l'état de séparation, l'individualité, et le temps. Le détachement du premier genre s'obtient par la mortification du moi, la pratique de la vertu, et la culture et l'exercice de l'amour et de la compassion envers nos semblables. Le détachement du second genre s'obtient par les pratiques de la contemplation mystique. Ou plutôt, il serait plus exact de dire que les pratiques de la contemplation mystique sont le moyen par lequel nous pouvons nous préparer à recevoir la grâce d'une intuition directe de la Réalité et de l'Éternité. L'expérience a montré que ce second détachement ne peut-être réalisé que par ceux qui sont au moins en cours d'obtention du premier — que la vie mystique, en d'autres termes, est étroitement associée à l'ascétique.

Entre la Réalité et l'Éternité d'une part, et, de l'autre, le monde limité et imparfaitement réel des créatures et du temps, il existe une sorte de « no man's land » — le monde de ce qui, à défaut d'un nom meilleur, a été appelé le monde des phénomènes psychiques. Ce domaine psychique est une extension du monde des créatures — son prolongement, en quelque sorte, dans l'infrarouge ou l'ultraviolet ordinairement invisibles. Certains accidents d'hérédité permettent un accès facile au monde psychique; et il y a un certain nombre de processus psycho-physiques qui permettent même à ceux qui sont peu doués, congénitalement, au point de vue médiumnistique ou oraculaire, d'acquérir une aptitude à y entrer et à en exploiter les forces particulières. Les mystiques, également, sur la voie de la Réalité et de l'Éternité, se trouvent fréquemment dans la région des phénomènes psychiques. A ceux-là, les maîtres de la vie spirituelle donnent toujours le même conseil : ne prêtez aucune attention à ces phénomènes, quelque agréables, intéressants, ou extraordinaires qu'ils soient, mais poussez plus avant dans la direction de ce qui s'étend au-delà des phénomènes.

D'une façon générale, la religion s'est toujours préoccupée du monde psychique, et non pas directement de la Réalité et de l'Éternité. La raison en est simple. La recherche de la Réalité et de l'Éternité impose une discipline que la grande majorité des hommes et des femmes ne sont pas disposés à subir. En même temps, elle apporte au chercheur fort peu de récompenses manifestes ou d'avantages concrets. L'accès au monde psychique peut être obtenu sans douloureuse « mort au moi », et l'exploitation des forces existant dans l'infrarouge et l'ultraviolet de notre vie mentale, donne fréquemment des résultats d'une nature fort spectaculaire, — des guérisons, des intuitions prophétiques, des exaucements de souhaits, et toute une armée de ces « signes » miraculeux qui ont conduit Jésus à dénoncer si vigoureusement les gens religieux de son temps pour les avoir désirés.

Les forces psychiques existent dans une extension de l'univers temporel des créatures, et leur exploitation est permise par Dieu exactement de la même façon que l'est l'exploitation des forces naturelles plus familières telles que l'électricité ou la chaleur, l'habileté ou une forte volonté. Qu'elles soient utilisées à la gloire de Dieu et conformément à la volonté de Dieu, cela dépend du choix de l'individu au moment de l'utilisation. La seule généralisation qu'on soit fondé à faire est celle-ci : il est extrêmement dangereux d'être à même d'exercer le pouvoir ou de voir ses souhaits exaucés. En exploitant avec succès les forces psychiques, on peut effectuer ces deux choses dangereuses. C'est là l'une des raisons pour lesquelles les religions ont été une cause de mal, tout comme de bien.

La prière contemplative et la mortification, non seulement des passions, mais aussi de l'intellect, et, surtout, de l'imagination — tels sont les moyens par lesquels les hommes et les femmes peuvent s'habiliter à recevoir la grâce d'une appréhension directe de la Réalité et de l'Éternité. Le processus est fort différent quand notre but est l'exploitation des forces du monde psychique. Au lieu de mortifier les passions, les plus élevées aussi bien que les plus basses, nous les canalisons dans l'instance de la prière en pétition; au lieu de faire tout ce que nous pouvons pour mourir à notre imagination, nous l'intensifions de propos délibéré, au moyen de rituels, de sacrements, d'effigies, de musique.

L'exploitation des forces psychiques n'est pas nécessairement nuisible, ni n'éclipse forcément Dieu. La « magie blanche » et les procédés liturgiques et sacramentels utilisés pour la mettre en œuvre, sont compatibles, comme le montre clairement l'histoire de beaucoup d'entre les saints, avec un degré élevé de sainteté, une appréhension authentique de la Réalité et de l'Éternité. La masse des fidèles ordinaires, qui n'ont certes rien d'un saint, mais qui sont raisonnablement respectables, peut obtenir certains aperçus de la Réalité par l'entremise des phénomènes psychiques de la religion non-spirituelle, et au moyen des rituels et sacrements émotivement satisfaisants conçus pour la production de ces phénomènes. (De même, ils peuvent obtenir certains aperçus de la Réalité par l'entremise de l'art et de la beauté de la nature.) En outre, la plupart des religions hautement développées possèdent un côté authentiquement spirituel, en même temps qu'un aspect non-spirituel, psychique ou magique. En conséquence, il est toujours possible à leurs adhérents de passer, s'ils le désirent, de l'orthodoxie du rituel et de la prière en pétition, à l'autre orthodoxie de la contemplation, de la magie blanche des phénomènes psychiques à un détachement d'avec tout ce qui est de la créature, y compris le psychique, et à la recherche sincère de la Réalité et de l'Éternité. Et même pour ceux qui ne prennent pas le chemin spirituel, il est probablement vrai que l'adhésion à une religion prépondéramment psychique de magie blanche vaut mieux, dans l'ensemble, que l'adhésion à aucune religion, ou à quelque pseudo-religion idolâtre, telle que le nationalisme, le communisme ou le fascisme. En attendant, il est d'importance vitale que nos idées soient claires à ce sujet. Il existe actuellement une tendance lamentable à confondre le psychique avec le spirituel, à considérer tout phénomène supranormal, tout état mental inhabituel, comme provenant de Dieu. Mais il n'y a absolument aucune raison de supposer que les guérisons, les prophéties et autres « miracles » soient nécessairement d'origine divine. Le christianisme orthodoxe a adopté cette position absurde, selon quoi tous les phénomènes supranormaux produits par des non-chrétiens sont d'origine diabolique, tandis que la plupart de ceux qui sont associés à des chrétiens non hérétiques sont des dons de Dieu. Il serait plus raisonnable de considérer tous les « signes » de ce genre comme étant dus à l'exploitation consciente ou inconsciente de forces situées dans le monde psychique, étrange pour nous, mais encore essentiellement ressortissant à la créature. Il faudrait examiner chaque cas particulier pour déterminer si les phénomènes psychiques en cause se manifestent en accord avec la volonté de Dieu, ou pour des besoins simplement humains; car les hommes peuvent utiliser les forces psychiques en bien ou en mal, tout comme ils peuvent utiliser les forces plus familières du monde matériel. Les choses étant ce qu'elles sont, il y a une tendance, dans l'Occident, à identifier le simplement insolite et le supranormal au divin. La nature de la spiritualité ne sera jamais comprise d'une façon générale, tant que n'aura été dissipée cette confusion mentale.

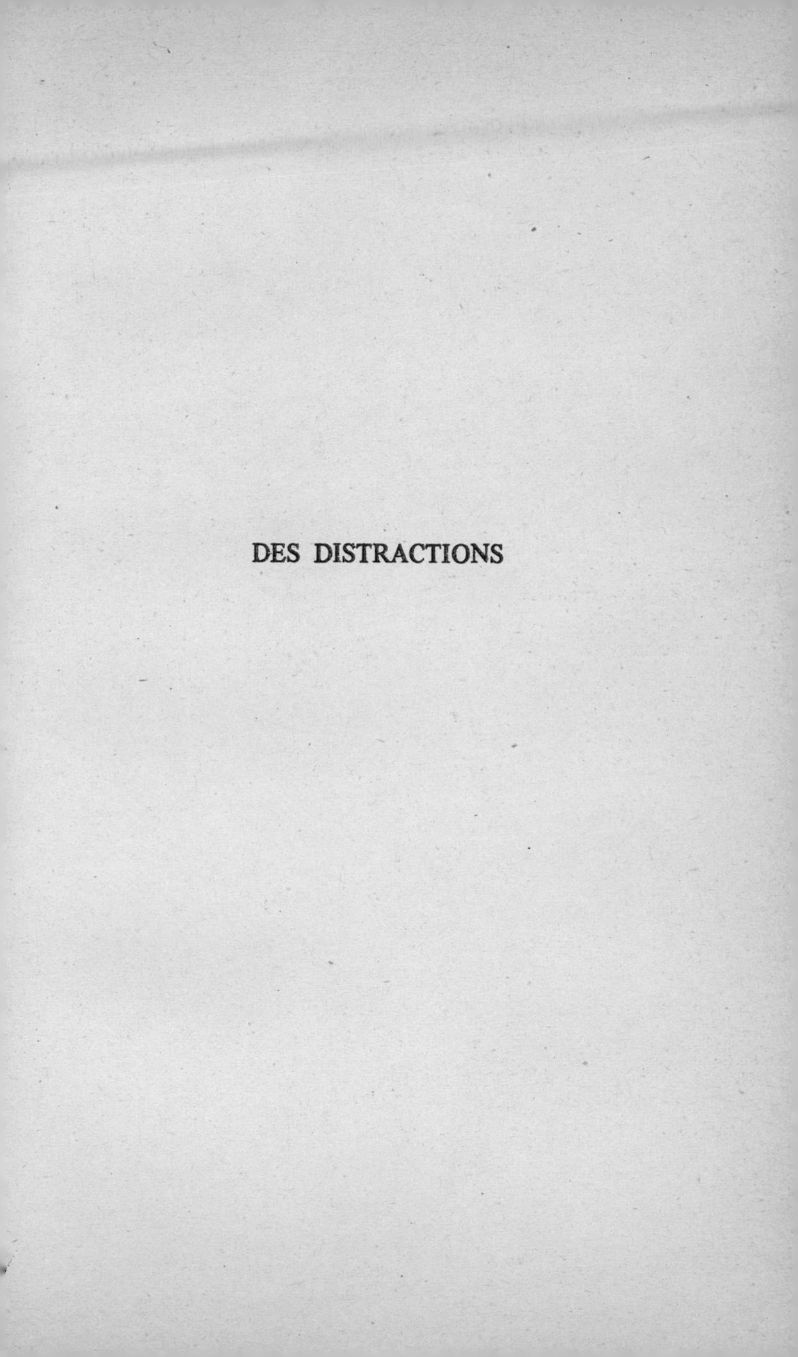

DES DISTRACTIONS

I

La prière en pétition : « Que Ton Règne advienne » a un corollaire nécessaire et inévitable, qui est : « Que notre royaume s'efface ». La condition de l'illumination complète est la purge complète. Seule l'âme purifiée peut réaliser l'identité avec Brahman; ou, pour changer de vocabulaire religieux, l'union avec Dieu ne peut jamais être effectuée par le Vieil Adam, qui doit perdre la vie de la volonté propre afin de gagner la vie de la volonté divine. Ces principes ont été acceptés comme fondamentaux et axiomatiques par tous les mystiques, de tous les pays, de toutes les fois, et de toutes les époques.

Quand ces principes sont mis en pratique, on constate que le royaume personnel qui doit s'effacer, si le royaume divin doit advenir, consiste principalement en deux provinces, les Passions et les Distractions. Les passions, il est superflu d'en parler longuement ici, pour la bonne raison qu'il en a été tant parlé par ailleurs. En outre, il est, ou il devrait être, évident en soi que « Ton Royaume » ne peut absolument pas advenir à quelqu'un qui habite un univers-« maison », créé par lui pour sa propre peur, sa cupidité, sa méchanceté et son inquiétude personnelles. Aider l'homme à surmonter ces passions, tel est le but de tout enseignement moral; et cette domi-

1. Des portions de cet essai ont constitué par la suite une partie d'un chapitre du livre d'Aldous Huxley, *L'Eminence grise* (Monaco, Éditions du Rocher, 1945). Nous les reproduisons ici avec l'autorisation de l'éditeur. *(N. d. T.)*

nation est un préliminaire et un accompagnement essentiel de la vie de spiritualité mystique. Ceux qui s'imaginent pouvoir atteindre à l'illumination sans purge se trompent à l'extrême. Il y a une lettre de sainte Jeanne de Chantal à l'une des religieuses de son ordre, lettre qui devrait être mise entre les mains de tout débutant dans l'art du yoga ou prière mentale. « En vérité, écrit la sainte, je vous crois sans peine quand vous dites ne savoir que répondre à ces novices qui vous demandent quelle est la différence entre l'union et la contemplation. Seigneur Dieu! Comment se fait-il que ma sœur la Supérieure leur permette une chose pareille, ou que vous la permettiez en son absence? Cher Jésus, où est l'humilité? Il faut mettre fin à cela tout de suite, et leur donner des livres et des instructions qui traitent de la pratique des vertus, et leur dire qu'il leur faut d'abord se mettre à agir, et qu'elles pourront ensuite parler de ces questions élevées. »

Mais j'en ai dit assez sur cette première province, hélas trop familière, de notre royaume personnel. Ce n'est pas des passions, mais de ces obstacles à la vie unitive moins fréquemment portés devant le public, les distractions, que je me propose de traiter ici.

Les contemplatifs ont comparé les distractions à la poussière, à des essaims de mouches, aux mouvements d'un singe piqué par un scorpion. Toujours, leurs métaphores évoquent l'image d'une agitation sans but. Et c'est précisément là le caractère intéressant et important des distractions. Les passions présentent essentiellement un but, et les pensées, les émotions, les fantaisies qui se rattachent aux passions, ont toujours quelque rapport avec les fins réelles ou imaginaires proposées, ou avec les moyens par lesquels ces fins pourront être atteintes. Il en est tout différemment des distractions. Il est de leur essence d'être incohérentes et sans but. Pour se rendre compte à quel point elles peuvent être vides de but et incohérentes, il suffit de s'asseoir et d'essayer de se recueillir. Les préoccupations rattachées aux passions viendront probablement à la surface de la conscience, mais avec elles se soulèvera une écume oscillante de souvenirs, d'idées vagues et d'imaginations, mêlés au hasard, — des souvenirs d'enfance du chien de manchon de sa grand'mère, le nom anglais de la jusquiame, un projet généreux pour attraper en plein air les bombes incendiaires, — en un mot, toute espèce de non-sens et de stupidité. L'affirmation des psychanalystes, suivant laquelle toutes les divagations du subconscient emportent une signification passionnelle profonde, ne peut se plier aux faits. Il suffit de s'observer soi-même et d'observer les autres pour découvrir que nous ne sommes pas plus exclusivement les serviteurs de nos passions et de nos impulsions biologiques, que nous ne sommes exclusivement rationnels; nous sommes également des créatures possédant une machine psycho-physiologique fort compliquée qui moud incessamment, et, au cours de sa mouture, lance dans notre conscient des extraits de ce nombre indéfini de permutations et de combinaisons mentales constituées pendant qu'elle fonctionne au hasard. Ces permutations et combinaisons d'éléments mentaux n'ont rien à voir avec nos passions ni avec nos processus mentaux plus rationnels; ce sont simplement des imbécillités, de simples produits de déchet de l'activité psycho-physiologique. Sans doute, de telles imbécillités peuvent être utilisées par les passions pour leurs propres fins, comme lorsque le Vieil Adam qui est en nous lance un barrage de distractions intrinsèquement sans intérêt afin d'essayer d'annuler les efforts créateurs de la volonté supérieure. Mais, même lorsqu'elles ne sont pas ainsi utilisées par les passions, même en soi, les distractions constituent un obstacle formidable à toute espèce d'avance spirituelle. L'imbécile que nous avons en nous est aussi radicalement l'ennemi de Dieu que le monomane passionné à la poursuite de son but, avec ses désirs et ses aversions insensés. En outre, l'imbécile demeure en liberté, et actif, alors que le fou a été dompté, voire détruit. En d'autres termes, un homme peut avoir réussi à vaincre ses passions, à les remplacer par un désir fixe et univoque d'éclaircissement, et se trouver néanmoins gêné dans son avance par le flot des distractions sans intérêt qui font irruption dans son conscient. C'est pourquoi tous les spiritualistes avancés ont attaché tant d'importance à ces imbécillités et les ont mises au rang d'imperfections graves, voire de péchés. C'est, je le crois, aux distractions, ou du moins à l'une des catégories principales des distractions, que fait allusion le Christ dans cette parole étrangement énigmatique et alarmante : « Chaque mot oiseux que diront les hommes, ils en rendront compte au jour du jugement. Car c'est par tes paroles que tu seras justifié, et par tes paroles que tu seras condamné. » Les imbécillités passées en paroles, les incohérences prononcées, toutes choses dites, même, qui ne servent point aux fins d'éclaircissement, doivent être condamnées comme étant des barrières entre l'âme et la réalité ultime. Elles peuvent paraître bien inoffensives; mais ce caractère inoffensif n'existe que par rapport aux fins séculières; par rapport à l'éternel et au spirituel, elles sont extrêmement nuisibles. A ce propos, il me plaît de citer un paragraphe de la vie de ce saint français du XVIIe siècle, Charles de Condren. Une pieuse dame, Mlle de La Roche, était fort contrariée, parce qu'elle éprouvait une impossibilité à faire une confession satisfaisante. « Ce qui la tourmentoit, c'est que ses péchés lui parussent plus considérables qu'elle ne pouvoit le dire. Ses fautes n'étoient pas énormes; néanmoins, elle étoit absolument incapable, disoit-elle, de les exprimer jamais. Si son confesseur lui disoit qu'il se contentoit de son accusation, elle répondoit qu'elle n'en étoit point satisfaite, et que, puisqu'elle ne disoit point la vérité, il ne pouvoit lui donner l'absolution. S'il la pressoit de dire toute la vérité, elle se sentoit totalement incapable de le faire. » Personne ne savait que dire à cette malheureuse, qui en vint à être considérée comme étant légèrement folle. Finalement, elle s'adressa à

Condren, dont les commentaires sur son cas sont du plus haut intérêt. « Il est vrai, dit-il, que vous n'avez pas exprimé de façon satisfaisante vos péchés; mais le fait est, qu'ici-bas, il est impossible de les représenter dans toute leur hideur; nous ne les connaîtrons jamais tels qu'ils sont réellement, tant que nous ne les verrons pas à la pure lumière de Dieu. Dieu vous donne une impression de la difformité du péché, par laquelle il vous fait sentir qu'il est incomparablement plus considérable qu'il n'apparaît à votre entendement ou qu'il ne peut être exprimé par vos paroles. D'où votre angoisse et votre détresse... Il faut donc concevoir vos péchés, comme la foi les présente à votre esprit, en d'autres termes, comme ils sont en soi; mais il faut vous contenter de les détruire au moyen des paroles que votre bouche peut former. » Tout ce que dit Condren au sujet des péchés sans doute fort véniels de la pauvre Mlle de La Roche, s'applique avec une force égale aux distractions. Jugées d'après les normes courantes, elles semblent être des choses sans importance. Et pourtant, comme elles sont en soi, comme elles sont par rapport à cette « pure lumière de Dieu », qu'elles sont capables d'éclipser et d'obscurcir, de même que le soleil est assombri par un tourbillon de poussière ou une nuée de sauterelles, ces imperfections insignifiantes ont autant de pouvoir pour le mal, dans l'âme, que la colère, ou qu'une avidité hideuse, ou que quelque appréhension obsédante.

C'est parce qu'ils se méfient de l'imbécile qui, dans le corps de tout être humain, cohabite avec le dément criminel, l'animal bon vivant, le bon citoyen, et le saint en puissance, non réveillé, profondément latent, — c'est parce qu'ils reconnaissent son pouvoir véritablement diabolique, que les contemplatifs ont toujours imposé à eux-mêmes et à leurs disciples une telle abnégation en ce qui concerne toutes les excitations distrayantes et incohérentes. La curiosité agitée du Vieil Adam doit être tenue en échec, et il faut que la dissipation de son esprit soit changée en sagesse et en unicité de but. C'est pourquoi il est toujours prescrit au mystique en herbe de s'abstenir de s'occuper de choses qui sont sans rapport avec son but ultime, ou au sujet desquelles il ne peut pas accomplir efficacement un bien immédiat et concret. Ce commandement d'abnégation s'applique à la plupart des choses dont, en dehors des heures de travail, la personne ordinaire se préoccupe principalement — aux nouvelles, à la dose quotidienne des diverses épopées servies par la radio, aux voitures et aux accessoires de l'année, aux dernières modes. Mais c'est sur les modes, les voitures et les accessoires, sur les nouvelles et la publicité par laquelle existent les nouvelles, que compte, pour fonctionner convenablement, notre système industriel et économique. Car, comme l'a signalé naguère l'ex-président Hoover, ce système ne peut fonctionner, à moins que la demande des choses non nécessaires soit non seulement maintenue, mais continuellement accrue; et, bien entendu, elle ne peut être maintenue et accrue, que par des appels incessants à la cupidité, à l'esprit de concurrence, et à l'amour de la stimulation sans but. Les hommes ont toujours été la proie des distractions, qui sont le péché originel de l'esprit; mais jamais, jusqu'à notre époque, on n'a tenté d'organiser et d'exploiter les distractions, d'en faire, à cause de leur importance économique, le noyau et le centre vital de la vie humaine, de les idéaliser comme étant les manifestations les plus hautes de l'activité mentale. Notre époque est celle des incohérences systématisées, et l'imbécile que nous avons en nous est devenu l'un des Titans, sur les épaules de qui repose le poids du système social et économique. Le recueillement, ou domination des distractions, n'a jamais été plus nécessaire qu'à présent; jamais, non plus, on peut s'en douter, il n'a été aussi difficile.

II

Dans un article précédent j'ai donné quelques indications sur la nature psychologique des distractions et sur leur importance comme obstacles sur le chemin de ceux qui cherchent à atteindre à l'illumination. Dans les paragraphes qui vont suivre, je décrirai quelques-unes des méthodes qui ont été reconnues utiles pour surmonter ces obstacles, pour éviter les tours de l'imbécile que nous portons en nous comme personnalité secondaire.

Les distractions ne nous affligent pas seulement quand nous nous essayons à la méditation ou à la contemplation formelles, mais aussi, et encore plus dangereusement, au cours de notre vie active et quotidienne. Beaucoup d'entre ceux qui entreprennent des exercices spirituels, qu'ils soient yoga ou chrétiens, ont trop fréquemment tendance à borner leurs efforts à la concentration de l'esprit strictement pendant les heures de travail, c'est-à-dire les heures qu'ils consacrent effectivement à la méditation. Ils oublient qu'il est possible à un homme ou à une femme d'atteindre, pendant la méditation, à un degré élevé de concentration mentale et même à une sorte de pseudo-extase subjectivement satisfaisante, tout en restant, au fond, un moi non régénéré. Il n'est pas rare de rencontrer des gens qui passent des heures, chaque jour, à effectuer des exercices spirituels, et qui, entre temps, font preuve d'autant de dépit, de préjugés, de jalousie, de cupidité et de bêtise, que le plus « aspirituel » de leurs prochains. La raison en est que les gens de cette sorte ne font aucun effort pour adapter aux exigences de la vie ordinaire ces pratiques dont ils font usage aux heures de leur méditation formelle. Il n'y a là, bien entendu, rien de surprenant. Il est beaucoup plus facile d'entr'apercevoir la réalité lorsqu'on se trouve dans les conditions de la méditation formelle, que de « pratiquer la présence de Dieu » au milieu des moments d'ennui, des agacements et des tentations constantes de la vie familiale et professionnelle. Ce que le mystique anglais, Benoît Fitch, appelle « l'anéantissement actif », et qui consiste à mourir à son moi en le noyant en Dieu, à tout instant de la journée, est beaucoup plus difficile à réaliser que « l'anéantissement passif » dans l'oraison mentale. La différence entre les deux formes de l'anéantissement du moi est analogue à la différence entre le travail scientifique effectué dans les conditions du laboratoire et le travail scientifique effectué sur le terrain. Comme le sait tout homme de science, un vaste gouffre sépare l'obtention de résultats au laboratoire, de l'application de ses découvertes au monde désordonné et déconcertant qui s'étend hors de ses murs. Le travail au laboratoire et le travail sur le terrain sont également nécessaires dans la science. D'une façon analogue, dans la pratique de la vie unitive, le travail de laboratoire qu'est la méditation formelle doit être complété par ce qu'on peut appeler le « mysticisme appliqué », pendant les heures d'activité quotidienne. C'est pour cette raison que je me propose de diviser cet article en deux parties, dont la première traitera des distractions aux moments du recueillement, et la seconde, des imbécillités obscurcissantes et obstructrices de la vie quotidienne.

Tous les maîtres de l'art de l'oraison mentale s'accordent à conseiller à leurs élèves de ne jamais combattre les distractions qui naissent dans l'esprit au cours du recueillement. La raison en est simple : « Plus un homme œuvre, plus il est et existe. Et plus il est et existe, moins Dieu est et existe en lui. » Tout épanouissement du moi personnel et séparé produit une diminution correspondante de la conscience de la réalité divine. Or, la lutte volontaire contre les distractions rehausse automatiquement le moi personnel et séparé, et réduit, en conséquence, les chances qu'a l'individu de prendre conscience de la réalité. Tandis que nous nous efforçons vigoureusement d'abolir nos imbécillités qui éclipsent Dieu, nous approfondissons simplement les ténèbres de notre ignorance native. Cela étant, il faut renoncer à notre tentative de combattre les distractions, et trouver des moyens de les circonvenir et de les éviter. L'une des méthodes consiste à regarder simplement « par-dessus l'épaule » de l'imbécile qui se tient entre nous et l'objet de notre méditation ou de notre contemplation sans image. Les distractions apparaissent au premier plan du conscient; nous nous apercevons de leur présence, puis, légèrement, sans effort ni tension de la volonté, nous portons le foyer de notre attention sur la réalité qui est à l'arrière-plan. Dans bien des cas, les distractions perdront leur obsédante présence, et s'évanouiront peu à peu.

A titre de variante, quand les distractions se présentent, on peut renoncer temporairement à la tentative de pratiquer la contemplation sans image, ou « simple regard », et diriger l'attention sur les distractions elles-mêmes, qui sont alors utilisées comme objets de méditation discursive, pour se préparer à revenir par la suite au « simple regard ». On recommande communément deux méthodes d'utilisation profitable des distractions. La première consiste à examiner objectivement les distractions, et à observer lesquelles d'entre elles ont leur origine dans les passions, et lesquelles semblent naître dans le côté imbécile de l'esprit. Le processus consistant à remonter jusqu'à la source des pensées et des images, à découvrir, de ci, ce qui est orienté vers un but, et passionnel, de là, les manifestations simplement imbéciles de l'égotisme, est un admirable exercice de concentration mentale, ainsi qu'un moyen d'accroître cette connaissance du moi qui est l'une des conditions préliminaires indispensables à une connaissance de Dieu. « Un homme, a écrit maître Eckhart, a en lui des peaux ou cuirs nombreux, recouvrant les profondeurs de son cœur. L'homme connaît tant d'autres choses; il ne se connaît pas lui-même. Mais trente ou quarante peaux ou cuirs, pareils à ceux d'un bœuf ou d'un ours, tant ils sont épais et durs, recouvrent l'âme. Retirez-vous dans votre propre fondement, et apprenez-y à vous connaître. » L'examen sans passion et scientifique des distractions est l'un des meilleurs moyens de connaître les « trente ou quarante peaux » qui constituent notre personnalité, et de découvrir, par-dessous, le Moi, le Dieu immanent, le Royaume des Cieux qui est en nous. De la méditation discursive sur les peaux, on passe alors tout naturellement au « simple regard » dirigé sur le fondement de l'âme.

La seconde méthode d'utilisation des distractions afin de vaincre les distractions est simplement une variante de la première. La différence entre les deux méthodes est une différence dans la qualité du ton de l'émotion qui accompagne l'examen des pensées et des images troublantes. Dans la première méthode, 'examen est sans passion; dans la seconde, il s'accompagne d'un sentiment de contrition et d'humiliation de soi. Comme l'a dit l'auteur du *Voile de l'Ignorance,* « quand tu sens que tu ne peux en aucune façon les écarter [les distractions, imbéciles et passionnelles], tapis-toi sous elles comme un poltron et un lâche vaincu au combat, et dis-toi que c'est simple folie de lutter plus longuement contre elles, et que, partant, tu te rends à Dieu ès mains de tes ennemis. Et éprouve alors la sensation d'être vaincu à jamais... Et assurément, je crois que si ce moyen est véritablement conçu, ce n'est rien d'autre qu'un savoir et sentir véritables de toi-même tel que tu es, un misérable et une chose dégoûtante, bien pire que rien : lesquels savoir et sentir sont la soumission. Et cette soumission mérite d'avoir Dieu lui-même descendant avec puissance, pour te venger de tes ennemis, afin de te relever et de sécher, en te chérissant, tes yeux spirituels, ainsi que le fait un père à son enfant sur le point de périr sous la gueule de porcs sauvages ou d'ours déments acharnés à mordre. »

Nous arrivons maintenant au problème consistant à faire face aux distractions dans la vie ordinaire — sur le terrain, plutôt qu'au laboratoire. L'anéantissement actif, ou, pour me servir de l'expression rendue familière par le Frère Laurent, la pratique constante de la présence de Dieu à tous les instants de la journée, est un labeur d'une difficulté suprême. La plupart de ceux qui le tentent commettent l'erreur de traiter le travail sur le terrain comme si c'était un travail en laboratoire. Se trouvant plongés parmi les choses, ils s'écartent des choses, soit d'une façon physique, par la retraite, soit d'une façon psychologique, par un acte d'introversion. Mais ce recul devant les choses et les activités extérieures nécessaires est un obstacle sur le chemin de l'anéantissement du moi; car reculer devant les choses, c'est affirmer implicitement que les choses sont encore fort importantes pour nous. L'introversion qui s'écarte des choses pour l'amour de Dieu peut, en leur attribuant une importance excessive, élever les choses à la place qui devrait être occupée par Dieu. Ce qu'il faut, en conséquence, ce n'est pas une fuite physique ou une introversion s'écartant des choses, mais l'aptitude à entreprendre l'activité nécessaire dans un esprit de détachement, d'anéantissement du moi dans la réalité. C'est là, bien entendu, la doctrine du Gita. (Il faut noter, toutefois, que le Gita — s'il est censé devoir être pris littéralement, ce qui, on l'espère, n'est point le cas — suggère qu'il est possible de commettre un meurtre dans un état d'anéantissement du moi en Dieu. Sous des formes diverses, cette doctrine de l'absence d'attache a été utilisée par des sectateurs aberrants de toutes les religions, afin de justifier toute espèce de méchanceté et de folie, depuis les orgies sexuelles jusqu'à la torture. Partir en guerre, comme les héros du Gita; se livrer à des manifestations de sexualité sans limites et en commun, comme certains d'entre les Illuminati occidentaux, — sont des activités qui ne peuvent avoir d'autre résultat que de rehausser le moi personnel et séparé et d'éclipser la réalité divine. L'absence d'attache ne peut se pratiquer que lorsqu'il s'agit d'actions intrinsèquement bonnes ou éthiquement neutres; l'idée qu'elle peut se pratiquer quand il s'agit d'actions mauvaises est une illusion, née du désir de l'ego de continuer à se mal conduire, tout en justifiant une telle conduite au moyen d'une philosophie élevée et d'apparence spirituelle.)

Pour réaliser l'anéantissement actif, par lequel,

seul, les distractions de la vie commune peuvent être surmontées, l'aspirant doit commencer par éviter, non seulement toutes les mauvaises actions, mais aussi, si possible, toutes les actions non nécessaires et sottes. Écouter le programme moyen de la radio, voir le film moyen, lire les « comic strips »[1], — ce sont là des activités simplement sottes et imbéciles; mais bien qu'elles ne soient pas perverses, elles sont presque aussi inanéantissables que les activités du lynchage et de la fornication. Pour cette raison, il est manifestement recommandable de les éviter.

Cependant, que convient-il de faire dans le domaine psychologique? Il faut d'abord cultiver une conscience constante de la réalité qui est tout et du moi personnel qui est moins que rien. C'est à cette condition seulement qu'il sera possible de parvenir à l'absence d'attache désirée. Non moins important que le fait d'éviter les activités non nécessaires et inanéantissables, et que la culture du conscient, est le fait de vider la mémoire et de supprimer les pressentiments. Quiconque prête quelque attention à ses processus mentaux ne tarde pas à découvrir qu'une forte proportion de son temps est dépensée à remâcher et ruminer le passé et à goûter par avance l'avenir. Nous retournons au passé, parfois parce que des souvenirs naissent, au hasard, et mécaniquement, dans notre conscient; parfois parce qu'il nous plaît de flatter notre égotisme en nous rappelant des triomphes et des plaisirs passés, en censurant et embellissant des douleurs et des défaites passées; parfois, aussi, parce que nous sommes écœurés de nous-mêmes, et, pensant « nous repentir de nos péchés », retournons, avec une sombre satisfaction, aux fautes anciennes. Quant à l'avenir, nous nous en préoccupons d'une façon parfois craintive, par-

1. Ce sont des « feuilletons » en images accompagnées d'un texte indigent, qui ont tant de succès dans les journaux américains, et se répandent de plus en plus, hélas, dans ceux de nos pays. *(N. d. T.)*

fois compensatoire et afin de prendre nos désirs pour la réalité. Dans l'un et l'autre cas, le présent est sacrifié à des rêves de situations qui n'existent plus ou qui sont hypothétiques. Mais c'est un fait d'observation empirique que le chemin de l'éternité spirituelle passe par l'éternité animale immédiate du présent spécieux. Nul ne peut parvenir à la vie éternelle, s'il n'a, au préalable, appris à vivre, non pas dans le passé ou dans l'avenir, mais maintenant — dans le moment et au moment. Au sujet de cette sottise éclipsant Dieu, qui consiste à penser avec inquiétude à l'avenir, les Évangiles ont beaucoup à dire. A chaque jour suffit sa peine — et, pourrions-nous ajouter, à chaque lieu. Nous nous habituons à éprouver de l'inquiétude au sujet d'événements lointains, au sujet desquels nous ne pouvons faire nul bien, et nous croyons qu'une telle inquiétude est un signe de notre sensibilité et de notre compassion. Il serait probablement plus proche de la vérité de dire, avec saint Jean de la Croix, que « l'inquiétude est toujours de la vanité, parce qu'elle ne sert à rien de bon. Voire, même si le monde entier était jeté dans la confusion, avec toutes les choses qui s'y trouvent, l'inquiétude à ce sujet serait encore de la vanité. » Ce qui est vrai des choses éloignées dans l'espace et dans l'avenir est également vrai des choses lointaines dans le passé. Nous devons nous enseigner à ne pas gaspiller notre temps et nos occasions de connaître la réalité, en nous appesantissant sur nos souvenirs. Laissez aux morts le soin d'enfouir leurs morts. « Le vidage de la mémoire, dit saint Jean de la Croix, bien que les avantages n'en soient pas aussi grands que ceux de l'état d'union, mais simplement parce qu'il délivre notre âme de beaucoup de douleur, de chagrin, et de tristesse, ainsi que d'imperfections et de péchés. est en soi un grand bien. »

Telles sont donc, résumées de la façon la plus brève, quelques-unes des méthodes au moyen desquelles les distractions peuvent être surmontées, non pas simplement dans le laboratoire de la méditation formelle, mais aussi (ce qui est plus difficile) dans le monde de la vie commune. Comme toujours, il est immensément plus facile de disserter sur de telles méthodes, et de faire des lectures à leur sujet, que de les mettre en pratique.

SEPT MÉDITATIONS

L'Être.

Dieu est. C'est là le fait primordial. C'est afin de pouvoir découvrir ce fait pour nous-mêmes, par expérience directe, que nous existons. La fin et le but final de tout être humain est la connaissance unitive de l'être de Dieu.

Quelle est la nature de l'être de Dieu? L'invocation du *Paternoster* nous donne la réponse. « Notre Père qui *es* aux cieux. » *Dieu* est, et est à nous — immanent chez chaque être sentant, la vie de toutes les vies, l'esprit animant toutes les âmes. Mais ce n'est pas tout. Dieu est aussi le Créateur et le Législateur transcendant, le Père qui aime, et parce qu'il aime, éduque également Ses enfants. Et enfin, Dieu est « aux cieux ». C'est-à-dire qu'Il possède un mode d'existence incommensurable et incompatible avec le mode d'existence possédé par les êtres humains dans leur condition naturelle, non spiritualisée. Parce qu'Il est nôtre et immanent, Dieu est très proche de nous. Mais parce qu'Il est également aux cieux, la plupart d'entre nous sont fort éloignés de Dieu. Le saint est un homme qui est aussi proche de Dieu que Dieu est proche de lui.

C'est par la prière que les hommes parviennent à la connaissance unitive de Dieu. Mais la vie de prière est également une vie de mortification, du mourir à son moi. Il ne saurait en être autrement; car plus il y a de moi, moins il y a de Dieu. Notre orgueil, notre inquiétude, nos désirs de puissance et de plaisir sont des choses qui éclipsent Dieu. Il en est de même de cet attachement avide à certaines créatures, qui passe trop souvent pour une absence d'égoïsme, et devrait s'appeler, non pas altruisme, mais alter-égoïsme. Et n'est guère moins éclipseur de Dieu, le service, sacrifiant en apparence le moi, que nous donnons à toute cause, à tout idéal, qui reste en deçà du divin. Un tel service est toujours de l'idolâtrie, et rend impossible pour nous d'adorer Dieu comme nous le devrions, et encore bien moins de Le connaître. Le royaume de Dieu ne peut advenir, à moins que nous ne commencions par chasser nos royaumes humains. Non seulement les royaumes déments et manifestement mauvais, mais aussi les royaumes respectables, — ceux des scribes et des pharisiens, des bons citoyens et des piliers de la société, non moins que les royaumes des publicains et des pécheurs. L'être de Dieu ne peut être connu de nous, s'il nous plaît de consacrer notre attention et notre allégeance à autre chose, quelque honorable que puisse paraître cet « autre chose » aux yeux du monde.

La Beauté.

La beauté naît quand les parties d'un ensemble ont des rapports entre elles et avec la totalité, tels que nous l'appréhendions comme ordonné et significatif. Mais le premier principe de l'ordre est Dieu, et Dieu est la signification finale et la plus profonde de tout ce qui existe. Dieu est donc manifeste dans les rapports qui font que les choses sont belles. Il réside dans cet intervalle charmant qui harmonise les événements sur tous les plans où nous découvrons de la beauté. Nous l'appréhendons sous la forme des vides et des pleins alternés, dans une cathédrale; dans les espaces qui séparent les traits saillants d'un tableau; dans la géométrie vivante d'une fleur, d'un coquillage marin, d'un animal; dans les silences et les intervalles entre les notes de musique, dans leurs différences de ton et de sonorité; et enfin, sur le plan de la conduite, dans l'amour et la douceur, la confiance et l'humilité, qui donnent de la beauté aux rapports entre les êtres humains.

Telle, donc, est la beauté de Dieu, telle que nous l'appréhendons dans le domaine des choses créées. Mais il nous est également possible de l'appréhender, au moins dans une certaine mesure, telle qu'elle est en soi. La vision de béatitude de la beauté divine est la connaissance, en quelque sorte, de l'Intervalle Pur, des rapports harmonieux en soi, en dehors des choses entre lesquelles ils existent. Une image matérielle de la beauté-en-soi, c'est le ciel vespéral sans nuages, que nous trouvons indiciblement beau, bien qu'il ne possède aucune ordonnance de disposition, puisqu'il n'y a point de parties distinguibles à harmoniser. Nous le trouvons beau, parce qu'il est un emblème de l'infinie Lumière Claire du Vide. Nous ne parviendrons à la connaissance de cet Intervalle Pur que lorsque nous aurons appris à mortifier l'attachement aux créatures, surtout à nous-mêmes.

La laideur morale naît quand l'affirmation du moi gâte les rapports harmonieux qui devraient exister entre les êtres sentants. De même, la laideur esthétique et intellectuelle naît lorsqu'une partie d'un tout est excessive ou insuffisante. L'ordre est rompu, la signification est détournée, et au rapport correct, divin, entre les choses ou les pensées, il en est substitué un faux, un rapport qui manifeste symboliquement, non pas la source immanente et transcendante de toute beauté, mais ce désordre chaotique qui caractérise les créatures quand elles essayent de vivre indépendamment de Dieu.

L'Amour.

Dieu est amour, et il y a des instants bénis où il est octroyé même aux êtres humains non régénérés de Le connaître comme étant amour. Mais c'est seulement chez les saints que cette connaissance devient assurée et continue. De ceux qui sont dans les stades moins avancés de la vie spirituelle, Dieu est appréhendé surtout comme loi. C'est par l'obéissance à Dieu le Législateur, que nous parvenons enfin à connaître Dieu le Père aimant.

La loi à laquelle il nous faut obéir, si nous voulons connaître Dieu comme amour, est elle-même une loi d'amour. « Tu aimeras Dieu de toute ton âme et de tout ton cœur, de tout ton esprit et de toutes tes forces. Et tu aimeras ton prochain comme toi-même. » Nous ne pouvons aimer Dieu comme nous le devrions, à moins d'aimer nos voisins comme nous le devrions. Et, enfin, nous ne pouvons prendre conscience de Dieu comme principe actif et tout-envahissant de l'amour, tant que nous n'aurons appris, nous-mêmes, à L'aimer et à aimer nos semblables.

L'idolâtrie consiste à aimer une créature plus que nous n'aimons Dieu. Il y a de nombreuses formes d'idolâtrie, mais elles possèdent toutes une chose en commun, savoir : l'amour du moi. La présence de l'amour du moi est manifeste dans les formes assez grossières des satisfactions sensuelles, ou dans la poursuite de la richesse, de la puissance et de la louange. D'une façon moins évidente, mais non moins funeste, elle est présente dans nos affections démesurées pour des individus, des personnes, des lieux, des choses et des institutions. Et même dans les sacrifices les plus héroïques des hommes aux causes élevées et aux idéals de noblesse, l'amour du moi a sa place tragique. Car lorsque nous nous sacrifions à toute cause ou idéal qui est inférieur au plus élevé de tous, qui est moins que Dieu Lui-même, nous sacrifions simplement une partie de notre être non régénéré à une autre partie, que nous considérons, nous et les autres, comme plus honorable. L'amour du moi persiste encore, il nous empêche encore d'obéir de façon parfaite au premier des deux grands commandements. Dieu ne peut être aimé parfaitement que par ceux qui ont tué les formes les plus subtiles, les plus noblement sublimées de l'amour du moi. Quand cela se produit, quand nous aimons Dieu comme nous le devrions, et, en conséquence, connaissons Dieu comme amour, le problème torturant du mal cesse d'être un problème, on voit que le monde du temps est un aspect de l'éternité, et, selon quelque façon inexprimable, mais non moins réelle et certaine, la multiplicité guerroyante, chaotique de la vie est réconciliée dans l'unité de la charité divine qui embrasse toutes choses.

La Paix.

Avec l'amour et la joie, la paix est l'un des fruits de l'esprit. Mais elle en est aussi l'une des racines. En d'autres termes, la paix est l'une des conditions de la spiritualité, non moins qu'elle n'en est un résultat inévitable. Selon les paroles de saint Paul, c'est la paix qui maintient le cœur et l'esprit dans la connaissance et l'amour de Dieu.

Entre la paix, racine, et la paix, fruit de l'esprit, il y a cependant une profonde différence de qualité. La paix, racine, est une chose que nous connaissons et comprenons tous, une chose que, s'il nous plaît de faire l'effort nécessaire, nous pouvons réaliser. Si nous ne la réalisons pas, nous ne ferons jamais de progrès sérieux dans notre connaissance et notre amour de Dieu, nous n'aurons jamais rien de plus qu'un aperçu passager de cette autre paix qui est le fruit de la spiritualité. La paix, fruit, est la paix qui passe tout entendement; et elle passe l'entendement, parce qu'elle est la paix de Dieu. Ceux-là seuls qui sont, dans une certaine mesure, devenus semblables à Dieu, peuvent espérer connaître cette paix dans sa plénitude durable. C'est inévitable. Car, dans le monde des réalités spirituelles, la connaissance est toujours une fonction de l'être; la nature de ce que nous éprouvons est déterminée par ce que nous sommes nous-mêmes.

Dans les premiers stades de la vie spirituelle, nous nous préoccupons presque exclusivement de la paix, racine, et des vertus morales d'où elle naît, des vices et des faiblesses qui tiennent en échec sa croissance. La paix intérieure a beaucoup d'ennemis. Sur le plan moral, on trouve d'une part, la colère, l'impatience et la violence sous toutes ses formes; et, de l'autre, (car la paix est essentiellement active et créatrice) toutes les formes de l'inertie et de la paresse. Sur le plan du sentiment, les grands ennemis de la paix sont le chagrin, l'inquiétude, la peur, toute l'armée formidable des émotions négatives. Et sur le plan de l'intellect, on rencontre les sottes distractions et la gratuité de la curiosité oiseuse. La défaite de ces ennemis est un processus fort laborieux et souvent douloureux, qui exige la mortification incessante des tendances naturelles et des habitudes, hélas, trop humaines. Voilà pourquoi il y a, dans notre monde d'ici-bas, si peu de paix intérieure parmi les individus et si peu de paix extérieure entre les sociétés. Selon les paroles de l'*Imitation* : « Tous les hommes désirent la paix, mais il y en a peu, en vérité, qui désirent les choses qui conduisent à la paix. »

La Sainteté.

Entier, sain, saint — ces trois mots dérivent de la même racine [1]. Par l'étymologie non moins qu'en fait, la sainteté est la santé spirituelle, et la santé est la totalité, la complétion, la perfection. La sainteté de Dieu est la même chose que Son unité; et un homme est saint dans la mesure où il est devenu sincère, où il a une intention unique, où il est parfait comme notre Père aux cieux est parfait.

Parce que chacun de nous ne possède qu'un seul corps, nous avons tendance à croire que nous sommes un être unique. Mais en réalité notre nom est Légion. Dans notre condition non-régénérée, nous sommes

1. Cela s'applique à l'anglais : whole, hale, holy; en français, ce rapprochement est évidemment assez fallacieux. *(N. d. T.)*

des êtres divisés, au cœur fragmenté et à l'esprit double, des créatures de bien des humeurs et aux personnalités multiples. Et non seulement nous sommes divisés à l'égard de nos moi non-régénérés; nous sommes également incomplets. Outre notre âme multiple, nous possédons un esprit qui ne fait qu'un avec l'esprit universel. En puissance (car, dans sa condition normale, il ne sait qui il est) l'homme est beaucoup plus que la personnalité pour laquelle il se prend. Il ne peut atteindre à sa plénitude, à moins et avant qu'il ne se rende compte de sa nature véritable, qu'il ne découvre et ne libère l'esprit à l'intérieur de son âme, et ne s'unisse ainsi avec Dieu.

L'impiété naît quand nous donnons notre consentement à n'importe quelle rébellion ou affirmation du moi, de la part d'une partie quelconque de notre être, à l'encontre de cette totalité qu'il nous est possible de devenir par l'union avec Dieu. Par exemple, il y a l'impiété de la sensualité à laquelle on s'abandonne, celle de l'avarice, de l'envie et de la colère non réfrénées, celle de la gratuité de l'orgueil et de l'ambition séculière. Même la sensualité négative de la mauvaise santé peut constituer une impiété si l'on permet à l'esprit de s'appesantir sur les souffrances de son corps, plus qu'il n'est absolument nécessaire ou inévitable. Et sur le plan de l'intellect, il y a l'impiété imbécile des distractions, et l'impiété affairée, dirigée vers un but, de la curiosité touchant des questions au sujet desquelles nous sommes impuissants à agir de quelque façon constructive ou susceptible d'y porter remède.

De notre état naturel d'incomplétion, à la santé spirituelle et à la perfection, il n'y a point de raccourci magiquement facile. Le chemin de la sainteté est laborieux et long. Il passe par la vigilance et la prière, par une garde sans repos du cœur, de l'esprit, de la volonté et de la langue, et par l'attention aimante, exclusive, à Dieu, que seule cette garde rend possible.

La Grace.

Les grâces sont les dons gratuits de secours octroyés par Dieu à chacun de nous, afin que nous soyons aidés à réaliser notre fin et notre but final, savoir : la connaissance unitive de la réalité divine. Les secours de ce genre sont très rarement assez extraordinaires pour que nous ayons immédiatement conscience de leur véritable nature de dons envoyés par Dieu. Dans l'immense majorité des cas, ils sont entremêlés d'une façon si peu voyante dans la texture de la vie commune, que nous ne savons pas que ce sont des grâces, à moins et avant que nous n'y réagissions comme il sied, et ne recevions ainsi les bienfaits matériels, moraux, ou spirituels qu'ils étaient destinés à nous apporter. Si nous ne réagissons pas à ces grâces ordinaires comme il sied, nous n'en recevrons aucun bienfait, et n'aurons pas conscience de leur nature, ni même de leur simple existence. La grâce est toujours suffisante, pourvu que nous soyons prêts à collaborer avec elle. Si nous sommes défaillants en ce qui concerne notre part du travail à accomplir, mais préférons compter sur l'obstination et notre direction personnelle, non seulement nous ne tirerons aucun secours des grâces qui nous sont octroyées, mais encore nous empêcherons toute possibilité qu'ils nous en soit octroyé d'autres. Quand elle est utilisée avec une cohérence obstinée, la volonté personnelle crée un univers privé clos de murs qui le rendent impénétrable à la lumière de la réalité spirituelle; et à l'intérieur de ces univers privés, les obstinés vont leur chemin, non secourus et non illuminés, d'accident en accident fortuit, ou d'un mal calculé à un autre mal calculé. C'est de ceux-là que parle saint François de Sales lorsqu'il dit : « Dieu ne t'avait pas destitué de l'opération de Son amour, mais tu privas Son amour de ta coopération. Dieu ne t'eût jamais rejeté si tu n'eusses rejeté Sa dilection. »

Avoir clairement et constamment conscience de la

direction divine, cela n'est donné qu'à ceux qui sont déjà bien avancés dans la vie de l'esprit. Dans ses stades préalables, il nous faut œuvrer, non par la perception directe des grâces successives de Dieu, mais par la foi en leur existence. Il nous faut accepter, à titre d'hypothèse explicative, que les événements de notre vie ne sont pas simplement fortuits, mais des épreuves voulues d'intelligence et de caractère, des occasions spécialement ménagées (si elles sont convenablement utilisées) pour le progrès spirituel. En agissant d'après cette hypothèse explicative, nous ne traiterons aucun événement comme intrinsèquement sans importance. Nous n'y apporterons jamais une réaction inconsidérée, ni une simple expression automatique de notre volonté propre, mais nous nous donnerons toujours le temps, avant d'agir ou de parler, d'examiner quelle ligne de conduite semblerait s'accorder le mieux avec la volonté de Dieu, être la plus charitable, la plus propre à la réalisation de notre fin dernière. Quand notre réaction habituelle aux événements sera devenue telle, nous découvrirons, d'après la nature de leurs effets, que quelques-uns au moins de ces événements étaient des grâces divines, sous le déguisement parfois de bagatelles, parfois d'inconvénients ou même de peines et d'épreuves. Mais si nous nous refusons à agir selon l'hypothèse que la grâce existe, la grâce sera, en effet, non-existante en ce qui nous concerne. Nous démontrerons par une vie d'accident, dans le cas le plus favorable, ou, dans le moins favorable, par une vie de mal véritable, que Dieu n'aide pas les êtres humains, à moins qu'ils ne commencent par permettre qu'on les aide.

La Joie.

La paix, l'amour, la joie — ce sont là, selon saint Paul, les trois fruits de l'esprit. Ils correspondent de très près aux trois attributs essentiels de Dieu, tels qu'ils sont résumés dans la formule indienne : *sat*, *chit, ananda,* — l'être, la connaissance, la félicité. La paix est la manifestation de l'être unifié. L'amour est le mode de la connaissance divine. Et la félicité, concomitante de la perfection, est identique à la joie.

Comme la paix, la joie n'est pas seulement un fruit de l'esprit, mais elle en est aussi une racine. Si nous voulons connaître Dieu, il faut tout faire pour cultiver cet équivalent inférieur de la joie, qu'il est en notre pouvoir de sentir et d'exprimer.

L'« indolence » est la traduction ordinaire de cette *acedia*, qui compte parmi les sept péchés mortels de notre tradition occidentale. C'est une traduction insuffisante; car l'*acedia* est plus que l'indolence; c'est aussi une dépression et un apitoiement sur soi-même, c'est aussi cette terne lassitude du monde qui, suivant les paroles de Dante, nous rend « tristes dans l'air suave qui se réjouit au soleil. » Se lamenter, exhaler des plaintes, s'apitoyer sur soi, désespérer — ce sont là des manifestations de la volonté personnelle et de la rébellion à l'encontre de la volonté de Dieu. Et ce découragement spécial et caractéristique que nous éprouvons en raison de la lenteur de notre progrès spirituel, — qu'est-ce, sinon un symptôme de vanité blessée, un tribut payé à la haute opinion que nous avons, de nos propres mérites?

Être joyeux quand les circonstances sont déprimantes, ou quand nous sommes tentés de nous laisser aller à nous apitoyer sur nous-mêmes, c'est une véritable mortification — mortification d'autant plus précieuse qu'elle est si peu voyante, si difficile à reconnaître pour ce qu'elle est. Les austérités physiques, même les plus bénignes, ne peuvent guère se pratiquer sans attirer l'attention d'autrui; et parce qu'elles attirent l'attention, ceux qui les pratiquent sont souvent tentés d'éprouver quelque vanité en raison de ce sacrifice du moi. Mais des mortifications telles que celles qui consistent à s'abstenir des bavardages oiseux, de la curiosité gratuite au sujet des choses qui ne nous concernent pas, et surtout de la dépression et de l'apitoiement sur nous-mêmes, peuvent être pratiquées sans que quiconque le sache. Il peut nous coûter bien plus d'effort d'être joyeux avec cohérence, que, par exemple, d'être régulièrement tempérants; et, tandis qu'on nous admirera souvent de nous abstenir en matière de satisfactions physiques, on attribuera probablement notre gaieté à une bonne digestion ou à une insensibilité congénitale. C'est à partir des racines de semblables sacrifices secrets et inadmirés que s'épanouit l'arbre dont les fruits sont la paix qui passe tout entendement, l'amour de Dieu et de toutes les créatures en Son nom, et la joie de la perfection, la félicité d'une consommation éternelle et intemporelle.

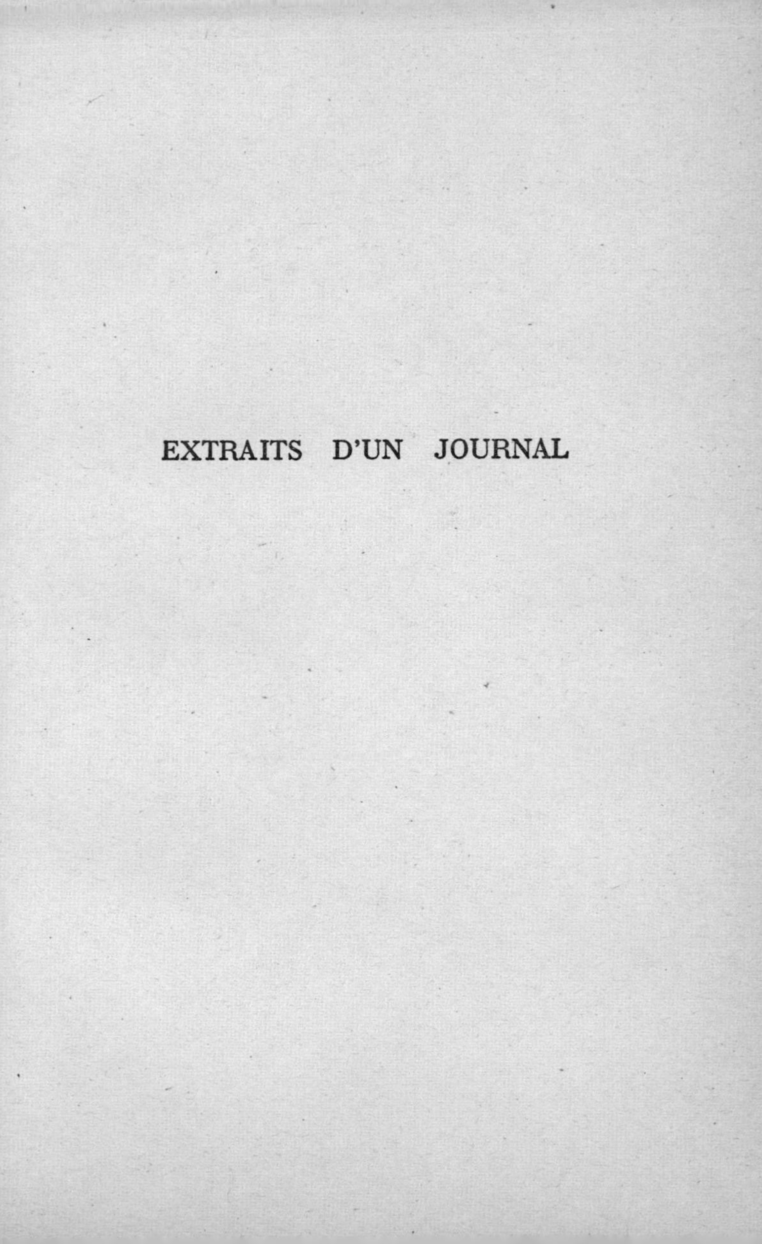

EXTRAITS D'UN JOURNAL

L'Arête du couteau.

« Délicat », « délicatesse » — ces mots reviennent couramment dans les écrits des mystiques chrétiens. Il en est de même chez les maîtres Zen. Quelle insistance sur la non-violence, sur la non-accentuation, sur la quasi-invisible arête de couteau le long de laquelle il faut marcher si légèrement si l'on veut atteindre le but! « Essayez de ne pas rechercher la vérité » (ce serait là émettre la prétention funeste selon quoi vous savez d'avance ce qu'elle est); « cessez seulement de chérir des opinions. » D'une façon plus subtile : « Ne poursuivez pas les fouillis extérieurs, et n'habitez pas le vide intérieur; soyez sereins dans l'unicité des choses. » Par ailleurs : « Le Sravaka ne perçoit point que l'Esprit en soi ne connaît pas de stades successifs, pas de causalité, pas d'imagination. Se disciplinant dans la cause, il a atteint le résultat, et habite pendant des siècles sans nombre, dans le *samadhi* du Vide. Mais quelque éclairé qu'il soit ainsi, le Sravaka n'est pas du tout sur la bonne voie. Du point de vue du Bodhisattva, c'est là comme si l'on subissait la torture de l'enfer. Le Sravaka s'est enfoui dans le vide, et ne sait comment s'évader de sa calme contemplation; car sa vue ne pénètre pas jusque dans la nature même du Buddha. » En d'autres termes, pour la personne pleinement éclairée, le *nirvana* et le *samsara* ne font

1. Ces passages figuraient, à l'origine, dans le manuscrit de *L'Eternité retrouvée*, mais ils ne se trouvent pas dans la version publiée de ce roman. *(N. d. T.)*

qu'un. Dieu est perçu comme étant dans les créatures, et les créatures en Dieu. Mais si, comme un homme (ou une femme) moyen sensuel, vous partez de ce principe et vous mettez à « mener une vie bien douillette », en bon et libéral fidèle de l'église vous ne recevrez point l'illumination ni la libération, Pour parvenir à la conscience que Dieu est dans les créatures et les créatures en Dieu, il faut commencer par vous conduire comme si elles étaient différentes, comme si le *nirvana* était autre chose que le *samsara*. Mais souvenez-vous que ce dualisme *als ob* doit être pratiqué avec le tact d'un artiste, — comme si vous jouiez du Mozart ou faisiez une aquarelle. Sinon, pareil au Sravaka bien sérieux mais péchant par excès de simplification, vous vous enliserez dans un vide qui n'est pas ultime, un vide subtilement différent du principe authentique et non manifesté de tout l'être. Rien d'étonnant à ce que, sur le grand nombre d'appelés, il y en ait si peu, dans toute vie donnée, d'élus.

Le Pouvoir.

« Le pouvoir, a dit Lord Acton, corrompt toujours. Le pouvoir absolu corrompt d'une façon absolue. Tous les grands hommes sont mauvais. » Et il aurait pu ajouter : « Toutes les grandes nations, toutes les grandes classes, toutes les grandes religions ou organisations professionnelles, sont mauvaises », — mauvaises dans la mesure précise où elles sont puissantes.

Le premier problème, toujours présent, de la vie sociale, est le pouvoir. Car le pouvoir fait, de ceux qui le possèdent, des diables; le pouvoir est insatiable; le pouvoir est agressif, et, par sa nature même, intolérant à l'égard de tout pouvoir rival, — partant, intrinsèquement belliqueux, cruel, oppressif.

Politiquement, le pouvoir peut être maintenu en échec par un système de freins et d'équilibres — le système parlementaire, la constitution américaine.

Économiquement, il peut être limité par la large distribution de la propriété des moyens de production, permettant aux individus et aux groupes de vivre d'une façon indépendante de l'autorité centralisée, politique ou industrielle. Ou bien il peut y avoir une sanction purement sociale, sous la forme d'une convention généralement admise, aux termes de laquelle la puissance est indésirable, l'ambition de mauvais goût, et l'arriviste une déviation vulgaire et dangereuse hors de la norme.

Mais les freins et les équilibres politiques ne peuvent fonctionner que dans une société stable, et en temps de paix. La propriété largement distribuée des moyens de production est incompatible avec le genre de système industriel et financier que nous possédons actuellement. Les conventions déplorant l'ambition et la volonté de puissance ne se rencontrent pas, en fait, sauf chez certaines petites communautés « arriérées ». Pour notre part, nous admirons les manifestations de la puissance, — du moins, quand nous n'en sommes pas les victimes. Après la guerre, bien entendu[1], la concentration du pouvoir deviendra encore plus grande, et ses manifestations, encore plus implacables que dans le passé immédiat. On ne peut faire face au chaos absolu et à la destruction, autrement que par le pouvoir absolu. Et toute l'histoire est là pour montrer que le pouvoir absolu corrompt d'une façon absolue.

En dernière analyse, il n'y a pas d'issue, sauf la voie indiquée à la fin de l'Oraison Dominicale. « Car ils sont à *toi*, le royaume et la puissance et la gloire. » Ce sont les résultats produits par le fait de considérer ces choses comme *nôtres*, qui constituent le mal — dont, dans la phrase précédente, nous avons demandé à être délivrés. Le principe peut s'énoncer en treize mots; mais sa traduction en acte exige de chacun une réflexion constamment en éveil et une abnegation héroïque. En d'autres termes, toute solution générale du problème du pouvoir est indéfiniment lointaine.

1. Écrit au cours de la deuxième guerre mondiale. *(N. d. T.)*

Les petites Choses.

« Les petites choses faites dans un esprit d'amour fervent sont infiniment plus précieuses que des choses beaucoup plus grandes faites avec moins d'amour. »

« Il y a des gens qui mesurent la valeur des bonnes actions uniquement à leurs qualités naturelles ou à leur difficulté. La dignité ou la difficulté d'une bonne action affecte certainement ce qu'on appelle sa valeur accidentelle, mais toute valeur essentielle provient uniquement de l'amour de Dieu. »

Et qu'on note encore deux points. *Primo*, chose bien paradoxale, les œuvres ardues sont souvent plus faciles à accomplir que les insignifiantes. La plupart des gens se conduisent bien dans les grandes circonstances qui se présentent occasionnellement, mal ou d'une façon quelconque dans les périodes intercalaires de routine banale. Mais si, dans les moments ordinaires, il nous plaisait de tenir une conduite ayant seulement un quart de la qualité de celle que nous tenons dans les moments de crise exceptionnelle, la plupart de ces crises (étant un article strictement « maison », un produit d'innombrables omissions, petites et coutumières, à pratiquer le bien, et de menues mauvaises actions commises) ne se produiraient jamais.

Secundo, les œuvres de valeur essentielle ont tendance à produire de bons résultats. Les conditions désirables, sociales et personnelles, sont des sous-produits d'actions effectuées, non pas afin de créer de telles conditions, mais pour l'amour de Dieu.

De la Signification.

Se plaindre, après avoir écouté pendant quinze secondes les répliques de Rosenkrantz et de Guildenstern, que *Hamlet* ne signifie rien, cela est vide de sens. Et pourtant, c'est précisément ce que nous faisons en ce qui concerne l'univers et la vie humaine, — cela même, et nous le baptisons réalisme.

Mozart se rendait parfois compte, en un instant, d'une symphonie dont l'audition exigerait une heure. Comment? En cessant d'être le Long Corps phénoménal connu du monde sous le nom de « Mozart », et en devenant une conscience intemporelle. Cette conscience était celle d'une durée musicale particulière, perçue et comprise comme étant un point. L'intuition mystique fort analogue est, entre autres, une connaissance de la durée cosmique, perçue et comprise de la même façon intemporelle. Et lorsque non pas moi, mais l'éternel non-moi qui est en moi, réalise cette conscience ponctiforme de la durée appréhendée comme un tout, la vie de l'homme et l'univers en général est comprise comme ayant une signification, bien que mon pauvre vieux Long Corps ne voie rien de plus de la pièce, que ces quinze secondes de répliques de Rosenkrantz et Guildenstern.

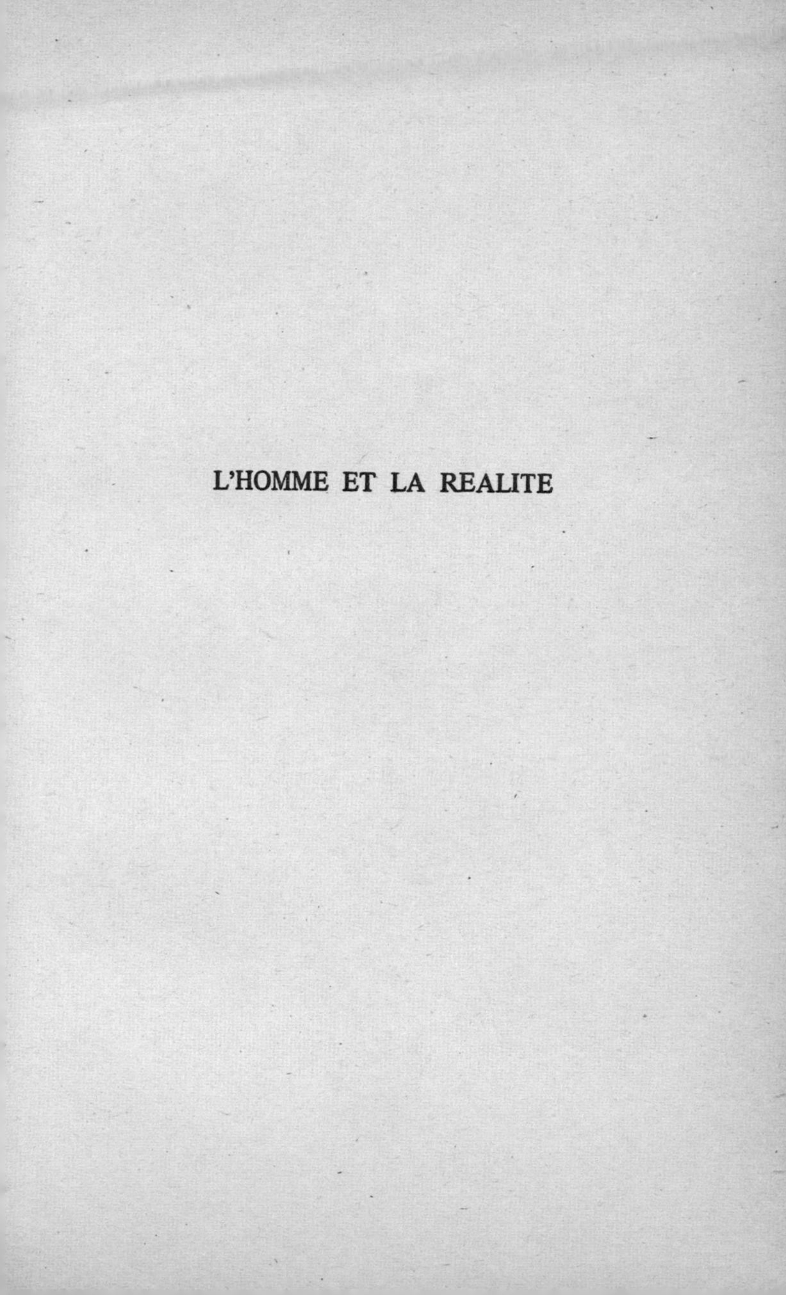

L'HOMME ET LA REALITE

Pour ceux qui vivent à l'intérieur de ses limites, les lumières de la ville sont le seul luminaire du vaste ciel. Les réverbères des rues éclipsent les étoiles, et l'éclat des réclames de whisky réduit même le clair de lune à une inconséquence presque invisible.

Ce phénomène est symbolique; c'est une parabole en action. Mentalement et physiquement, l'homme est l'habitant, pendant la majeure partie de sa vie, d'un univers purement humain et, en quelque sorte, « fabriqué-maison », creusé par lui-même dans le cosmos immense et non-humain qui l'entoure, et sans lequel ni cet univers, ni lui-même, ne pourraient exister. A l'intérieur de cette catacombe privée, nous édifions pour nous-mêmes un petit monde à nous, construit avec un assortiment étrange de matériaux — des intérêts et des « idéals », des mots et des technologies, des désirs et des rêveries en plein jour, des produits ouvrés et des institutions, des dieux et des démons imaginaires. Là, parmi les projections agrandies de notre propre personnalité, nous exécutons nos bouffonneries curieuses et perpétrons nos crimes et nos démences, nous pensons les pensées et ressentons les émotions appropriées à notre milieu fabriqué par l'homme, nous chérissons les folles ambitions qui seules donnent une signification à une maison de fous. Mais, pendant tout ce temps, en dépit des bruits de la radio et des tubes à néon, la nuit et les étoiles sont là — juste au-delà du dernier arrêt des autobus, juste au-dessus du dais de fumée illuminée. C'est là un fait que les habitants de la catacombe humaine trouvent trop facile, hélas, d'oublier; mais, qu'ils oublient ou se souviennent, cela demeure toujours un fait. La nuit et les étoiles sont toujours là; l'autre monde, le monde humain, dont les étoiles et la nuit ne sont que les symboles, persiste, et est le monde véritable.

L'homme, l'homme plein d'orgueil, vêtu d'une mince et
[brève autorité,
Le plus ignorant de ce dont il est le plus assuré,
Son essence vitreuse — pareil à un singe en colère,
Joue des tours si fantastiques devant l'altitude du ciel,
Que les anges en pleurent[1].

Ainsi s'est exprimé Shakespeare dans la seule de ses pièces qui révèle une préoccupation profonde des réalités spirituelles ultimes. C'est l'« essence vitreuse » de l'homme qui constitue la réalité dont il est le plus assuré, la réalité qui le soutient et en vertu de laquelle il vit. Et cette essence vitreuse est du même genre que la Claire Lumière, qui est l'essence de l'univers. En nous, cette « étincelle », cette « profondeur non-créée de l'âme, cet *atman*, demeure impolluée et sans défaut, quelque fantastiques que puissent être les tours que nous jouons, — de même que, dans le monde extérieur, la nuit et les étoiles demeurent elles-mêmes en dépit de tous les Broadways et Piccadillies, de tous les projecteurs et de toutes les bombes incendiaires.

Le vaste monde non-humain, qui existe simultanément en nous et au dehors, est gouverné par ses propres lois divines — lois auxquelles nous sommes libres d'obéir ou de désobéir. L'obéissance conduit à la libération; la désobéissance, à une mise en esclavage plus profonde à l'égard du malheur et du mal, à une prolongation de notre existence à la ressemblance des songes en colère. L'histoire humaine est le dossier du conflit entre deux forces — d'une part, la sotte et criminelle présomption qui tend l'homme

1. Shakespeare, *Measure for Measure*, acte II, scène 2. *(N. d. T.)*

ignorant de son essence vitreuse; de l'autre, la reconnaissance qu'à moins de vivre en conformité du vaste cosmos, il est lui-même entièrement mauvais, et son monde, un cauchemar. Dans ce conflit interminable, tantôt l'un des partis a le dessus, et tantôt l'autre. A l'époque présente, nous constatons le triomphe temporaire du côté spécifiquement humain de la nature de l'homme. Depuis quelque temps, maintenant, il nous a plu de croire — et d'agir d'après cette croyance — que notre monde privé, monde de tubes au néon et de bombes incendiaires, est le seul monde réel, que l'essence vitreuse en nous n'existe pas. Singes en colère, nous nous sommes imaginé, à cause de notre habileté simiesque, être des anges — être, en vérité, plus que des anges, des dieux, des créateurs, des auteurs de notre destinée. Quelles sont les conséquences de ce triomphe du côté purement humain de l'homme? Les manchettes des journaux quotidiens fournissent une réponse sans équivoque : la destruction des valeurs humaines, soit par la mort, soit par l'avilissement ou la perversion aux fins de la politique, de la révolution et de la guerre. Lorsque nous croyons présomptueusement que nous sommes, ou deviendrons dans quelque état utopique futur, « des hommes pareils à des dieux », nous sommes, en fait, en danger mortel de devenir des diables, capables seulement (quelque élevés que puissent être nos « idéals », quelque splendidement élaborés que soient nos plans et nos schémas d'exécution) de ruiner notre monde et de nous détruire nous-mêmes. Le triomphe de l'humanisme est la défaite de l'humanité.

Heureusement, comme l'a signalé Whitehead, l'ordre moral de l'univers réside précisément en ce fait, que le mal est négateur de lui-même. Quand le mal a libre cours, soit de la part des individus, soit de celle des sociétés, il finit toujours par se suicider. La nature de ce suicide peut être soit physique, soit psychologique. Les mauvais individus ou sociétés peuvent être littéralement exterminés, ou réduits à l'impuissance par simple épuisement; ou bien ils peuvent en venir à une telle condition, si l'orgie du mal se prolonge par trop, de lassitude et de dégoût, qu'ils se voient forcés, par une sorte de sanguinaire *reductio ad absurdum*, de se rendre à cette vérité évidente, que les hommes ne sont point des dieux, qu'ils ne peuvent maîtriser la destinée, même celle de leur monde « fabriqué-maison », et que le seul chemin menant à la paix, au bonheur et à la liberté qu'ils désirent si ardemment est celui de la connaissance et du respect des lois du cosmos plus vaste et non-humain.

« Plus on s'avance vers l'Orient, aimait à dire Sri Ramakrishna, plus on s'éloigne de l'Occident. » C'est là l'une de ces remarques, en apparence puériles, que l'on rencontre si souvent parmi les écrits et les paroles notées des maîtres religieux. Mais c'est une puérilité apparente, qui masque une profondeur réelle. Dans cette petite tautologie absurde gît, à l'état de latence vivante et séminale, toute une métaphysique, un programme complet d'action. C'est, bien entendu, la même philosophie et le même mode de vie que ceux auxquels Jésus a fait allusion lorsqu'il a parlé de l'impossibilité de servir deux maîtres, et de la nécessité de chercher d'abord le royaume de Dieu, et d'attendre que tout le reste y soit surajouté. L'égoïsme et l'alter-égoïsme (ou service idolâtre d'individus, de groupes, ou de causes avec lesquels nous nous identifions, de sorte que leur succès flatte notre propre moi) nous séparent de la connaissance et de l'expérience de la réalité. Et ce n'est pas tout : ils nous séparent aussi de la satisfaction de nos besoins et de la jouissance de nos plaisirs légitimes. C'est un fait d'expérience et d'observation empirique, que nous ne pouvons jouir longtemps de ce que nous désirons comme êtres humains, à moins que nous n'obéissions aux lois de ce cosmos plus vaste et non-humain dont, — quoique, dans notre orgueilleuse folie, nous puissions en oublier le fait, — nous sommes des parties intégrantes. L'égoïsme et l'alter-égoïsme nous conseillent de rester fermement retranchés dans l'Occident, à nous occuper de nos propres affaires humaines. Mais si nous agissons ainsi, nos affaires finiront par aller à la ruine; et si nos « idéals » alter-égoïstes ont été très élevés, nous nous verrons, en toute probabilité, liquider nos prochains sur une vaste échelle — et, incidemment, être liquidés par eux. Alors que, si nous passons sous silence les conseils de l'égoïsme et de l'alter-égoïsme, et si nous marchons résolument vers l'Orient divin, nous nous créerons la possibilité de recevoir la grâce de l'illumination, et, en même temps, nous constaterons que l'existence dans notre foyer physique, occidental, est beaucoup plus satisfaisante qu'elle ne l'était quand nous consacrions primordialement notre attention à l'amélioration de notre sort humain. En un mot, les choses iront mieux, à l'Occident, parce qu'à mesure que nous avançons vers l'Orient, nous serons plus éloignés d'elles, — moins attachés à elles, moins passionnément préoccupés d'elles, et, partant, moins susceptibles de nous mettre à liquider des gens à cause d'elles. Mais, hélas, comme le note l'auteur de l'« Imitation » : « Tous les hommes désirent la paix, mais il y en a peu qui désirent les choses qui conduisent à la paix. »

Un certain détachement d'avec l'égoïsme et l'alter-égoïsme est essentiel, même si nous voulons prendre contact des aspects secondaires de la réalité cosmique. C'est ainsi que, pour être féconde, la science doit être pure. C'est-à-dire que l'homme de science doit écarter toute idée d'avantages personnels, de résultats « pratiques », et se concentrer exclusivement sur la tâche de découvrir les faits et de les coordonner en une théorie intelligible. A longue échéance, l'alter-égoïsme est aussi funeste à la science, que l'est l'égoïsme. Un exemple typique de la science alter-égoïste est fourni par cette recherche secrète, nationaliste, qui accompagne et précède la guerre moderne. La science de ce genre est vouée à sa propre négation et destruction, ainsi qu'à la destruction de tous les autres genres de bien humain.

Ce ne sont pas là les seuls détachements que doive pratiquer l'homme de science. Il faut qu'il se libère aussi, non seulement des grossières passions égoïstes et alter-égoïstes, mais aussi de ses préjugés purement intellectuels, des entraves des formules traditionnelles de pensée, et même du sens commun. Les choses ne sont pas ce qu'elles paraissent; ou, pour être plus précis, elles ne sont pas seulement ce qu'elles paraissent, mais bien autre chose encore. Agir d'après cette vérité, comme doit le faire constamment l'homme de science, c'est pratiquer un genre de mortification intellectuelle.

Des mortifications et détachements analogues doivent être pratiqués par l'artiste, quand il s'essaye à découvrir et à exprimer ces rapports divins qui existent entre les parties du cosmos, et que nous appelons beauté. De même, sur le plan de la conduite éthique, les manifestations du bien ne peuvent être effectuées par soi-même, ni reçues d'autrui, à moins qu'il n'y ait inhibition des désirs et des aversions personnels et alter-égoïstes.

Si nous passons du domaine des aspects manifestés ou incarnés de la réalité à celui de la réalité elle-même, nous constaterons qu'il doit y avoir une intensification du détachement, un élargissement et un approfondissement de la mortification. Le symbole de la mort et de la renaissance revient sans cesse dans les paroles et les écrits des maîtres de la vie spirituelle. Si le royaume de Dieu doit advenir, il faut que celui de l'homme disparaisse; il faut que le Vieil Adam périsse afin que l'homme nouveau puisse naître. En d'autres termes, la mortification ascétique du moi, à la fois physique, émotive, éthique et intellectuelle, est l'une des conditions indispensables de l'illumination, de la prise de conscience de l'immanence et de la transcendance divines. Certes, aucune somme de pratiques ascétiques ou d'exercices spirituels ne peut garantir automatiquement l'illumination, qui est toujours de la nature d'une grâce. Tout ce que nous sommes fondés à dire, c'est que l'égoïsme et l'alter-égoïsme, que les pratiques ascétiques sont destinées à déraciner, perpétuent automatiquement l'état de non-illumination. Nous ne pouvons voir la lune et les étoiles, tant qu'il nous plaît de demeurer dans l'effluve lumineux des réverbères et des réclames de whisky. Nous ne pouvons même pas espérer découvrir ce qui se passe à l'Orient, si nous dirigeons nos pas et notre visage vers l'Occident.

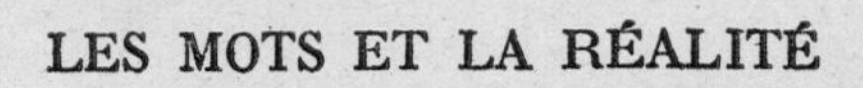

LES MOTS ET LA RÉALITÉ

Désirant attirer les aveugles,
Le Buddha, en folâtrant, a laissé s'échapper des mots
[de sa bouche d'or;
Depuis lors, le ciel et la terre sont à jamais emplis de
[ronces enchevêtrées.
Ah, mes bons et dignes amis rassemblés ici,
Si vous désirez écouter la voix tonnante du Dharma,
Epuisez vos paroles, videz votre pensée,
Car c'est alors que vous pourrez parvenir à reconnaître
[cette essence unique.

C'est là l'une de ces sentences paradoxales, dont les maîtres du buddhisme Zen étaient si friands. A sa façon étonnante et quelque peu perverse, elle résume tout le problème épineux des rapports entre l'expérience religieuse et les mots au moyen desquels cette expérience est décrite, expliquée et reliée à d'autres expériences dans une philosophie généralisée. Manifestement, le Buddha et les autres fondateurs de religions n'ont jamais eu le désir de se livrer à des plaisanteries aux dépens de l'humanité désorientée : néanmoins, le fait demeure, que leurs paroles ont servi à « attirer les aveugles » aussi bien qu'à éclairer, à « emplir le ciel et la terre de ronces enchevêtrées » aussi bien qu'à montrer les chemins de la libération. L'histoire des religions, même les plus avancées, est horriblement mouvementée. Leurs enseignements ont inspiré certains hommes à poursuivre la sainteté; elles ont servi à d'autres de justification à tous les genres d'activité destructrice et diabolique. Le saint plein de compassion et le croisé impitoyable, le chasseur d'hérésies et le contemplatif, sont tous des produits caractéristiques de la religion, et tous tirent l'inspiration de leurs actions, des mots consignés dans quelque écriture sacrée. Dans d'autres cas, également caractéristiques, le contraste est moins extrême. Les mêmes mots incitent un homme à devenir mystique, et un autre, théologien — c'est-à-dire qu'ils inspirent à l'un de renoncer aux mots pour essayer de connaître Dieu directement, et inspirent à l'autre de se consacrer à une analyse intensive des mots, dans l'espoir de parvenir à connaître quelque chose *au sujet de Dieu*, indirectement, au moyen du raisonnement discursif. Tous les hommes d'une grande pénétration religieuse s'accordent à considérer la préoccupation du théologien — celle des mots — comme presque aussi dangereuse pour la chance qu'a l'individu de se libérer, que les préoccupations du croisé et de l'inquisiteur — celles de l'action violente. Ses effets pernicieux sur autrui ne seront pas, bien entendu, aussi immédiats que dans ces derniers cas; mais ses effets indirects sur la manière de justifier de nouvelles générations d'inquisiteurs et de croisés, et sur l'engagement de chercheurs sérieux encore à naître, dans les labeurs de l'enchevêtrement de ronces verbales, peuvent être considérables et graves.

Les Buddhas, je le répète, n'ont nul désir intentionnel d'« attirer les aveugles »; mais, du simple fait de « laisser s'échapper des mots de leur bouche d'or », ils produisent une situation telle qu'il semble presque qu'ils se livrent à une plaisanterie aux dépens de l'humanité. Ils n'ont pas le choix en cette matière. Car la différence principale entre les hommes et les animaux réside précisément en ce que les hommes font usage du langage conceptuel, et les bêtes, non. Un être humain qui n'a jamais appris à parler, et qui, en conséquence, n'a pu communiquer avec ses semblables, n'est pas pleinement humain. (Les cas dûment authentifiés d'enfants élevés par des animaux le démontrent à l'évidence.) Le monde humain est, dans une large mesure, un monde verbal.

Voilà pourquoi il est si plein de « ronces enchevêtrées » — ronces qui n'existent pas pour les êtres au niveau animal. Mais c'est pourquoi, aussi, il est un monde d'où il est possible, comme il ne l'est point pour les habitants du monde animal, de s'avancer vers la libération et l'illumination.

« Il n'y a vraiment rien à discuter dans cet enseignement, écrit un autre maître Zen; toute discussion ira certainement à l'encontre de son intention. Les doctrines qui s'adonnent à la dispute et à l'argumentation conduisent d'elles-mêmes à la naissance et à la mort. » Cet énoncé comporte une vérité profonde et importante. Mais c'est une vérité dont nous ne saurions rien si elle n'avait été formulée en mots, lesquels sont la matière première de la dispute et de l'argumentation. D'homme à homme, il ne peut, normalement, y avoir de communication, si ce n'est en paroles; et puisque le devoir de communiquer la vérité à tous ceux qui désirent la connaître, s'impose à ceux qui possèdent ne fût-ce qu'un soupçon de sa nature, il s'ensuit que, malgré les dangers inhérents qu'il y a à faire des énonciations qui ne sauraient jamais être pleinement exactes ni suffisantes, il faut faire usage des mots. Le chapitre final du Tao Te King s'ouvre sur cet aphorisme :

Celui qui sait ne parle pas,
Celui qui parle ne sait pas.

Pris absolument à la lettre, cela est faux. La plupart de ceux (sinon tous) qui savaient ont parlé, et quelques-uns au moins de ceux qui ont parlé, ont su. Néanmoins, il reste vrai que la plupart de ceux qui parlent ne savent pas et qu'ils parlent pour les mauvais motifs — pour produire un effet, pour gagner des louanges, pour obtenir du pouvoir, pour imposer une opinion à leurs auditeurs. Réciproquement, les « sachants » qui ont parlé ont toujours eu pleinement conscience que leurs paroles étaient insuffisantes pour la réalité connue dont ils essayaient de parler.

Dans le *Sutra de Diamant*, l'on trouve des remarques fort intéressantes sur les rapports entre l'expérience et les mots au moyen desquels le « sachant » a le devoir de communiquer son expérience.

« Le Seigneur Buddha s'adresse à Subhuti, en disant : Qu'en penses-tu? Le Seigneur Buddha a-t-il atteint à la sagesse spirituelle suprême? Ou a-t-il un système de doctrine qui puisse être spécifiquement formulé?

« Subhuti répondit, en disant : D'après ce que je comprends au sens du discours du Seigneur Buddha, il n'a pas de système de doctrine qui puisse être spécifiquement formulé, et le Seigneur Buddha ne peut exprimer, en termes explicites, une forme de connaissance qui puisse être décrite comme étant la sagesse spirituelle suprême. Et pourquoi? Parce que ce que le Seigneur Buddha a esquissé suivant les termes de la loi est transcendental et inexprimable. Étant un concept purement spirituel, cela n'est ni consonnant avec la loi, ni synonyme de n'importe quoi de distinct de la loi. Ainsi se démontre par l'exemple la façon dont les sages disciples et les saints Buddhas, considérant l'intuition comme la loi de leur esprit, sont parvenus isolément à des plans différents de sagesse spirituelle. »

Plus loin, on trouve deux autres passages se rapportant au point qui nous occupe. Voici le premier. « Le Seigneur Buddha s'enquit de nouveau auprès de Subhuti, disant : Qu'en penses-tu? Un Arhat peut-il ainsi méditer en lui-même : J'ai obtenu la condition d'Arhat? Subhuti répondit, disant : Non, honoré des mondes! Et pourquoi? Parce qu'il n'y a pas, dans la réalité, de condition synonyme du terme : Arhat. Honoré des mondes! Si un Arhat médite ainsi en lui-même : J'ai obtenu la condition d'Arhat, il y aurait récurrence manifeste de concepts arbitraires tels qu'une entité, un être, un être vivant et une personnalité. »

Le second passage est le suivant. « Le Seigneur Buddha s'adresse à Subhuti, disant : Si un disciple, ayant des sphères incommensurables remplies des sept trésors, les répandait dans l'exercice de la charité; et si un disciple, homme ou femme, ayant aspiré à la sagesse spirituelle suprême, choisissait dans cet écrit une strophe comprenant quatre vers, et l'observait alors rigoureusement, l'étudiait et l'expliquait diligemment à autrui : le mérite cumulatif d'un tel disciple serait relativement plus grand que celui de l'autre.

« Dans quelle attitude d'esprit devrait-elle être diligemment expliquée à autrui? Non pas en admettant la persistance ou la réalité des phénomènes terrestres, mais dans la béatitude consciente d'un esprit en repos parfait. »

Ces passages fournissent, par sous-entendu, la solution du problème posé dans le paradoxe zen cité au début de cet essai. Qu'on me permette de l'énoncer aussi clairement que je le puis. En matière spirituelle, la connaissance repose sur l'être; tels nous sommes, ainsi nous connaissons. Il en résulte que les mots ont des sens différents pour des gens situés à des niveaux d'être différents. Les dires des illuminés sont interprétés par les non-illuminés en des termes conformes à leur propre caractère, et sont utilisés par eux pour rationaliser et justifier les désirs et les actes du Vieil Adam.

Un autre danger se présente quand les mots, en tant que mots, sont pris trop au sérieux, quand les hommes consacrent leur vie à analyser, expliquer et développer les dires de ceux qui ont atteint à l'illumination, en s'imaginant que cette activité est, suivant quelque sens pickwickien[1], équivalente à l'obtention de l'illumination. « Quant aux philosophes, lit-on dans le *Chant d'Illumination* de Yoka Daishi, ils sont intelligents, certes, mais il leur manque une Prajna (illumination). Ils prennent un poing vide comme contenant quelque chose de réel, et le doigt pointé, pour l'objet vers lequel il pointe. » Prise trop au sérieux, la théologie peut éloigner les hommes de

1. Voir note p. 12. *(N. d. T.)*

la vérité, au lieu de les mener vers elle. En même temps, elle est l'une des études les plus passionnantes, et, comme telle, peut aisément devenir l'une des distractions intellectuelles qui éclipsent le plus complètement Dieu. Et ce n'est pas tout : le fait d'être théologien est communément considéré comme une occupation éminemment honorable; en conséquence, il est dangereusement facile à ceux qui prennent pour activité la manipulation du langage théologique, de contracter un mortel orgueil spirituel. (L'Arhat qui médite sur le fait qu'il est Arhat, cesse par là d'être un Arhat.)

Néanmoins, en dépit de tous ces dangers inhérents au fait de parler de l'expérience religieuse, il est du devoir de quiconque a éprouvé une telle expérience, de l'expliquer diligemment à autrui, — pourvu toujours que deux conditions soient remplies. *Primo*, il ne doit pas s'imaginer pouvoir faire autre chose qu'indiquer indirectement la nature de la réalité connue intuitivement; il doit prendre soin de ne pas se laisser induire dans l'erreur de croire qu'il possède un système de doctrine qui *est* la vérité, ou qui exprime d'une façon complète la vérité. *Secundo*, il doit parler dans l'esprit qui convient et pour les raisons qui conviennent — l'esprit en repos parfait, et afin que la vérité soit connue et glorifiée. Même ainsi, il est possible que ses paroles conservées servent tôt ou tard à « attirer les aveugles et à emplir le monde de ronces enchevêtrées ». Mais ce risque doit être couru; car, à moins qu'il ne le soit, ceux qui sont capables de se former une idée correcte de la vérité n'auront jamais l'occasion d'en entendre parler et d'avancer vers l'illumination. Entre temps, c'est la besogne du théologien d'essayer (en évitant de son mieux les chausse-trapes particulières qui encombrent son chemin) de travailler le problème consistant à trouver les mots les plus idoines à esquisser le transcendant et l'inexprimable. Il y a eu des périodes dans l'histoire des diverses cultures, où le langage de la spiritualité a été clair, précis et exhaustif. A l'époque présente, il est confus, insuffisant pour les faits, et dangereusement équivoque. Manquant d'un vocabulaire convenable, les gens ont de la difficulté, non seulement à réfléchir aux questions les plus importantes de la vie, mais même à se rendre compte que ces questions existent. Les mots peuvent causer de la confusion et créer des « enchevêtrements »; mais l'absence de mots engendre une obscurité totale.

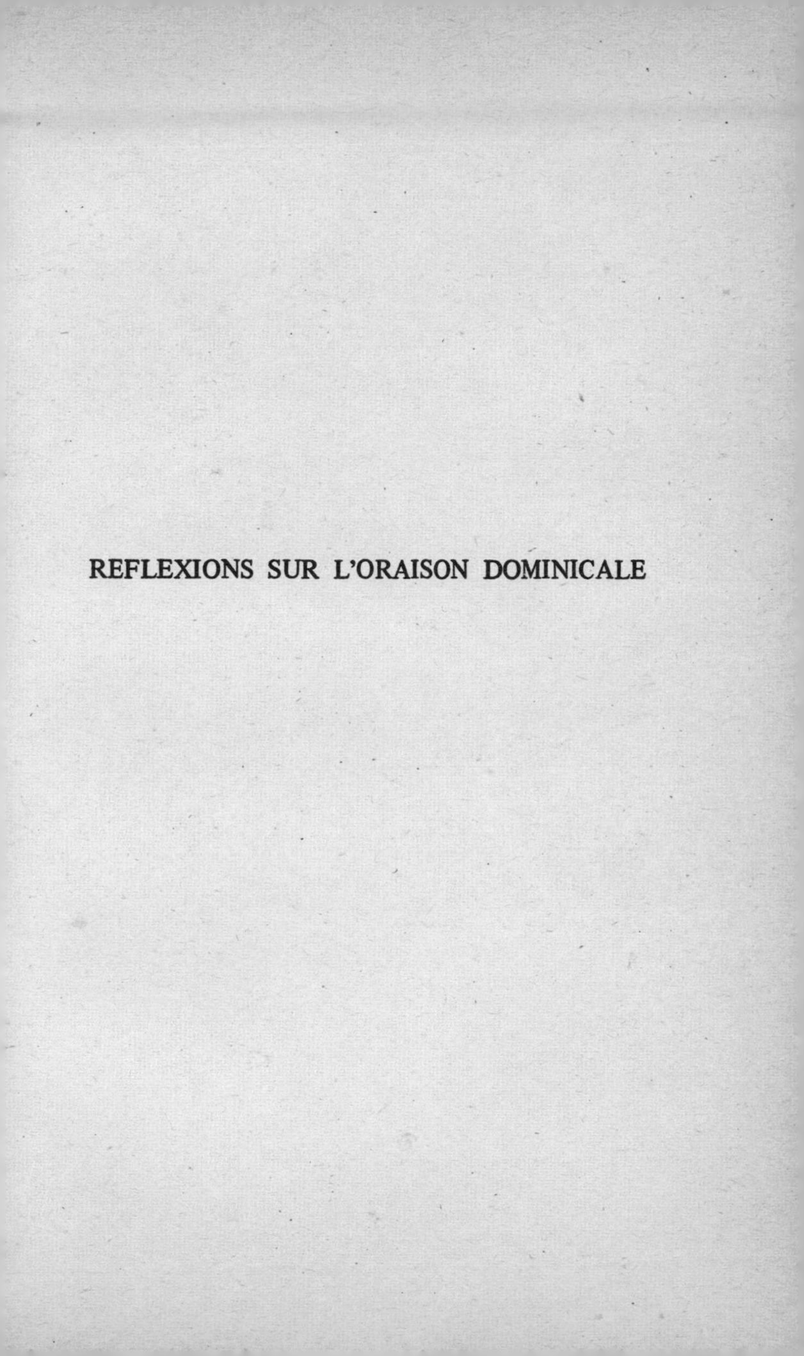

REFLEXIONS SUR L'ORAISON DOMINICALE

La familiarité n'engendre pas nécessairement la compréhension; voire, elle se met souvent en travers de la compréhension. Nous prenons la chose familière comme allant de soi, et n'essayons même pas de découvrir ce qu'elle est. Pour des millions d'hommes et de femmes, les phrases de l'Oraison Dominicale sont les plus familières de toutes les formes de mots. Elles sont loin d'être les plus complètement comprises. Voilà pourquoi, par le passé, elle a été le sujet de tant de commentaires; et c'est pourquoi il a paru utile d'ajouter ces brèves réflexions à la liste.

L'invocation définit la nature du Dieu à qui s'adresse la prière. La meilleure façon de saisir la pleine importance de la formule, c'est d'accentuer à tour de rôle les mots individuels qui la composent.

« *Notre* Père qui es aux cieux[1]. »

Dieu est nôtre en ce sens qu'Il est la source et le principe universels, l'être de tous les êtres, la vie de tout ce qui vit, l'esprit de toute âme. Il est présent chez toutes les créatures; mais toutes les créatures n'ont pas également conscience de Sa présence. Le degré de cette conscience varie avec la qualité de ce qui a conscience, car la connaissance est toujours fonction de l'être. La nature de Dieu n'est pleinement compréhensible qu'à Dieu seul. Parmi les créatures,

1. Les passages cités ici de l'Oraison dominicale ne sont pas conformes à la version la plus récente du catéchisme catholique français; ils correspondent à la version anglaise, qui est d'ailleurs incomparablement plus belle. *(N. d. T.)*

la connaissance de la nature de Dieu devient plus ample et plus suffisante, dans la proportion où celui qui connaît devient plus semblable à Dieu. Comme dit saint Bernard : « Dieu qui, dans Sa simple substance est tout partout également, néanmoins, en efficacité, est chez les créatures raisonnables d'une façon autre que chez les non-douées de raison, et chez les bonnes créatures raisonnables d'une façon autre que chez les mauvaises. Il est chez les créatures non douées de raison d'une façon telle qu'elle n'est pas comprise par elles; de toutes les créatures raisonnables, cependant, Il peut être compris par la connaissance; mais c'est seulement des bons qu'Il est également compris par l'amour » — et, pourrions-nous ajouter, par la contemplation, qui est l'expression la plus élevée de l'amour de l'homme pour Dieu.

La fin dernière de l'existence de l'homme est celle-ci : de se rendre apte à se rendre compte de la présence de Dieu en lui et en les autres êtres. La valeur de tout ce qu'il pense et fait doit se mesurer par rapport à sa capacité envers Dieu. Les pensées et les actions sont bonnes, quand elles nous rendent, moralement et spirituellement, plus capables de prendre conscience du Dieu qui est *nôtre*, d'une façon immanente dans chaque âme et d'une façon transcendante comme ce principe universel dans lequel nous vivons, nous déplaçons, et avons notre être. Elles sont mauvaises quand elles tendent à renforcer les barrières qui se dressent entre Dieu et notre âme, ou l'âme d'autres êtres.

« Notre *Père* qui es aux cieux. »

Un père engendre, entretient et éduque, aime, et pourtant punit. Tous les êtres sentants sont capables de désobéissance à la volonté du Père, — et l'homme d'une façon prééminente. Inversement, l'homme est, d'une façon prééminente, capable d'obéissance.

Dieu tel qu'Il est en Soi ne peut être connu que de ceux qui sont « parfaits comme est parfait leur père aux cieux ». En conséquence, la nature intrinsèque de l'amour de Dieu pour le monde doit rester, pour la majorité écrasante des êtres humains, un mystère. Mais en ce qui concerne l'amour de Dieu par rapport à nous, et de notre point de vue, nous pouvons nous en faire une idée suffisamment nette. Et il en est de même de ce qu'on appelle la colère de Dieu, ou aspect sévère et punisseur de la paternité divine. Toute désobéissance à la volonté de Dieu, toute violation de la nature des choses, toute déviation hors des normes qui gouvernent les univers de la matière, de l'esprit et de l'âme, entraîne des conséquences plus ou moins sérieuses pour ceux qui sont impliqués directement ou même indirectement dans la transgression. Certaines de ces conséquences désagréables sont physiques, comme lorsque quelque violation des lois de la nature ou de la nature humaine conduit, par exemple, à une maladie chez l'individu, ou à la guerre chez le corps social. D'autres sont morales et spirituelles, comme lorsque de mauvaises habitudes de pensée et de conduite conduisent à la dégénérescence du caractère et à l'érection de barrières insurmontables entre l'âme et Dieu. Ces fruits de la désobéissance humaine sont communément considérés comme l'expression de la colère de Dieu.

De même, nous considérons communément comme l'expression de l'amour de Dieu ces conséquences désirables, physiques, morales ou spirituelles, qui découlent de l'obéissance à la volonté divine et de la conformité avec la nature des choses. C'est en ce sens que, pour « l'homme naturel », Dieu est notre père, à la fois aimant et sévère. La paternité de Dieu, telle qu'elle est en soi, ne peut être connue de nous tant que nous ne nous serons pas rendus aptes à la vision de béatitude de la réalité divine.

« Notre Père qui *es* aux cieux. »

C'est là le mot-clef de l'invocation; car le fait ultime relatif à Dieu, c'est le fait qu'Il soit. « Qui est-Il? » (Je cite de nouveau saint Bernard.) « Je ne puis trouver de meilleure réponse que : Celui qui est. Nul nom n'est plus approprié à l'éternité qu'est Dieu. Si vous appelez Dieu bon, ou grand, ou béni, ou sage, ou toute chose de ce genre, cela est inclus dans ces mots, savoir : Il est. »

Les philosophes ont disserté interminablement sur l'Être, l'Essence, les Entités. Une bonne part de ces spéculations sont vides de sens, et n'auraient jamais été entreprises si les philosophes en question avaient pris la peine d'analyser leur moyen d'expression. Dans les langues indo-européennes, le verbe « être » est utilisé de bien des façons différentes, et avec des sens qui ne sont nullement toujours identiques. En raison de ce fait, une bonne part de ce qui passait jadis pour de la métaphysique en est venue maintenant à se révéler, grâce aux progrès des études linguistiques, comme n'étant rien de plus que de la grammaire mal comprise. Cela s'applique-t-il à des énoncés tels que : Dieu est Celui qui est? La réponse est : Non. Car l'énoncé que Dieu est Celui qui est, est une proposition qui peut, dans une certaine mesure, être vérifiée empiriquement par quiconque veut bien remplir les conditions sur lesquelles repose la pénétration mystique de la réalité. Car dans la contemplation, le mystique a une intuition directe d'un mode d'être, incomparablement plus réel et substantiel que les existences — la sienne et celle des autres choses et personnes — dont, grâce à une intuition directe analogue, il a conscience en temps ordinaire. Que Dieu *soit*, c'est un fait que les hommes peuvent bel et bien éprouver, et c'est le plus important de tous les faits qui se peuvent éprouver.

Tout ce qu'on peut dire au sujet de Dieu « est inclus dans ces mots, savoir : Il est. » Parce qu'Il est, nous L'appréhendons comme nôtre et comme père. Et aussi, parce qu'Il est, nous L'appréhendons comme étant « aux cieux ».

« Notre Père qui es aux *cieux.* »

D'un bout à l'autre de la prière, les cieux sont mis en contraste avec la terre, comme une chose différente d'elle en nature. Ces mots n'ont pas, bien entendu, de signification spatiale. L'esprit est son lieu propre, et le Royaume des Cieux est à son intérieur. En d'autres termes, les cieux sont un autre mode de conscience, un mode supérieur. Au moyen naturel, non-régénéré, de penser, de sentir et de vouloir, doit être substitué un autre moyen. La vie terrestre doit être perdue afin que la vie des cieux puisse être gagnée. Au début, comme l'ont enseigné tous les mystiques, le mode de conscience que nous appelons « les cieux » ne sera à nous que par saccades, au cours des moments de contemplation. Mais, aux stades les plus élevés de la connaissance, le *samsara* et le *nirvana* ne font qu'un; le monde est vu *sub specie aeternitatis*; le mystique peut vivre sans interruption dans la présence de Dieu. Il continuera à travailler parmi les hommes, ses semblables, ici, sur terre; mais son esprit sera « aux cieux », parce qu'il sera assimilé à Dieu.

Voilà pour l'invocation; nous avons maintenant à examiner la prière proprement dite. Elle est libellée au mode impératif; mais la meilleure façon de comprendre pleinement sa signification, c'est de traduire les propositions dans l'indicatif et de les considérer comme une série d'énoncés relatifs à la fin de la vie humaine et aux moyens par lesquels cette fin doit être réalisée.

Un autre point dont il faut se souvenir, c'est que, bien que les propositions soient prononcées successivement, chacune d'elles se rapporte, comme énonçant simultanément la cause et l'effet, à toutes les autres. Si nous représentions la prière par un diagramme, il ne serait pas correct de la symboliser sous l'image d'une ligne droite ou d'une courbe ouverte. Le symbole approprié serait une figure fermée, où il n'y a ni commencement ni fin, et où chaque partie est le précurseur et le successeur de chacune des autres — un cercle, ou, mieux, une spirale, où les répétitions sont progressives et se produisent, à mesure que les conditions du progrès sont remplies, en des points constamment plus élevés de réalisation.

« Que Ton nom soit sanctifié. »

Appliqué à l'être humain, le mot « sainteté » signifie le service volontaire du bien le plus élevé et le plus réel, et l'abandon du moi à ce bien. La sanctification, ou fait de rendre saint, est l'affirmation, en paroles et en actes, que la chose sanctifiée participe du bien le plus élevé et le plus réel. La seule chose qui devrait être sanctifiée (et nous devons prier pour obtenir la force de la sanctifier sans cesse) est le nom de Dieu — le Dieu qui *est*, et est en conséquence nôtre, le père, et aux cieux.

« Le nom de Dieu » est une formule qui comporte deux significations principales. Pour autant que les Juifs, comme tant d'autres peuples de l'antiquité, considéraient le nom d'une chose comme identique à son principe intérieur ou essence, cette formule signifie simplement « Dieu ». « Que Ton nom soit sanctifié » équivaut à « Que Tu sois sanctifié ». L'énoncé affirme que Dieu est le bien le plus élevé et le plus réel, et que c'est au service de ce seul bien que nous devons consacrer notre vie. Ce pour quoi nous prions, quand nous répétons cet énoncé, c'est la connaissance vivante, expérimentale, de ce fait, et la force d'agir, sans nous en écarter, selon cette connaissance.

Voilà pour la première signification de « Ton nom ». Son autre signification concorde avec l'idée du langage qui a prévalu dans les temps modernes. Pour nous, le nom d'une chose est essentiellement différent de ce qui est nommé. Les mots ne sont pas les choses qu'ils représentent, mais des procédés au moyen desquels il nous est possible de réfléchir aux choses. Pour quelqu'un qui considère la question du point de vue moderne, « le nom de Dieu » n'est pas l'équivalent de « Dieu ». Il représente, plutôt, ces concepts verbaux auxquels nous nous rapportons quand nous réfléchissons à Dieu. Ces concepts doivent être sanctifiés, non pas, bien entendu, en eux-mêmes et pour eux-mêmes (car ce serait là de la simple magie), mais pour autant qu'ils contribuent à la sanctification efficace et continue de Dieu dans notre vie. La connaissance est l'une des conditions de l'amour, et les mots sont l'une des conditions de toute forme de connaissance rationnelle. D'où l'importance, dans la vie spirituelle, d'une hypothèse explicative relative au bien le plus élevé et le plus réel. Sanctifier le *nom* de Dieu, c'est avoir des penseés verbalisées au sujet de Dieu, comme moyen de passer de la simple connaissance intellectuelle à une expérience vivante de la réalité. La méditation discursive précède la contemplation et en est la préparation; l'accès à Dieu Lui-même peut être obtenu par un usage convenable du nom de Dieu. Cela est vrai, non seulement au sens étendu dans lequel ce mot a été employé jusqu'ici, mais aussi au sens le plus limité et le plus littéral. Partout où la religion spirituelle a été florissante, il a été constaté qu'une répétition constante de noms sacrés peut être fort utile pour maintenir l'esprit pointé dans une seule direction et pour le préparer à la contemplation.

Le rapport entre cette première formule de l'oraison et les formules suivantes peut se résumer en quelques phrases. La sanctification de Dieu et de Son nom est une condition indispensable de la réalisation des autres buts cités dans l'oraison, — savoir : la prise de conscience du royaume de Dieu et l'accomplissement de Sa volonté, et l'adaptation de l'âme afin qu'elle puisse recevoir de Dieu la grâce, le pardon et la libération. Réciproquement, mieux nous réussissons, par la libération, le pardon et la grâce, à accomplir la volonté de Dieu et à prendre conscience de Son royaume, plus complètement nous serons mis à même de sanctifier le nom de Dieu et Dieu Lui-même.

II

« Que Ton Royaume advienne... sur terre comme elle l'est aux cieux. » La fin de l'existence de l'homme est de faire usage de ses occasions dans l'espace-temps, de telle façon qu'il puisse parvenir à la connaissance du royaume de la réalité intemporelle de Dieu, — ou, pour retourner la chose, afin qu'il soit prêt pour le moment où la réalité viendra à manifestation en et par Lui. Le « est » dans la formule « comme elle l'est aux cieux » a été introduit dans la traduction française à titre de simple commodité linguistique. Mais s'il nous plaît de le souligner, de façon à lui faire suggérer, comme le *es* de l'invocation, une chose réelle et substantielle, le mot nous aidera à nous rendre compte plus nettement de ce pour quoi nous prions — la force nécessaire pour passer, à travers le temps, à une prise de conscience, ici, dans le temps, de l'éternité, — le pouvoir de donner à l'éternité une occasion de nous posséder, non pas simplement d'une façon virtuelle, mais dans l'actuel dont nous aurons conscience. Pour les saints contemplatifs qui sont « parfaits comme leur Père aux cieux est parfait », le *samsara* et le *nirvana* ne font qu'un, le royaume de Dieu advient sur terre comme il est aux cieux. Et le changement n'est pas simplement personnel et subjectif. L'influence de ces gens a le pouvoir de modifier le monde dans lequel ils vivent.

La fin de la vie humaine ne peut être réalisée par les efforts de l'individu non secouru. Ce que peut et doit faire l'individu, c'est se rendre apte au contact avec la réalité et à la réception de cette grâce avec le secours de laquelle il sera mis à même de réaliser sa fin véritable. Afin de nous rendre aptes à Dieu, il nous faut remplir certaines conditions, qui sont exposées dans la prière. Il nous faut sanctifier le nom de Dieu, faire la volonté de Dieu, et pardonner à ceux qui nous ont offensés. Si nous agissons ainsi, nous serons délivrés du mal inhérent au *moi*, absous du péché de l'état de séparation, et bénis du pain de la grâce, sans lequel notre contemplation sera illusoire, et nos tentatives d'amendement, vaines.

« Que Ta volonté soit faite, sur terre comme elle l'est aux cieux. »

Cette formule comporte deux significations. En ce qui concerne la réalité ultime, la volonté de Dieu est identique à l'être, ou royaume, de Dieu. Prier pour que la volonté de Dieu soit faite sur terre comme aux cieux, c'est demander, en d'autres termes, la venue dans le temps du royaume de l'éternité. Mais ces mots ne s'appliquent pas seulement à la réalité ultime; ils s'appliquent aussi aux êtres humains. En ce qui nous concerne, « faire la volonté de Dieu », c'est faire ce qui est nécessaire pour nous rendre aptes à la grâce de l'illumination.

La terre est incommensurable avec les cieux, le temps avec l'éternité, le moi avec l'esprit. Le royaume de Dieu ne peut advenir que dans l'étendue où l'on a fait disparaître le royaume de l'homme naturel. Si nous voulons gagner la vie de l'union, il nous faut perdre la vie des passions, de la curiosité oiseuse et des distractions, qui est la vie ordinaire des *moi* humains. « Combattez le moi, dit sainte Catherine de Sienne, et vous n'aurez à craindre nul autre ennemi. »

Tout cela est très facile à lire et à écrire, mais immensément difficile à mettre en pratique. La purge est laborieuse et douloureuse; mais la purge est la condition de l'illumination et de l'union. Réciproquement, un certain degré d'illumination est une condition de la purge efficace. Le stoïcien croit renier son moi en effectuant des actes de la volonté superficielle. Mais la volonté superficielle est la volonté du moi, et ses mortifications ont plutôt tendance à renforcer le moi, qu'à l'éliminer. Il tend à devenir, selon la formule formidable forgée par William Blake, « un démon de droiture ». Ayant renié un aspect de son moi, simplement afin d'en renforcer un autre aspect, plus dangereux, il finit par être plus insensible à Dieu qu'il ne l'était avant d'avoir commencé le processus de discipline qu'il s'est imposé. Combattre le moi exclusivement au moyen du moi, ne sert qu'à rehausser notre « état de moi ». Dans le domaine psychologique, il ne peut y avoir de déplacement sans remplacement. À la préoccupation du moi doit être substituée peu à peu la préoccupation de la réalité. Il ne peut y avoir de mortification efficace en vue de l'illumination, sans méditation ou dévotion, qui écartent l'attention du moi et la dirigent vers une réalité plus élevée. Comme je l'ai déjà noté, tous les processus spirituels sont circulaires, ou plutôt spiraux. Afin de remplir les conditions de l'illumination, il nous faut posséder les lueurs, sinon de l'illumination elle-même, du moins d'une idée de ce qu'est illumination. Il faut que la volonté de Dieu soit faite par nous, si le royaume de Dieu doit nous advenir; et il faut que le royaume de Dieu commence à advenir, si nous devons faire efficacement la volonté de Dieu.

« Donne-nous aujourd'hui notre pain quotidien. » Il est possible que le mot qu'on a traduit par « quotidien » puisse avoir en réalité une autre signification, et qu'il faille lire ainsi la formule : « Donne-nous aujourd'hui notre pain du jour (éternel). » On insisterait ainsi sur le fait, déjà suffisamment manifeste à quiconque est familiarisé avec le langage des évangiles, que le pain dont il s'agit est une nourriture divine et spirituelle — la grâce de Dieu. Dans la traduction traditionnelle, la nature spirituelle du pain est prise comme allant de soi, et l'on appuie encore plus spécialement sur l'idée déjà exprimée par les mots « aujourd'hui ».

Un homme ne peut être nourri en savourant, par avance, en idée, le dîner de demain, ni en se rappelant ce qu'il a mangé il y a huit jours. Le pain ne remplit son rôle que lorsqu'il est consommé « aujourd'hui » — ici et maintenant. Il en est de même de la nourriture spirituelle. Les pensées pleines de remords au sujet du passé, les pieux espoirs et les aspirations au sujet d'un avenir meilleur, ne renferment pas de nourriture pour l'âme, dont la vie est toujours maintenant, dans le présent, et non à aucun autre moment inactuel du temps. Dans son passage du niveau végétal et animal au spirituel, la vie passe de ce qu'on peut appeler l'éternité physiologique de l'existence dénuée d'esprit, par le monde humain du souvenir et de la prévision, du passé et de l'avenir, dans une autre intemporalité, plus élevée, le royaume éternel de Dieu. Sur la spirale ascendante de l'être, le saint contemplatif se trouve en un point correspondant exactement, à son niveau plus élevé, à la position d'une fleur ou d'un oiseau. L'un et l'autre habitent l'éternité; mais, alors que l'éternité de la fleur ou de l'oiseau est le présent perpétuel de l'absence d'esprit, des processus naturels se déroulant avec peu ou point de conscience accompagnante, l'éternité du saint est éprouvée dans l'union avec cette conscience pure qui est la réalité ultime. Entre ces deux mondes s'étend l'univers humain de la prévision et de la rétrospection, de la crainte, du désir, du souvenir et du conditionnement, des espoirs, des projets, des rêveries et des remords. C'est un monde riche, plein de beauté et de bien, comme aussi de beaucoup de mal et de laideur, — mais un monde qui n'est pas le monde de la réalité; car c'est notre monde, fait par l'homme, le produit des pensées et des actions d'êtres qui ont oublié leur fin véritable et se sont tournés vers des choses qui ne sont pas leur bien le plus élevé. C'est là la vérité proclamée par tous les grands maîtres spirituels de l'histoire — la vérité selon laquelle l'illumination, la libération, le salut — donnez-lui le nom qu'il vous plaira — ne peut advenir qu'à ceux qui apprennent à vivre maintenant dans la contemplation de la réalité éternelle, et non plus dans le passé et l'avenir de ces attributs humains que sont les souvenirs et les habitudes, les désirs et les inquiétudes.

Le Christ a insisté tout particulièrement sur la nécessité pressante de vivre dans le présent spirituel. Il a exhorté ses disciples à modeler leur vie sur celle des fleurs et des oiseaux, et de ne point se soucier du lendemain. Ils devaient compter, non pas sur leurs propres projets inquiets, mais sur la grâce de Dieu, qui serait accordée dans la mesure où ils renonceraient à leurs prétentions et à leur obstination personnelles. La formule de l'Oraison Dominicale que nous examinons présentement, résume tout l'enseignement de l'évangile sur cette question. Nous devons demander à Dieu la grâce *maintenant*, pour la bonne raison que la nature de la grâce est telle, qu'elle ne peut advenir que maintenant, à ceux qui sont prêts à vivre dans le présent éternel.

Comme d'habitude, le problème pratique pour

l'individu est immensément difficile. La libération ne peut advenir que si nous répudions toute préoccupation du lendemain, et vivons dans le présent éternel. Mais en même temps, la prudence est l'une des vertus cardinales, et il est mauvais de tenter la Providence en agissant avec précipitation et manque de réflexion.

Triste condition de notre humanité!
Naissant sous une loi, à une autre asservie;
Créée en vanité, que l'on veut abolie;
Malade au premier jour, il lui faut la santé[1].

Pour un tel être (et la description de Fulke Greville est éminemment exacte) aucun problème ne saurait être autre que difficile. Ce problème particulier — la recherche d'un rapport convenable entre le monde de la réalité éternelle et le monde humain du temps — est assurément l'un des plus difficiles de tous. Nous avons besoin de la grâce afin de pouvoir vivre de façon à nous qualifier pour recevoir la grâce.

III

« Pardonne-nous nos offenses, comme nous pardonnons à ceux qui nous ont offensés. »

« Comme nous pardonnons à ceux qui nous ont offensés » est une formule qu'il faut prendre comme qualifiant toutes les classes de l'oraison. Le pardon est simplement un cas spécial du don, et ce mot peut être pris comme représentant tout l'ensemble de la vie non-égoïste, qui est à la fois la condition et le résultat de l'illumination. A mesure que nous pardonnons, ou, en d'autres termes, à mesure que nous modifions notre attitude « naturelle », égoïste, envers nos semblables, nous deviendrons progressivement plus capables de sanctifier le nom de Dieu, de faire la volonté de Dieu, et de coopérer avec

1. D'après Fulke Greville. *(N. d. T.)*

Dieu pour faire advenir Son royaume. En outre, le pain quotidien de la grâce, sans lequel rien ne peut être accompli, est donné dans la mesure où nous donnons et pardonnons nous-mêmes. Si l'on veut aimer Dieu de façon suffisante, il faut aimer ses prochains — et nos prochains comprennent même ceux qui nous ont offensés. Réciproquement, il faut aimer Dieu, si l'on veut aimer ses prochains d'une façon suffisante. Dans la vie spirituelle, toute cause est aussi un effet, et tout effet est en même temps une cause.

Il nous faut examiner maintenant dans quel sens Dieu pardonne nos offenses ou dettes, comme nous pardonnons à nos débiteurs, ou à ceux qui nous offensent.

Au niveau humain, le pardon est la renonciation à un droit reconnu de paiement ou de punition. Quelques-uns de ces droits reconnus sont purement arbitraires et conventionnels. D'autres, au contraire, paraissent plus fondamentaux, plus étroitement en accord avec ce que nous considérons comme juste. Mais ces notions fondamentales de justice sont les notions de l'homme « naturel », non-régénéré. Tous les grands maîtres religieux du monde ont insisté sur ce que ces notions doivent être remplacées par d'autres — les pensées et les intuitions de l'homme libéré et illuminé. La Loi ancienne doit être remplacée par la nouvelle, qui est la loi d'amour, de *mahakarun*, de compassion universelle. Si les hommes ne doivent pas poursuivre par la force l'exercice de leurs « droits » au paiement ou à la punition, alors, fort assurément, Dieu ne poursuit pas par la force l'exercice de droits semblables. Voire, il est absurde de dire que de tels droits ont quelque existence, en ce qui concerne Dieu. S'ils existent au niveau humain, c'est uniquement en vertu du fait que nous sommes, soit des *moi* isolés, soit, dans le cas le plus favorable, des membres, disposés à se sacrifier eux-mêmes, de groupes ayant le caractère du *moi* et dont la conduite égoïste satisfait par procuration les sentiments du moi chez ceux qui se sont sacrifiés à ce groupe. L'homme « naturel » est mû, soit par l'égoïsme, soit par cette sublimation sociale de l'égoïsme que Philip Leon a judicieusement appelée l'« alter-égoïsme ». Mais, de ce que Dieu ne poursuit pas par la force l'exercice de « droits » du genre de ceux que poursuivent les individus et les sociétés non-régénérés, sous le prétexte de justice, il ne résulte pas que nos actes soient sans conséquences bonnes ou mauvaises. Là encore, les grands maîtres religieux sont unanimes. Il y a une loi du *Kàrma*; l'on ne se moque point de Dieu; et selon qu'un homme sème, il récoltera. Parfois, la récolte est extrêmement manifeste, comme lorsqu'un ivrogne invétéré récolte des maladies corporelles et la perte de ses pouvoirs mentaux. Très souvent, au contraire, la récolte est d'une nature telle qu'il est très difficile, pour des yeux non illuminés, de la déceler. Par exemple, Jésus vitupérait constamment les Scribes et les Pharisiens. Mais les Scribes et les Pharisiens étaient des modèles de « respectabilité » austère et de ce que doit être un bon citoyen. Le seul mal, chez eux, c'est que leurs vertus étaient simplement les vertus d'hommes non-régénérés — et une telle droiture est semblable à des « haillons malpropres » au regard de Dieu; car les vertus elles-mêmes des non-régénérés éclipsent Dieu et empêchent ceux qui les possèdent de progresser vers cette connaissance de la réalité ultime, qui est la fin et le but de la vie. Ce que récoltent les Scribes et les Pharisiens, c'est l'inaptitude plus ou moins totale à connaître le Dieu qu'ils s'imaginent si sottement servir. Dieu ne les punit pas, non plus qu'il ne punit l'homme qui bascule par inadvertance par-dessus le bord d'une falaise. La nature du monde est telle que si quelqu'un manque à se conformer à ses lois, qu'elles soient de la matière, de l'âme, ou de l'esprit, il lui en faudra subir les conséquences, qui peuvent être immédiates et spectaculaires, comme dans le cas de l'homme qui bascule par-dessus le bord d'une falaise, ou lointaines, subtiles, et fort peu évidentes, comme dans le cas de l'homme vertueux qui n'est vertueux qu'à la façon des Scribes et des Pharisiens.

Or, puisque Dieu n'a pas de « droits » dont l'exercice puisse être poursuivi par la force, il ne saurait jamais être considéré comme renonçant à de semblables « droits ». Et puisqu'il est le principe du monde, il ne saurait suspendre ces lois, ni faire d'exception à ces uniformités, qui sont la manifestation de ce principe. Cela signifie-t-il, donc, que Dieu ne peut pardonner nos dettes et nos offenses? En un sens, il en est certainement ainsi. Mais il y a un autre sens, dans lequel l'idée d'un pardon divin est valable et profondément significative. Les bonnes pensées et les bonnes actions produisent des conséquences qui tendent à neutraliser, à arrêter, les résultats des mauvaises pensées et des mauvaises actions. Car, à mesure que nous renonçons à la vie du moi (et il est à noter que, comme le pardon, le repentir et l'humilité sont, eux aussi, des cas spéciaux du don), à mesure que nous abandonnons ce que les mystiques allemands ont appelé « le je, moi, mien », nous nous rendons progressivement capables de recevoir la grâce. Au moyen de la grâce, nous sommes habilités à connaître la réalité d'une façon plus complète, et cette connaissance de la réalité nous aide à renoncer davantage à la vie du moi, — et ainsi de suite, le long d'une spirale ascendante d'illumination et de régénération. Nous devenons différents de ce que nous étions, et, étant différents, nous cessons d'être à la merci du destin que, en tant qu'êtres « naturels », non-régénérés, nous nous étions forgé à nous-mêmes par nos mauvaises pensées et nos mauvaises actions. C'est ainsi que le Pharisien qui renonce à sa vie de « respectabilité » pleine d'estime pour elle-même et de droiture sans charité, devient par là capable de recevoir un quantum de grâce, cesse d'être un Pharisien, et, en vertu de ce fait, cesse d'être soumis au destin forgé par l'homme qu'il était naguère et qu'il n'est plus. Le fait de se rendre capable de recevoir la grâce est le repentir efficace et l'expiation; et l'octroi de la grâce est le pardon divin des péchés.

Sous une forme assez grossière, cette vérité s'exprime dans la doctrine qui enseigne que les mérites ont le pouvoir d'annuler leurs contraires. En outre, si le pardon divin est l'octroi de la grâce, nous pouvons comprendre comment les sacrifices par personne interposée et les mérites d'autrui peuvent être profitables à l'âme. La personne illuminée transforme non seulement elle-même, mais, dans une certaine mesure, le monde qui l'environne. L'individu non-régénéré est plus ou moins complètement sans liberté réelle; seuls les illuminés sont capables de choix authentiquement libres et d'actes créateurs. Cela étant, il leur est possible de modifier en mieux les destins qui se déroulent autour d'eux, en inspirant aux auteurs de ces destins, le désir et le pouvoir de donner, de façon qu'ils puissent devenir capables de recevoir la grâce qui les transformera, et de les délivrer ainsi du sort qu'ils se préparaient.

« Ne nous induis pas en tentation, mais délivre-nous du mal; car *tien* est le royaume, et la puissance, et la gloire. »

La nature du mal dont nous demandons à être délivrés est définie, par inférence, dans la formule suivante. Le mal consiste à oublier que le royaume, la puissance et la gloire, sont à Dieu, et à agir d'après la croyance insensée et criminelle qu'ils sont à nous. Tant que nous demeurons des individus moyens, sensuels, non-régénérés, nous serons constamment tentés d'avoir des pensées qui excluent Dieu et de commettre des actions éclipsant Dieu. Ces tentations ne cessent d'ailleurs pas dès qu'on pénètre sur le chemin de l'illumination. Tout ce qui se produit, c'est, qu'avec chaque progrès réalisé, les tentations deviennent plus subtiles, moins grossières et manifestes, plus profondément dangereuses. Belial et Mammon n'ont point de pouvoir sur les avancés, qui ne succomberont non plus quand Lucifer leur offrira ses appâts quelque peu matériels, tels que la puissance séculière et la domination. Mais pour les âmes de qualité, Lucifer prépare aussi des tentations plus raréfiées, et nombreux sont ceux, même fort avancés sur la voie de l'illumination, qui ont succombé à l'orgueil spirituel. C'est seulement aux parfaitement illuminés et aux complètement libérés que les tentations ne se présentent plus du tout.

Les formules finales de l'oraison en réaffirment le thème central et dominant, qui est : que Dieu est tout, et que l'homme, en tant qu'homme, n'est rien. Voire, l'homme, en tant qu'homme, est moins que rien : car il est un rien capable du mal, c'est-à-dire capable de réclamer comme siennes les choses qui sont à Dieu, et, par cet acte, de se séparer de Dieu. Mais bien que l'homme, en tant qu'homme, ne soit rien, et puisse se faire moins que rien en devenant mauvais, — l'homme, en tant que connaisseur et adorateur de Dieu, l'homme, en tant que possesseur d'une étincelle latente, inaliénable, de divinité, est, en puissance, tout. Comme l'a dit le cardinal de Bérulle, « l'homme est un rien entouré de Dieu, indigent de Dieu, capable de Dieu, et rempli de Dieu s'il le désire. » C'est là la vérité centrale de toute religion spirituelle, la vérité qui est, en quelque sorte, la prémisse majeure de l'Oraison dominicale. C'est une vérité que l'homme ou la femme ordinaires, non-régénérés, trouvent de la difficulté à accepter en théorie, et plus encore à mettre en pratique par leurs actes. Les grands maîtres religieux ont tous pensé et agi d'une façon théocentrique; la masse des êtres humains ordinaires pensent et agissent d'une façon anthropocentrique. La prière qui vient naturellement à des gens semblables est la prière en pétition, la prière qui demande des avantages concrets et un secours immédiat en cas de difficulté. Comme elle est profondément différente de la prière d'un être illuminé! Un tel être ne prie pas du tout pour lui-même, mais seulement afin que Dieu soit adoré, aimé et connu de lui comme Dieu doit être adoré, aimé et connu, — afin que la semence de réalité, latente et en puissance dans son âme, puisse être pleinement actualisée. Il y a même une sorte d'ironie à constater que cette prière du Christ — la prière théocentrique d'un être suprêmement illuminé — soit devenue la prière la plus fréquemment répétée par des millions et des millions d'hommes et de femmes qui n'ont qu'une idée fort imparfaite de ce qu'elle signifie, et qui, s'ils se rendaient pleinement compte de sa signification révolutionnaire, si immensément distante de l'humanisme plus ou moins bienveillant par lequel ils gouvernent leur propre vie, pourraient même être quelque peu scandalisés et indignés. Mais dans les affaires de l'esprit, il est sot de se rapporter aux grands nombres et à l'« opinion publique. » Il se peut que l'Oraison dominicale soit en général mal comprise, ou ne soit pas comprise du tout. Néanmoins, il est bon qu'elle demeure le formulaire le plus familièrement utilisé par une religion qui, tout particulièrement dans les plus « libérales » de ses manifestations contemporaines, s'est tellement écartée du théocentrisme de son fondateur, pour arriver à un anthropocentrisme hérétique, ou, comme on préfère l'appeler à présent, un « humanisme ». Elle demeure, chez nous, un document bref et énigmatique de la spiritualité la plus intransigeante. Ceux qui sont mécontents de l'anthropocentrisme qui règne actuellement, n'ont qu'à porter leurs regards dans ses profondeurs hélas trop familières, et, partant, incomprises, pour découvrir la philosophie de la vie et le plan de conduite qu'ils ont jusqu'ici cherchés en vain.

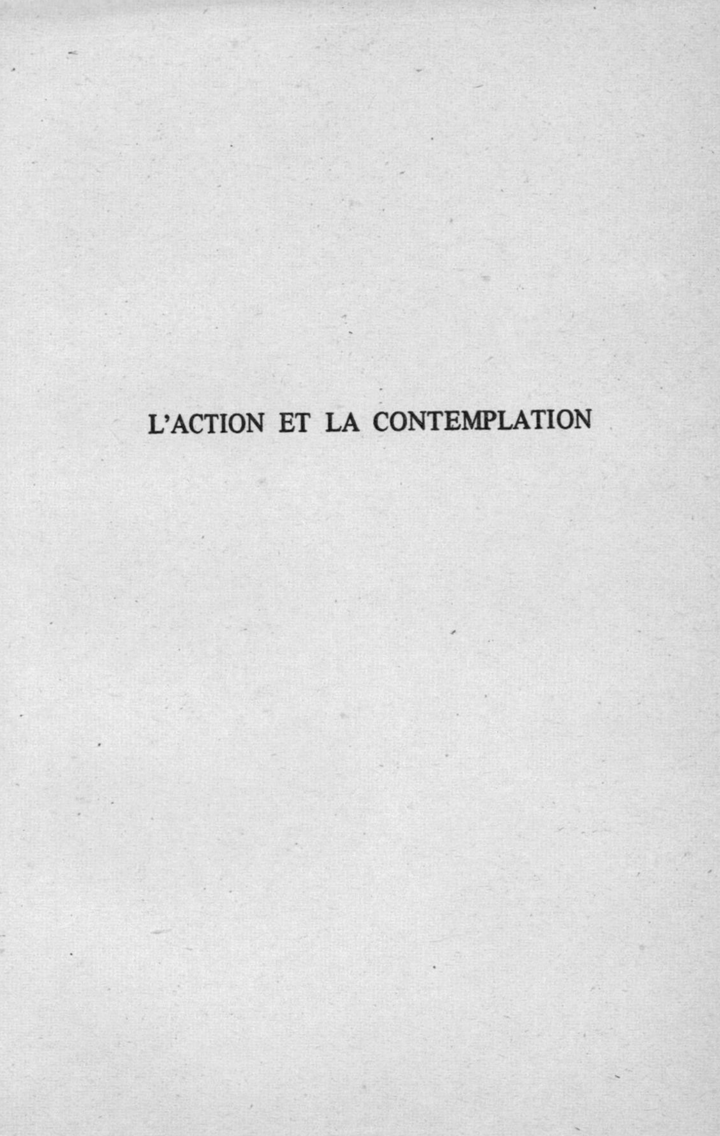

L'ACTION ET LA CONTEMPLATION

Le vocabulaire des gens même intelligents et instruits est plein de mots et d'expressions dont ils se servent couramment sans avoir jamais pris la peine de les analyser ou d'en déterminer exactement le sens. On pourrait emplir tout un volume d'une discussion de semblables formules communément employées, mais non définies et non analysées. Ici, toutefois, je me propose de ne traiter que d'une d'entre elles, l'expression « vie d'action », si fréquemment employée, dans les discussions de religion spirituelle, par opposition à la « vie de contemplation ». Que signifie exactement cette expression? Et, passant du domaine des mots aux domaines des faits et des valeurs, comment l'action se rattache-t-elle à la contemplation et comment ces deux choses devraient-elles se rattacher l'une à l'autre?

Dans le langage ordinaire, la « vie d'action » dénote le genre de vie menée par les héros de cinéma, les correspondants de guerre, les dirigeants dans les affaires, les politiciens, et ainsi de suite. Il n'en va pas de même dans le vocabulaire de la vie religieuse. Pour le psychologue en matière religieuse, la « vie active » du langage commun est simplement la vie séculière, vécue d'une façon plus ou moins non-régénérée par des gens qui n'ont fait que peu ou rien pour se débarrasser du « Vieil Adam » et pour établir le contact avec la réalité ultime. Ce que le psychologue en matière religieuse ou le théologien appellent la « vie active », c'est la vie de bonnes œuvres. Être actif, c'est suivre la voie de Marthe, qui vaquait aux besoins du maître, tandis que

Marie (personnification, dans l'Occident, de la vie contemplative) restait à écouter ses paroles. Pour ce qui est du contemplatif, la « vie active » n'est pas la vie des affaires séculières; c'est la vie de vertu cohérente et ardue.

Le pragmatisme considère l'action comme la fin et la pensée comme le moyen d'atteindre cette fin; et la philosophie populaire contemporaine accepte la position pragmatiste. Dans la philosophie qui est à la base de la religion spirituelle orientale et occidentale, cette position est inversée. Ici, c'est la contemplation qui est la fin, et l'action (dans laquelle est comprise la pensée discursive) n'est précieuse que comme un moyen de parvenir à la vision de béatitude de la réalité. « L'action, a écrit saint Thomas d'Aquin, devrait être quelque chose de surajouté à la vie de prière, et non quelque chose qu'on en enlève. » C'est là le principe fondamental de la vie de religion spirituelle. Partant de là, les mystiques pratiques ont examiné de façon critique toute l'idée d'action, et ont posé des règles pour guider ceux qui se préoccupent de la réalité ultime plutôt que du monde des *moi*. Dans les paragraphes qui vont suivre, je résumerai la tradition mystique occidentale en ce qui concerne la vie d'action.

Lorsqu'ils entreprennent une action quelconque, ceux qui se préoccupent de religion spirituelle devraient prendre pour modèle Dieu lui-même; car Dieu a créé le monde sans modifier en quoi que ce soit sa nature essentielle, et c'est à ce genre d'action sans attache ni implication que doit aspirer le mystique. Mais il est impossible d'agir de cette façon, sauf pour ceux qui consacrent un certain temps à la contemplation formelle et qui peuvent, dans les intervalles, « pratiquer constamment la présence de Dieu ». Ces deux tâches sont difficiles, surtout la seconde, qui n'est possible qu'à ceux qui sont fort avancés dans la voie de la perfection spirituelle. Pour ce qui est des débutants, l'accomplissement même de bonnes œuvres peut distraire l'âme de Dieu. L'action n'est sans danger que pour ceux qui excellent dans l'art de l'oraison mentale. « Si nous sommes allés loin dans l'oraison, dit une autorité occidentale, nous donnerons beaucoup à l'action; si nous ne sommes que moyennement avancés dans la vie intérieure, nous ne nous donnerons que modérément à la vie extérieure; et si nous n'avons que très peu d'intériorité, nous ne donnerons rien du tout à ce qui est extérieur. » Aux raisons déjà données de cette injonction, nous pouvons en ajouter d'autres d'une nature strictement utilitaire. C'est un fait d'expérience et d'observation que des actions bien intentionnées effectuées par des gens ordinaires, non-régénérés, enfoncés dans leur état de *moi*, et sans pénétration spirituelle, produisent rarement beaucoup de bien. Saint Jean de la Croix a présenté toute l'affaire sous la forme d'une seule question et de sa réponse. Ceux qui s'élancent, tête baissée, dans les bonnes œuvres, sans avoir acquis par la contemplation le pouvoir de bien agir — qu'accomplissent-ils? *Poco mas que nada, y a veces nada, y aun a veces dano.* Peu de plus que rien, et quelquefois absolument rien, et parfois même du mal. L'une des raisons pour lesquelles l'enfer est pavé de bonnes intentions réside dans la nature intrinsèquement peu satisfaisante des actions effectuées par les hommes et les femmes ordinaires, non-régénérés. C'est pourquoi les directeurs spirituels conseillent aux débutants de donner aussi peu que possible à l'action extérieure, jusqu'au moment où ils seront capables d'agir de façon profitable. Il est à noter que, dans les biographies des grands mystiques chrétiens, la période d'activité a toujours été précédée d'un stage préliminaire pendant lequel ils se sont retirés du monde — période durant laquelle ces contemplatifs ont appris à pratiquer la présence de Dieu d'une façon si continue et sans défaillance, que les distractions de l'activité extérieure étaient devenues impuissantes à écarter l'esprit de la réalité. Voire, pour ceux qui ont atteint à une certaine force dans l'« anéantissement actif », l'action revêt un caractère sacramentel et devient un moyen pour les rapprocher de la réalité. Ceux pour qui elle n'est pas un semblable moyen doivent s'abstenir autant que possible d'agir, — d'autant plus qu'en tout ce qui a trait au salut des âmes et à l'amélioration de la qualité des pensées et de la conduite des gens, « un homme d'oraison en accomplira plus, en une année, qu'un autre homme en toute sa vie ».

Ce qui est vrai des bonnes œuvres est vrai, *a fortiori*, de l'activité simplement séculière, tout particulièrement si c'est une activité à grande échelle, impliquant la coopération d'individus en grand nombre et à tous les stades de la non-illumination. Le bien est un produit de la faculté d'artiste éthique et spirituelle, d'individus; il ne peut être fabriqué en série. Cela nous amène au cœur de ce grand paradoxe en matière de politique — le fait que l'action politique soit nécessaire, et en même temps incapable de satisfaire les besoins de ceux qui l'ont appelée à l'existence. Même lorsqu'elle est bien intentionnée (ce qui, très souvent, n'est pas le cas), l'action politique est condamnée par avance à une négation partielle d'elle-même, parfois même à une négation totale. La nature intrinsèque des instruments humains au moyen desquels, et du matériel humain sur lequel, l'action politique doit être effectuée, exclut positivement toute possibilité qu'une telle action produise les bons résultats qu'on en attend.

Il y a maintenant plusieurs milliers d'années que les hommes expérimentent différentes méthodes pour améliorer la qualité des instruments et du matériel humains. Il a été constaté qu'on peut faire quelque chose par des méthodes strictement humanistes, telles que l'amélioration du milieu social et économique, et les diverses techniques de dressage du caractère. Chez certains individus, aussi, on peut obtenir des résultats surprenants par la conversion et la catharsis. Toutes ces méthodes sont bonnes, jusqu'au point où elles vont; mais elles ne vont pas assez loin. Pour la transformation radicale et permanente de la personnalité, on n'a découvert qu'une seule méthode efficace — celle du mystique. Les grands maîtres religieux de l'Orient et de l'Occident ont été unanimes à affirmer que tous les êtres humains sont appelés à réaliser l'illumination. Ils ont aussi affirmé unanimement que la réalisation de l'illumination est si difficile, et exige un degré d'abnégation du moi si horrifiant pour l'être humain moyen et non-régénéré, que, à tout moment donné de l'histoire, fort peu d'hommes et de femmes seront disposés même à tenter ce labeur. Cela étant, il faut nous attendre que l'action politique à grande échelle continue à produire les résultats profondément peu satisfaisants qu'elle a toujours donnés par le passé.

Le contemplatif ne travaille pas exclusivement à son propre salut. Au contraire, il a une fonction sociale importante. A tout moment donné, comme nous l'avons vu, il n'existe dans le monde que quelques saints mystiques, théocentriques. Mais, tout rares qu'ils soient, ils peuvent contribuer d'une façon appréciable à mitiger les poisons que la société engendre chez elle-même par ses activités politiques et économiques. Ils sont le « sel de la terre », l'antiseptique qui empêche la société de s'écrouler en une pourriture irrémédiable.

La fonction d'antiseptique et d'antidote du saint théocentrique s'effectue de diverses façons. Tout d'abord, le simple fait qu'il existe est extrêmement salutaire et important. Le contemplatif avancé est un homme qui n'est plus opaque à la réalité immanente intérieure, et, comme tel, il est profondément impressionnant pour la personne moyenne et non-régénérée, qui est saisie d'effroi respectueux par sa présence et même par le simple bruit de son existence, au point d'être incité à se conduire d'une façon appréciablement meilleure qu'elle ne le ferait sans cela.

Le saint théocentrique, en général, ne se contente pas simplement d'être. Il est presque toujours un professeur, et souvent un homme d'action. Par son enseignement, il profite à la société environnante, en multipliant le nombre de ceux qui entreprennent la transformation radicale de leur caractère, et accroît ainsi la quantité d'antiseptiques et d'antidotes dans le corps social chroniquement malade. Quant à l'action dans laquelle se sont plongés tant de contemplatifs avancés, après avoir accompli l'« anéantissement actif », — elle n'est jamais politique, mais s'applique à de petits groupes ou à des individus; elle ne s'exerce jamais au centre de la société, mais toujours en marge; elle ne se sert jamais de la force organisée de l'État ou de l'Église, mais seulement de l'autorité spirituelle, non coercitive, qui appartient au contemplatif en vertu de son contact avec la réalité. C'est un fait historique et net, que les plus grands d'entre les dirigeants spirituels du monde ont toujours refusé de faire usage du pouvoir politique. Non moins significatif est le fait que, chaque fois que des contemplatifs bien intentionnés se sont détournés des activités marginales appropriées aux dirigeants spirituels, et ont essayé d'utiliser une action à grande échelle pour forcer une société entière, par la voie de quelque raccourci d'ordre politique, à pénétrer au Royaume des Cieux, ils ont toujours échoué. L'affaire d'un visionnaire, c'est de voir; et s'il s'empêtre dans le genre d'activités éclipsant Dieu qui rendent impossible de voir, il trahit non seulement son moi meilleur, mais aussi ses semblables, qui ont droit à sa vision. Les mystiques et les saints théocentriques ne sont pas toujours aimés ni invariablement écoutés : loin de là. Le préjugé et l'aversion à l'égard de ce qui est insolite peuvent rendre leurs contemporains aveugles aux vertus de ces hommes et de ces femmes en marge; peuvent les faire persécuter comme ennemis de la société. Mais s'ils quittent leur marge, s'ils se mettent à rechercher les places et le pouvoir parmi le corps principal de la société, ils sont sûrs d'être, d'une façon générale, haïs et méprisés comme traîtres à leur « voyance ». Seuls les plus grands d'entre les spirituels sont pleinement cohérents avec eux-mêmes. L'individu moyen, non-régénéré, aime les pensées, les sentiments et les actes qui empoisonnent la société; mais il aime aussi, et en même temps, les antidotes spirituels de ce poison. C'est en tant qu'amateur de poison qu'il persécute et tue les visionnaires qui lui disent comment il pourra se rendre « complet »; et c'est en tant qu'être aspirant nostalgiquement à la vision, qu'il méprise le visionnaire en puissance qui renonce à sa vision en se livrant à une activité erronée et à la poursuite du pouvoir.

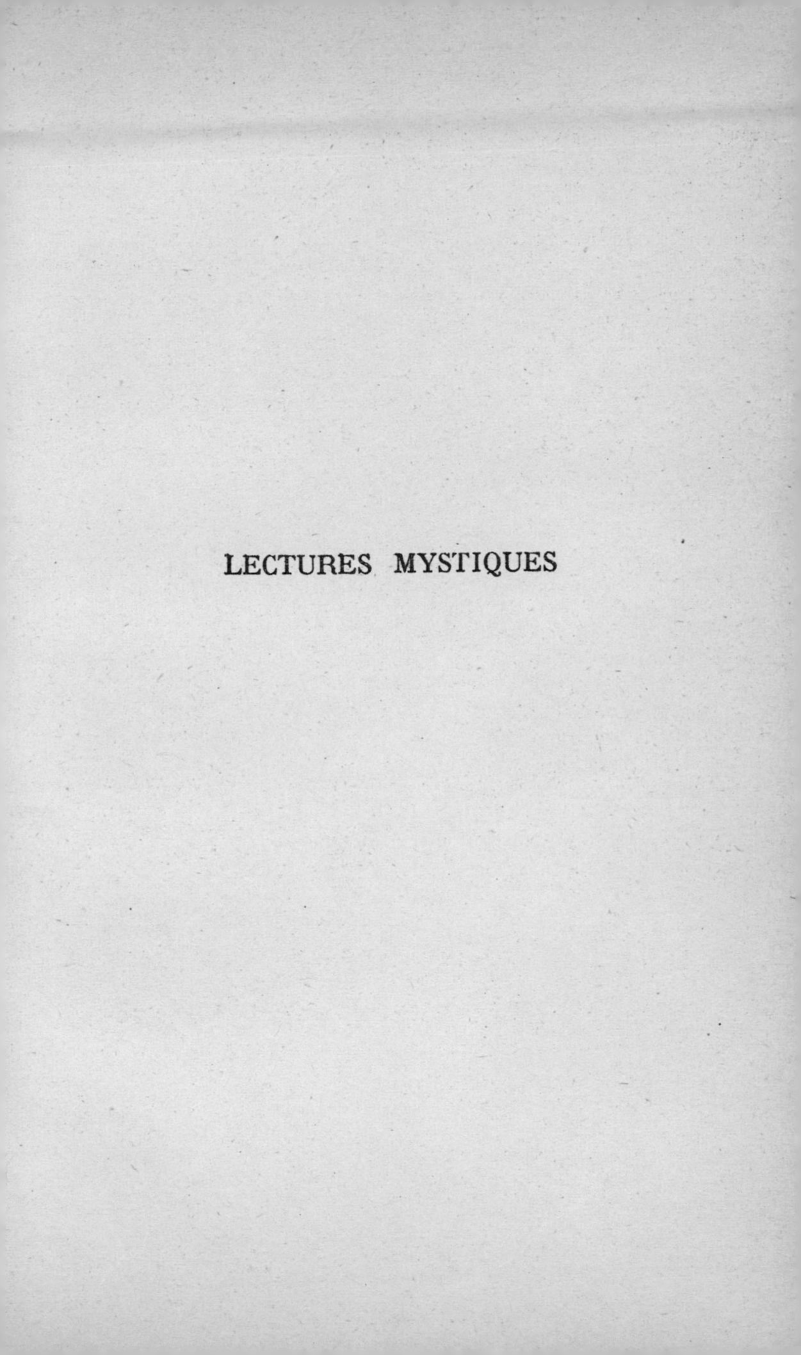

LECTURES MYSTIQUES

Je suis souvent sollicité par des amis ou des correspondants inconnus, de leur proposer un ensemble de lectures de littérature mystique. Ma connaissance personnelle de cette littérature est fort loin d'être complète; mais j'en ai lu suffisamment pour pouvoir donner ce que je crois être des conseils utiles à ceux qui ont eu moins d'occasions pour l'étude que moi. Dans les paragraphes qui vont suivre, je citerai et, là où ce sera nécessaire, je décrirai brièvement certains livres, de la lecture desquels on peut tirer une bonne connaissance courante de la nature et du développement historique du mysticisme. Il est à noter que la plupart des livres cités appartiennent à la littérature de la spiritualité occidentale. Cela tient, non pas au choix délibérément voulu, mais aux limitations imposées par l'ignorance, et à l'inaccessibilité des livres traitant de la matière. Il est absolument au-delà de mon pouvoir de compiler une bibliographie, même élémentaire, du mysticisme oriental, et, en conséquence, je ne citerai que quelques livres que, personnellement, j'ai trouvés illuminateurs et utiles.

Avant de m'embarquer dans ma tâche, je me sens poussé à dire quelques mots d'avertissement au sujet de la littérature mystique en général. Il a été publié, au cours des années récentes, des nombres considérables de livres traitant de la méditation et de la contemplation, du yoga et de l'expérience mystique, de la conscience supérieure et de la connaissance intuitive de la Réalité. Beaucoup de ces livres ont été écrits par des gens animés d'intentions excellentes, mais lamentablement ignorants de l'histoire et de la science du mysticisme, et manquant de toute expérience spirituelle authentique. Dans d'autres cas, les auteurs n'étaient même pas animés de bonnes intentions, mais se préoccupaient, non pas le moins du monde de la connaissance de Dieu, mais de l'exploitation de certaines pratiques « yoga » et mystiques, aux fins d'obtenir la richesse, le succès et le bien-être. De tels livres, qu'ils soient simplement sots, mal informés et ridicules, ou véritablement mauvais et pernicieux, doivent être évités à tout prix. Dans le choix des livres sur le mysticisme, une bonne règle consiste à se borner aux écrits, soit de saints reconnus et de personnes qu'on a de bonnes raisons de croire sur la voie de la sainteté, soit d'érudits honorables. En dehors de ces deux catégories d'écrivains, le lecteur qui se préoccupe de l'illumination ne peut espérer trouver le moindre profit.

Les expériences de première main de ceux qui ne sont pas des saints — qui ne sont même pas des êtres humains meilleurs que la moyenne — peuvent certes être surprenantes et passionnantes à leur propre niveau psychique; mais elles ne seront certainement pas des expériences authentiques de la Réalité ultime, ni de Dieu. Car de telles expériences spirituelles authentiques n'adviennent, en règle générale, qu'à ceux qui sont assez avancés dans la voie de la purge, et conduisent elles-mêmes à une amélioration de la qualité de la vie de celui qui les éprouve — amélioration qui va, dans des cas exceptionnels, jusqu'à cette transformation totale du caractère qui se manifeste dans la sainteté. Les expériences psychiques, qui ne contribuent pas à la sanctification, ne sont pas des expériences de Dieu, mais simplement de quelques aspects peu familiers de notre univers psycho-physique. La validité d'une expérience supposée de Dieu est en quelque sorte garantie par la sanctification de la personne à qui advient cette expérience. Là où il n'y a aucun indice de sanctification, il n'y a aucune raison de supposer que l'expérience à eu quelque rapport avec Dieu. C'est un fait significatif, que l'occultisme et le spiritualisme n'ont point produit de saints.

Étant donné tout ce qui précède, l'étudiant sérieux ne doit prêter nulle attention aux descriptions d'expériences de première main, sauf à celles qui ont été écrites par des saints et par des personnes qui donnent des preuves d'une avance vers la sainteté, ni aux documents de seconde main, sauf à ceux qui sont écrits par des érudits sérieux, à qui l'on peut faire confiance pour donner une relation exacte des saints et de leur enseignement.

La spiritualité est l'art de réaliser l'union avec Dieu, et comporte deux branches : l'ascétisme et le mysticisme, la mortification du moi et cette contemplation au moyen de laquelle l'âme établit le contact avec la Réalité ultime. La mortification sans la contemplation, et la contemplation sans la mortification, sont l'une et l'autre inutiles, et peuvent même être positivement nuisibles. C'est pourquoi toute littérature mystique authentique est aussi de la littérature ascétique, alors que toute bonne littérature ascétique (telle que *L'Imitation de Jésus-Christ*) traite aussi, explicitement ou implicitement, de l'oraison mystique. La combinaison de l'ascétisme et du mysticisme se voit très nettement dans les écrits buddhistes et hindous. C'est ainsi que, dans l'octuple chemin buddhiste, les sept premiers pas décrivent un cours complet de mortification du moi, tandis que le huitième inculque le devoir de contemplation mystique. On trouve l'enseignement ascétique du Buddha dans les plus connus des sermons qui lui sont attribués. On pourra lire des extraits de ceux-ci dans la *Bible of the World*[1] récemment publiée (anthologie précieuse de fragments des livres canoniques des principales religions de l'Orient et de l'Occident), et dans *Buddhism in Translation*[2], de Warren, anthologie plus étendue. Le roman histo-

1. Bible du Monde. *(N. d. T.)*
2. Le Buddhisme en Traduction. *(N. d. T.)*

rique d'Edward Thompson, *The Youngest Disciple*[1], traite de la dernière partie de la vie du Buddha et de ses enseignements, sous une forme romancée, mais avec une stricte fidélité envers les textes originaux.

Pour des descriptions détaillées des techniques utilisées par les buddhistes dans la contemplation, on peut consulter *The Path of Purity*[2], publié par la Pali Text Society, et, pour ce qui est de l'école septentrionale, les trois volumes de traductions du tibétain, édités par Evans Wentz et publiés par l'Oxford University Press. La biographie de Milarepa décrit de façon pittoresque la vie d'un saint buddhiste. Et le *Bardo Thodol*, ou *Livre tibétain des Morts*, (l'un des chefs-d'œuvre religieux mondiaux) expose la signification de la contemplation dans ses rapports avec la vie future de l'homme.

Ceux qui désirent lire des résumés brefs, mais érudits, de la pensée et des pratiques buddhistes, trouveront ce qu'il leur faut dans *What is Buddhism?*[3], compilé et publié par la Loge Buddhiste, à Londres; dans *Mahayana Buddhism*, de Mme Suzuki; et dans *Buddhism*, du professeur Rhys Davids. Des aspects particuliers de la spiritualité buddhiste sont traités sous de nombreuses rubriques dans *Hastings' Encyclopaedia of Religion and Ethics*, précieux ouvrage de référence englobant le domaine entier de la religion.

La littérature spirituelle de l'Hindouisme est tellement immense que l'étudiant occidental non professionnel sera contraint, ne serait-ce que par simple esprit de conservation, de se borner à un choix serré. Voici quelques-uns des livres indispensables. Le *Bhagavad Gita*, avec quelque bon commentaire, tel que celui d'Aurobindo Ghose; les *Sutras Yoga* de Patanjali, avec les commentaires de Vivekananda; les *Upanishads*, traduites dans la série des Livres

1. Le plus jeune Disciple. *(N. d. T.)*
2. Le Chemin de la Pureté. *(N. d. T.)*
3. Qu'est-ce que le Buddhisme? *(N. d. T.)*

sacrés de l'Orient; *Sankara*, dans la traduction de Jacob, ou de seconde main, dans quelque histoire succincte de la philosophie indienne, telle que celles de Max Muller ou de Deussen; la vie de Ramakrishna, et les écrits de Vivekananda sur les diverses sortes de yoga. On peut tirer de ces livres, non pas, certes, une vue complète de la spiritualité hindoue, mais du moins une image synthétique à peu près correcte de son caractère fondamental. La connaissance ainsi acquise sera un bon échantillon caractéristique de la connaissance totale qui ne peut être obtenue que par des années d'étude intensive.

La spiritualité dans l'Extrême Orient est principalement buddhiste ou taoïste. Dans le domaine du buddhisme, la Chine s'est contentée de marcher dans les traces des maîtres mahayana de l'Inde septentrionale et du Tibet. A partir de sources tirées de la Chine, le Japon a élaboré ce genre de spiritualité étrange et non entièrement satisfaisant, le mysticisme Zen. On peut l'étudier fort commodément dans les écrits du professeur Suzuki, qui a publié de nombreux volumes traitant du Zen sous tous ses aspects.

La spiritualité taoïste est le mieux représentée dans le premier et le plus grand de ses livres canoniques, le *Tao Te King*, de Lao Tzeu. On peut revenir mainte et mainte fois à cet évangile merveilleux, avec la certitude de trouver, avec chaque enrichissement de sa propre expérience de la vie, des significations toujours plus profondes et plus subtiles dans ses propos allusifs, étrangement abrégés et énigmatiques.

Dans ma compilation d'une bibliographie élémentaire de la spiritualité occidentale, je commencerai par une liste de volumes d'érudition sérieuse traitant de son développement historique, de sa philosophie et de ses procédés pratiques, et j'énumérerai ensuite quelques-uns des plus précieux de ses documents originaux, de première main.

La plus complète peut-être des histoires générales de l'ascétisme et du mysticisme chrétiens est la

Spiritualité chrétienne, du P. Pourrat. Trois volumes de cette œuvre, traitant de la période qui s'étend depuis l'époque des évangiles jusqu'au milieu du XVIIe siècle, ont été traduits en anglais.

D'autres ouvrages sérieux et bien documentés sont *Mysticism,* d'Evelyn Underhill, *Christian Mysticism,* du Doyen Inge, *La Vie d'Union avec Dieu,* de Saudreau, et *Les Grâces de l'Oraison intérieure,* de Poulain. Ce dernier livré est probablement l'analyse la plus poussée, la plus subtile et la plus complète de la psychologie des états mystiques, qu'on ait jamais tentée, et, en dépit d'une sécheresse de style assez rébarbative, mérite d'être lu avec soin par tout étudiant sérieux de la question.

Un autre vaste monument de l'érudition française en ce domaine est *l'Histoire littéraire du Sentiment religieux en France,* d'Henri Bremond, ouvrage en huit volumes, dont tous, à ma connaissance, n'ont pas encore été traduits en anglais. Le livre de Bremond traite d'une façon complète du renouveau du mysticisme en France au cours du XVIIe siècle, et est un trésor de matériaux biographiques les plus passionnants, copieusement illustré de citations, souvent d'une grande beauté littéraire, tirées des œuvres des écrivains spirituels de l'époque.

Beaucoup d'écrivains catholiques ont écrit des volumes d'instruction détaillée sur l'art de l'oraison mentale et de la contemplation. Parmi les meilleurs de ceux-ci (et heureusement encore accessible en réimpression) il y a le *Holy Wisdom* [1] d'Augustine Baker, moine bénédictin anglais du XVIIe siècle. Baker était lui-même un mystique avancé, et le livre dans lequel il donne corps à ses enseignements est merveilleusement complet, lucide et pratique.

Pour ceux qui désirent savoir quelque chose au sujet d'autres méthodes catholiques de méditation et de contemplation, on peut recommander *The Art of mental Prayer,* de Bede Frost. C'est un ouvrage moderne, bref, mais parfaitement érudit, résumant

1. Sagesse sacrée. *(N. d. T.)*

les enseignements spirituels d'un certain nombre d'écrivains mystiques et ascétiques à partir du XVIe siècle. Un bon manuel contemporain sur le même sujet est *Progress through Mental Prayer*[1] du P. Leen. Les *Spiritual Exercises*, de A. Tillyard, comprennent, en un volume unique, un certain nombre de méthodes chrétiennes les mieux connues, et de méthodes analogues utilisées par les mystiques hindous, buddhistes et sufis. Parmi les études modernes et précieuses sur des mystiques individuels, il faut citer le volume monumental de Bede Frost sur saint Jean de la Croix, la monographie de von Hugel sur sainte Catherine de Gênes, et le *Ruysbroeck l'Admirable*, de Wautier d'Aygalliers. On trouvera des esquisses moins importantes sur des mystiques médiévaux et du début des temps modernes, dans les *Mystics of the Church*[2], de miss Underhill, et dans *The Flowering of Mysticism*[3], de Rufus Jones.

Nous avons à examiner maintenant les documents de première main du mysticisme — les autobiographies, les journaux, les lettres spirituelles, les traités descriptifs et spéculatifs, qu'ont laissés les grands maîtres de la spiritualité occidentale. Voici quelques-uns des plus significatifs. *Les Confessions* de saint Augustin; *La Vie de sainte Thérèse*, écrite par elle-même; le *Journal* de John Woolman; les lettres spirituelles de saint François de Sales, de sainte Jeanne de Chantal, de Fénelon; la *Théologie mystique* et les *Noms divins*, de Denys l'Aréopagite (intéressants en soi, et historiquement significatifs comme étant le pont reliant le mysticisme chrétien à la pensée néo-platonicienne et orientale); les sermons et autres écrits de maître Eckhart, le mystique occidental qui se rapproche le plus de la position védantique; le bref, mais incomparablement profond et beau *Voile (ou Nuage) de l'Ignorance*, d'un mys-

1. Le Progrès au moyen de l'Oraison mentale. *(N. d. T.)*
2. Mystiques de l'Église. *(N. d. T.)*
3. La Floraison du Mysticisme. *(N. d. T.)*

tique anglais anonyme du XIVe siècle; la *Theologia Germanica*; les divers écrits de Tauler; *L'Imitation de Jésus-Christ* et *L'Imitation de la Vie pauvre du Christ*, — ce dernier attribué jadis à Tauler, mais à présent considéré comme étant d'un autre auteur inconnu, et légèrement hérétique; les écrits de saint Jean de la Croix; l'*Introduction à la Vie dévote* et le *Traité de l'Amour de Dieu*, de saint François de Sales; la *Doctrine spirituelle* de Lallemant, et le petit traité de Surin, intitulé *Abandon*. Tous ces ouvrages sont non seulement admirables en soi, mais possèdent en outre le mérite d'être raisonnablement accessibles. Quiconque en lit, ne fût-ce que quelques-uns, ainsi qu'un ou deux des volumes d'érudition précédemment cités, possédera une connaissance fort raisonnable du mysticisme occidental, de son caractère, de sa psychologie, de ses pratiques et de sa philosophie.

Qu'on me permette de citer, en conclusion, un paragraphe, de la plume d'Augustine Baker, sur la lecture des livres spirituels. « Mais quant aux livres spirituels, l'intention de celui qui mène une vie intérieure ne doit pas être la même que celle de ceux qui mènent une vie extravertie, qui les lisent par vaine curiosité, afin d'être capables ainsi de discourir sur de telles matières sublimes, sans choix ou considération particuliers pour savoir si elles conviennent ou non à leur esprit, quant à la pratique. Une âme contemplative, en lisant de tels livres, ne doit pas dire : voici un bon livre ou passage; mais, en outre : ceci est utile et convenable pour moi, et par la grâce de Dieu je vais m'efforcer de mettre à exécution, au moment et au lieu qu'il faudra, les bonnes instructions qui y sont contenues, dans la mesure où elles sont bonnes pour moi. »

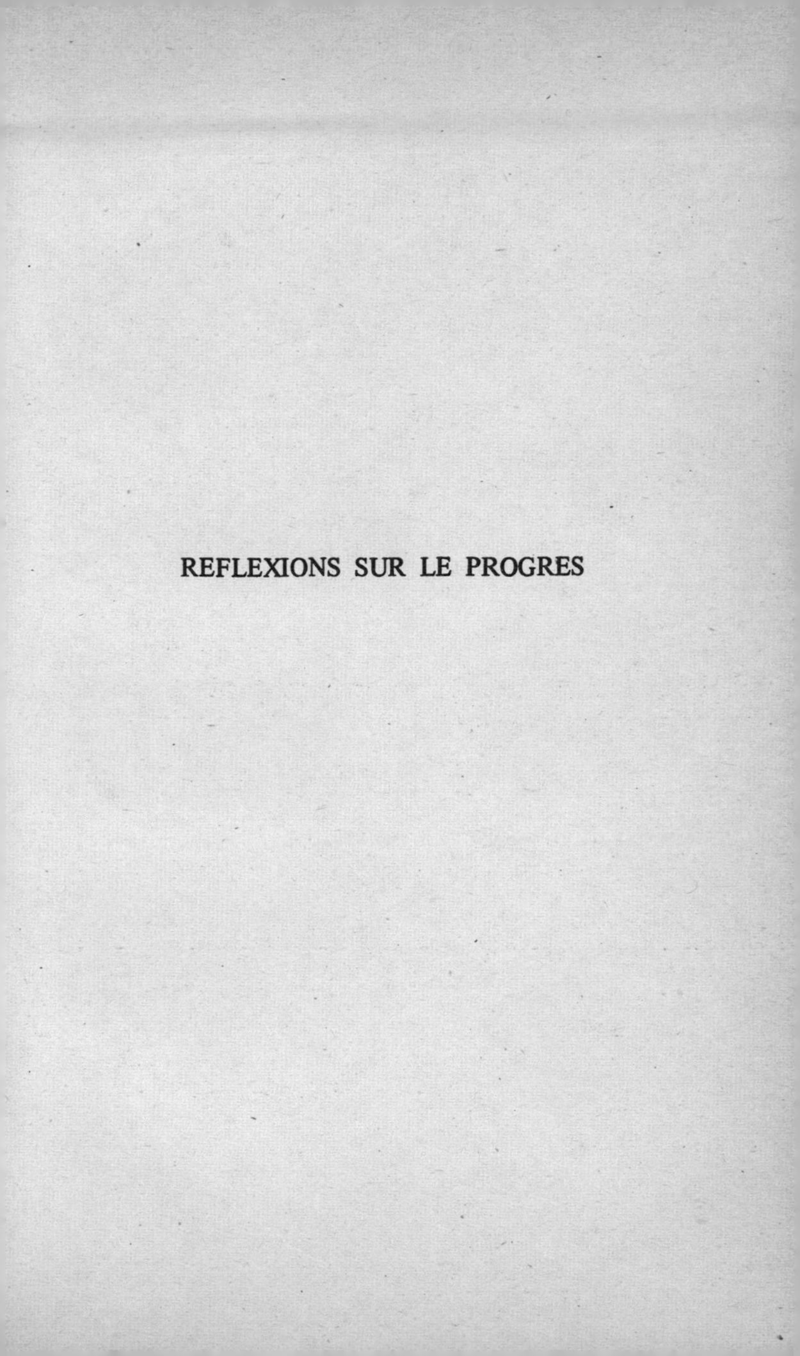

REFLEXIONS SUR LE PROGRES

I

Le changement évolutionnel est considéré comme étant « progressif » quand il est dans la direction d'une indépendance croissante par rapport au milieu, et d'une plus grande maîtrise à son égard. Jugée d'après ce critère, l'histoire de la vie sur notre planète n'a nullement été uniformément « progressive ». Des formes primitives ont survécu, presque sans modification, depuis l'aube de cette histoire jusqu'à l'époque actuelle. L'homme est le contemporain d'organismes unicellulaires, qui, bien qu'ils dépendent à peu près totalement du milieu, peuvent fort bien survivre à leurs rivaux plus « progressifs ». En outre, bien des organismes ont subi des changements « progressifs » durant une longue période de temps, simplement pour régresser vers une forme nouvelle et spécialisée de dépendance à l'égard du milieu, à titre de parasites de formes plus avancées. Et enfin, même les espèces qui se sont modifiées de la façon la plus « progressive » sont toutes, à l'époque présente, à l'extrémité d'impasses évolutionnelles, condamnées par leur haut degré de spécialisation, soit à demeurer ce qu'elles sont, soit, si elles subissent une série de mutations considérables, à dépérir en raison de leur incapacité à s'adapter, sous leurs formes modifiées, au milieu. Il y a de bonnes raisons de supposer que tous les animaux supérieurs existants sont des fossiles vivants, prédestinés à la survie sans grandes modifications, ou, s'il intervient des modifications, à l'extinction. L'espèce humaine mise à part, il semble que le progrès évolutionnel soit à bout de course.

Le progrès biologique, comme tout autre genre de changement évolutionnel, est produit au moyen de mutations, dont les conséquences sont héritées. Il se pourrait que le progrès humain pût encore être obtenu de la même façon; mais, au moins dans l'étendue des temps historiques, il n'a pas été obtenu ainsi. En outre, puisque la grosse majorité des mutations sont nuisibles, il semble peu probable que des modifications futures du plasma germinatif contribueront en quoi que ce soit à améliorer la constitution d'une espèce qui est le produit d'un développement évolutionnel si long. (D'où les dangers énormes inhérents à l'emploi, même à des desseins pacifiques, de la fission nucléaire. Des mutations peuvent être produites artificiellement par le genre de rayonnements associés à la fission nucléaire — et la plupart des mutations, nous l'avons vu, sont nuisibles. Ce serait un châtiment fort équitable de la *hubris* outrecuidante de l'homme, si le résultat final de ses efforts en vue de dominer la nature était la production d'une race d'imbéciles à bec-de-lièvre et à six doigts.) S'il doit y avoir progrès héréditaire chez l'espèce humaine, il sera amené par le même genre d'élevage sélectif qui a amélioré les races d'animaux domestiques. Il serait parfaitement possible, dans l'espace de quelques siècles, d'élever le niveau moyen de l'intelligence humaine à un degré bien supérieur à son niveau actuel. Quant à savoir si une expérience eugénique aussi vaste pourrait être effectuée, si ce n'est sous les auspices d'une dictature mondiale, et si, étant effectuée, les résultats s'en révéleraient socialement désirables, — ce sont là des questions au sujet desquelles nous ne pouvons que nous livrer à des spéculations. Entre temps, il est bon de noter que les qualités héréditaires des peuples civilisés du monde sont probablement en voie de détérioration. Cela tient à ce que les personnes d'un physique indigent et peu douées intellectuellement, ont plus de chances de vivre dans les conditions modernes, que n'en ont jamais eu leurs analogues dans les conditions beaucoup plus rigoureuses qui avaient cours autrefois. Le progrès humain, dans le domaine des temps historiques, diffère du progrès biologique en ce qu'il est affaire, non point d'hérédité, mais de tradition. Cette tradition, orale et écrite, a servi de véhicule au moyen duquel les réalisations d'individus exceptionnels ont été mises à la disposition de leurs contemporains et de leurs successeurs et les découvertes nouvelles d'une génération, transmises, pour devenir chose courante chez la suivante.

On a fait usage de critères nombreux et fort variés pour mesurer ce progrès humain effectué par la tradition. Parfois on l'envisage comme une continuation du progrès biologique — une avance dans la voie de la maîtrise et de l'indépendance. Jugé d'après cette norme, le progrès réalisé dans les siècles récents par certaines sections de la race humaine a été considérable. Sans doute n'a-t-il pas été tout à fait aussi important que le pensent d'aucuns. Les tremblements de terre font encore leurs milliers de victimes, les épidémies, leurs millions, tandis que les famines dues à la sécheresse, ou aux inondations, ou aux insectes nuisibles, ou aux maladies des plantes, détruisent lentement et douloureusement leurs dizaines de millions d'infortunés. En outre, beaucoup d'entre les « conquêtes de la nature » les plus bruyamment vantées à un moment, se sont révélées être, quelques années plus tard, considérablement moins spectaculaires qu'on ne l'imaginait au début, — elles ont même revêtu l'aspect de défaites. Que l'on considère, par exemple, les progrès réalisés dans la plus importante de toutes les activités humaines — l'agriculture. Des champs nouveaux ont été ouverts aux labours, produisent des récoltes qui permettent une expansion de la population, et puis, presque soudainement, se transforment en « bols de poussière » et en coteaux érodés. Des produits chimiques nouveaux pour maîtriser les insectes, des virus et des champignons, semblent opérer quasi miraculeusement, mais seulement jusqu'à ce que la mutation et la sélection naturelle aient produit des lignées nouvelles et résistantes des anciens ennemis. Les engrais artificiels produisent des récoltes magnifiques; mais entre temps, ils tuent l'indispensable ver de terre et, de l'avis d'un nombre croissant d'autorités en la matière, tendent, à longue échéance, à réduire la fertilité du sol et à nuire aux qualités nutritives des plantes qui y poussent. Au nom de l'« efficience », nous troublons l'équilibre délicat de la nature; en éliminant l'un des facteurs de la mosaïque écologique, ou en en augmentant artificiellement un autre, nous obtenons notre production accrue, mais au bout de quelques années, la nature outragée prend sa revanche, de la façon la plus inattendue et la plus déconcertante. Et cette liste pourrait être allongée indéfiniment. Les êtres humains ne sont jamais tout à fait aussi malins qu'ils croient l'être.

Mais les critères par lesquels se mesure le progrès biologique sont insuffisants quand il s'agit de la mesure du progrès humain. Car le progrès biologique est envisagé comme s'appliquant exclusivement à l'espèce dans son ensemble; tandis qu'il est impossible d'envisager l'humanité d'une façon réaliste sans considérer l'individu aussi bien que la race à laquelle il appartient. Il est facile d'imaginer un état de choses dans lequel l'espèce humaine aurait effectué son progrès, aux dépens des individus composants, considérés comme des personnalités. Jugé d'après des normes spécifiquement humaines, un semblable progrès biologique serait une régression vers un état inférieur, infra-humain.

Dans l'établissement de normes destinées à mesurer le progrès humain, il faut tenir compte des valeurs qui, de l'avis des hommes et des femmes individuels, font que la vie vaille d'être vécue. Et, en fait, c'est là ce qu'ont fait tous les théoriciens du progrès humain, depuis la fin du XVIIe siècle, époque à laquelle cette idée a commencé à paraître plausible, jusqu'à nos jours. Au cours des XVIIIe et XIXe siècles, on a concilié le progrès biologique avec le progrès humain, au moyen d'une doctrine d'harmonie préétablie. On a admis comme pratiquement évident en soi que les avances effectuées dans la maîtrise de l'homme sur son milieu seraient inévitablement accompagnées d'avances correspondantes dans le bonheur individuel, dans la morale personnelle et sociale, et dans la quantité et la qualité de l'activité créatrice dans les domaines de l'art et de la science. Ceux d'entre nous qui sont assez âgés pour avoir été élevés dans la tradition victorienne peuvent se souvenir (avec un mélange d'amusement et de mélancolie) des postulats fondamentaux et indiscutés de cette *Weltanschauung* consolante. Comte, Spencer et Buckle ont exprimé la chose en un langage respectablement abstrait; mais le fond de leur croyance était simplement ceci : que les gens qui portaient un chapeau haut de forme et voyageaient en chemin de fer étaient incapables de faire le genre de choses que les Turcs faisaient subir aux Arméniens, ou que nos ancêtres européens avaient fait subir les uns aux autres aux mauvais jours anciens d'avant les machines à vapeur. Aujourd'hui, après deux guerres mondiales et trois révolutions majeures, nous savons qu'il n'y a pas de corrélation nécessaire entre la technologie plus avancée et la morale plus avancée. Beaucoup de primitifs, dont la maîtrise sur leur milieu est rudimentaire, parviennent néanmoins à être heureux, vertueux, et, dans certaines limites, créateurs. Inversement, les membres de sociétés civilisées, possesseurs de ressources technologiques leur permettant d'exercer une maîtrise considérable sur leur milieu, sont souvent ostensiblement malheureux, mal réglés et peu créateurs; et bien que la morale privée soit raisonnablement bonne, la conduite collective est sauvage au point d'être démoniaque. Dans le domaine des relations internationales, la différence la plus marquante entre les hommes du xxe siècle et les anciens Assyriens, est que ceux-là ont des méthodes plus efficaces pour commettre des atrocités, et sont capables de détruire, de tyranniser, et de réduire en esclavage sur une échelle plus vaste.

La vérité, c'est que tout ce qu'est capable de faire

pour l'homme son aptitude à maîtriser son milieu, c'est simplement de modifier la situation dans laquelle, par des moyens autres que technologiques, les individus et les groupes tentent d'effectuer des progrès spécifiquement humains dans les domaines de la créativité, de la morale et du bonheur. C'est ainsi que l'ouvrier d'usine, habitant la ville, peut appartenir, biologiquement parlant, à un groupe plus « progressif » que le paysan; mais il n'en résulte pas qu'il lui soit plus facile d'être heureux, bon et créateur. Le paysan se trouve en face d'une série d'obstacles et de difficultés; le travailleur industriel, en face d'une autre. Le progrès technologique n'abolit pas les obstacles; il en change simplement la nature. Et cela est vrai même dans les cas où le progrès technologique affecte directement la vie et la personne des individus. Par exemple, les installations sanitaires ont considérablement réduit l'incidence des maladies contagieuses, diminué la mortalité infantile et accru la durée de la vie moyenne probable. Il semblerait, à première vue, que ce progrès technologique dût être en même temps un progrès humain. Mais, en y regardant de plus près, on constate que, même là, tout ce qui est arrivé, c'est que les conditions de réalisation d'un progrès humain ont été modifiées. Des faits symptomatiques de ce changement sont l'élévation récente de la gériatrie au rang d'une branche importante de la médecine, l'octroi de retraites aux vieux, le déplacement du point d'équilibre de la population, dans les pays à taux de natalité bas, vers les groupes d'âge plus élevé. Grâce aux installations sanitaires, les vieux sont en voie de devenir une minorité socialement importante, et pour cette minorité importante les problèmes du progrès humain en ce qui concerne le bonheur, le bien et la créativité, sont particulièrement difficiles. Car, si l'on peut dire sans réserve qu'il serait bon que le paludisme, par exemple, fût aboli, le simple fait d'améliorer la santé des victimes de cette maladie ne ferait rien de plus, en soi, que de modifier les conditions dans lesquelles le progrès humain est tenté. Les bien portants ne sont pas nécessairement créateurs, bons, ni même heureux; ils ont simplement meilleure chance de l'être, que les malades.

L'avance de la technologie accroît la maîtrise de l'homme sur son milieu, et cette maîtrise accrue est héréditaire, en ce sens que ses méthodes sont transmises par la tradition de génération à génération. Mais, comme nous l'avons vu, cet équivalent d'un progrès biologique ne constitue pas en soi un progrès spécifiquement humain. A l'intérieur de la situation constamment changeante créée par la technologie en marche, il faut que les hommes essayent de réaliser des progrès spécifiquement humains par des moyens qui ne sont pas de nature technologique, savoir : la politique et l'éducation. La politique a trait à l'organisation de rapports juridiques et économiques dans une société donnée, et entre cette société et d'autres sociétés. L'éducation, pour autant qu'elle n'est pas simplement professionnelle, vise à concilier l'individu avec lui-même, avec ses semblables, avec la société dans son ensemble (ensemble, de la nature duquel lui-même et sa société ne constituent qu'une partie), et avec l'esprit immanent et transcendant à l'intérieur duquel la nature a son être.

La différence entre une bonne disposition politico-économique et une mauvaise est simplement celle-ci : que la bonne disposition réduit le nombre des tentations dangereuses auxquelles sont exposés les individus et les groupes considérés, alors que la mauvaise disposition multiplie les tentations de ce genre. C'est ainsi qu'une dictature, quelque bienfaisante qu'en soient les intentions, est toujours mauvaise, parce qu'elle fournit à une minorité la tentation de s'abandonner au désir de puissance, tout en contraignant la majorité à agir comme des gens irresponsables et serviles recevant des ordres de plus haut. Si nous voulons apprécier une institution quelconque, existante ou encore idéale, qu'elle soit politique, économique, ou ecclésiastique, il faut commencer par poser cette même question fort simple : quelles tentations crée-t-elle, ou a-t-elle des chances de créer, et de quelles tentations nous libère-t-elle, ou a-t-elle des chances de nous libérer? Si elle induit fortement et avec insistance les individus et les groupes intéressés, dans la tentation de se laisser aller à des passions aussi notoirement mortelles que l'orgueil, la cupidité, la cruauté, et le désir de puissance, si elle impose à des masses entières de la population l'hypocrisie, la servilité et l'obéissance sans raisonnement, — alors, a priori, l'institution en question est indésirable. Si, au contraire, elle offre peu de champ à l'abus du pouvoir, si elle n'encourage pas l'avarice, si ses dispositions sont telles qu'on ne puisse facilement se laisser aller à la cruauté et à l'orgueil de la situation, si elle appelle, non pas l'obéissance sans raisonnement, mais la coopération intelligente et responsable, — alors, a priori, le verdict doit être favorable.

Jusqu'ici, la plupart des révolutions politiques et économiques n'ont pas réussi à réaliser les bons résultats prévus. Elles ont balayé des institutions qui étaient devenues intolérables parce qu'elles invitaient des individus et des groupes à succomber à des tentations dangereuses. Mais les nouvelles institutions révolutionnaires ont induit d'autres individus et d'autres groupes en des tentations, qui étaient, soit identiques aux anciennes, soit, sinon identiques, non moins dangereuses. Par exemple, il est tout aussi certain qu'on abusera du pouvoir, qu'il soit exercé par les riches en vertu de leur richesse, ou par des politiciens et des administrateurs en vertu de leur position dans un gouvernement ou dans une hiérarchie ecclésiastique.

Les changements politiques à grande échelle sont effectués primordialement dans l'intérêt d'un individu, d'un parti, ou d'une classe; mais il y entre souvent, à titre de motif secondaire, un désir plus ou moins sincère d'effectuer un progrès spécifiquement humain. Dans quelle mesure de tels changements peuvent-ils produire ce qu'on en espère? Dans quelle mesure une avance continue dans le domaine du bonheur, du bien, et de la créativité peut-elle être effectuée par une loi? En ce qui concerne la créativité aux niveaux vraiment supérieurs, il serait peu sage d'en parler. Pourquoi apparaît-il à une certaine période un grand nombre d'hommes de génie, alors que d'autres périodes en sont dénuées, — c'est là un profond mystère. Il en va différemment, toutefois, de la créativité à ses niveaux inférieurs, de la créativité qui s'exprime dans les arts et métiers de la vie commune. Il est évident que, dans une société où tous les biens ménagers nécessaires sont produits par des machines, dans des usines hautement organisées, les arts et métiers ne seront pas florissants. Il faut que les commodités de la fabrication en série soient acquises au prix d'une diminution de la créativité aux niveaux inférieurs et populaires.

Le bien et le bonheur sont notoirement difficiles à mesurer. Tout ce qu'on peut dire, c'est qu'étant données certaines dispositions politiques et économiques, il est possible d'éliminer certaines tentations au mal et certains motifs de misère. Par exemple, une police efficace peut diminuer les tentations aux crimes de violence, et des dispositions équitables réglant la distribution des vivres peuvent diminuer les misères consécutives à la faim. De même, un gouvernement paternel peut, par une législation appropriée, diminuer les misères relatives au chômage périodique. Malheureusement, la sécurité économique dans une société industrialisée a été obtenue, jusqu'ici, aux dépens de la liberté personnelle. Il a fallu que les misères de l'inquiétude fussent payées au prix des misères d'une dépendance qui, dans certains pays, a dégénéré en servitude. Nous sommes dans un monde où personne, jamais, n'obtient quelque chose pour rien. Les avantages dans un domaine doivent s'acquérir au prix de désavantages dans un autre. Le destin se contente de vendre; il ne donne jamais. Tout ce que nous pouvons faire, c'est d'effectuer le marché le meilleur possible. Et s'il nous plaît de faire usage de notre intelligence et de notre bon vouloir, au lieu de notre vile ruse et de notre désir de puissance, nous pourrons prendre des dispositions politiques qui élimineront beaucoup de dangereuses tentations au mal et bien des causes de misère, sans créer, au cours de ce processus, de nouvelles difficultés non moins intolérables que celles auxquelles nous avons échappé.

Entre temps, il faut nous souvenir que l'élimination, par des méthodes politiques, de certaines tentations dangereuses et de certaines raisons de misère, ne garantira pas, d'elle-même, une avance générale dans le domaine du bien et du bonheur. Même dans les conditions politiques et économiques existantes, il y a une minorité de personnes dont la vie est prospère, assurée et sans inquiétudes. Et pourtant, de ces rares fortunés, combien y en a-t-il qui sont profondément malheureux, et combien y en a-t-il qui sont activement ou passivement mauvais! Dans de larges limites, le bien et le bonheur sont presque indépendants des circonstances extérieures. Certes, un enfant qui meurt de faim ne saurait être heureux; et il y a peu de chances pour qu'un enfant élevé parmi des criminels soit bon. Mais ce sont là des cas extrêmes. Les grandes masses de la population vivent dans une région moyenne, intermédiaire entre les extrêmes de la sainteté et de la dépravation, de la richesse et de l'indigence. Pourvu qu'ils demeurent dans cette région moyenne d'expérience, les individus peuvent subir des variations de fortune considérables sans subir des variations correspondantes dans la direction du vice ou de la vertu, de la misère ou du bonheur. La vie privée est, dans une large mesure, indépendante de la vie publique, et même, à un certain degré, des circonstances privées. Certaines classes de bonheur, et même un certain genre de bien, sont les fruits du tempérament et de la constitution. Il y a des hommes et des femmes dont on peut dire, comme on le disait, par exemple, de saint Bonaventure, qu'ils sont « nés sans péché originel ». Il y a des enfants qui sont congénitalement exempts d'égoïsme, comme ce *Pippo buono*, qui devait devenir saint Philippe de Neri. Et, pour aller de pair avec ces vertus innées et gratuites, il existe une joie non méritée, une béatitude pour ainsi dire sans cause.

Quatre canards sur un étang,
Au-delà, une berge couverte de gazon,
Un ciel bleu de printemps,
Des nuages blancs fuyant à tire d'aile;
Quelle petite chose
A se rappeler avec des larmes —
A se rappeler pendant des années!

Telle est l'étoffe dont est tissée une bonne partie de notre bonheur; et cette étoffe est la même à toutes les époques, est disponible en toute conjonction de circonstances publiques ou privées. Le bonheur provenant d'une source de ce genre ne saurait être accru ou diminué par une loi, ni même par nos propres actes ni par les actes de ceux avec qui nous venons en contact. Il repose sur notre propre aptitude innée à réagir à certains éléments invariables dans l'ordre de la nature.

L'aptitude à réagir ainsi dépend dans une certaine mesure de l'âge, aussi bien que de la constitution de l'individu. Un adolescent qui découvre pour la première fois le monde est heureux, d'un bonheur d'une intensité frémissante qui ne pourra jamais être retrouvé au cours des années de maturité. Et ceci nous amène à un point fort important, savoir : que la vie d'un homme n'est pas, par sa nature même, « progressive », mais s'élève jusqu'à un sommet, continue quelque temps sur un plateau de maturité, puis décline, en passant par la vieillesse, pour tomber dans la décrépitude et la mort. Les littératures du monde abondent en lamentations sur l'inévitable régression de la vie, à partir du bonheur juvénile. Quand il s'agit d'un vieillard qui survit à ses contemporains et qui décline dans sa seconde enfance, il est absurde de parler de la marche du progrès, aussi bien biologique qu'humain. Il ne peut éprouver, en sa propre personne, que le contraire d'une avance, soit vers une plus grande maîtrise sur le milieu, soit vers le bonheur, le bien, ou la créativité accrus. Et à toute période donnée, quelque « progressive » qu'elle puisse paraître aux historiens futurs, un tiers environ de tous les individus alors en vie éprouveront la régression biologique et humaine liée à la marche des ans. La vieillesse sous Périclès ou Laurent le Magnifique, était exactement aussi triste, aussi antiprogressive, que la vieillesse sous Abdul-Hamid ou Chilpéric. Certes, les vieux sont en état de maintenir le progrès quant au bien, ne serait-ce que parce qu'au soir de la vie, beaucoup de vices perdent leur attrait; mais il leur est difficile de maintenir le progrès en bonheur et en créativité. Si un semblable progrès spécifiquement humain est jamais maintenu pendant une période considérable, il faudra que ce soit par une succession d'individus jeunes et mûrs, dont la vie personnelle sera encore dans une phase « progressive ».

Les historiens, lorsqu'ils décrivent une certaine ère comme étant « progressive », ne prennent jamais la peine de nous dire au juste quels sont ceux qui éprouvent le progrès en question, ni comment il est éprouvé. Par exemple, tous les historiens modernes s'accordent à dire que le XIIIe siècle a été une période de progrès. Et pourtant, les moralistes qui ont effectivement vécu au XIIIe siècle ont été unanimes à déplorer la décadence de leur époque. Et quand nous lisons un document comme la Chronique de Salimbene, nous nous prenons à nous demander dans quelle mesure les conclusions tirées de la sainteté de saint François d'Assise, de l'architecture des cathédrales gothiques, de la philosophie de saint Thomas d'Aquin, et de la poésie de Dante, ont quelque rapport avec la vie bestiale et non-régénérée des grandes masses des gens. Si cette époque a été effectivement « progressive », qui a éprouvé ce progrès? Et si la plupart des gens vivant à cette époque n'ont rien éprouvé qui fût de la nature d'un progrès biologique ou humain, sommes-nous fondés à parler de cette époque comme étant « progressive »? Ou bien une époque est-elle authentiquement « progressive » simplement parce que les historiens futurs, utilisant des normes de leur propre conception, la jugent telle?

Dans la longue histoire du changement évolutionnel, le progrès biologique a été limité aux niveaux supérieurs de la population végétale et animale. De même, il se peut que le progrès spécifiquement humain soit l'apanage des exceptionnellement chanceux et des exceptionnellement doués. C'est ainsi que, pendant que le drame élizabéthain progressait, de Kyd à Shakespeare, il y avait un grand nombre de paysans dépossédés qui souffraient d'une disette extrême, et l'incidence du rachitisme et du scorbut croissait constamment. En d'autres termes, il y a eu progrès humain dans certains domaines, peu nombreux, mais en d'autres domaines, et chez les nombreux dépourvus, il y a eu régression biologique et humaine. Et pourtant, aujourd'hui, nous rangeons l'ère élizabéthaine parmi les époques de progrès.

L'expérience du progrès technologique et même du progrès humain est rarement continue et durable. Les êtres humains ont une aptitude énorme à considérer les choses comme allant de soi. En quelques mois, voire en quelques jours, l'appareil nouvellement inventé, les nouveaux privilèges politiques ou économiques, en viennent à être considérés comme parties intégrantes de l'ordre de choses existant. Une fois atteint, tout plafond ardemment désiré devient un plancher vulgaire. Nous ne passons pas notre temps à comparer le bonheur présent à la misère passée; nous l'acceptons plutôt comme une chose qui nous est due, et sommes pris d'une rancune amère si nous en sommes privés, fût-ce temporairement. Notre esprit étant ce qu'il est, nous n'éprouvons pas le progrès d'une façon continue, mais seulement par saccades et par sursauts, au cours des premières phases de toute avance nouvelle.

De la politique, considérée comme un moyen de progrès humain, passons maintenant à l'éducation.

Le sujet est vaste, au point d'être quasiment illimité; mais, heureusement, dans ce contexte particulier, il n'y en a qu'un aspect qui touche à la question. Car, pour autant qu'ils ne dépendent pas du tempérament ou d'un accident heureux, le bonheur, le bien et la créativité sont les produits, chez l'individu, de sa philosophie de la vie. Tels nous croyons, tels nous sommes. Et ce que nous croyons dépend de ce qui nous a été enseigné — par nos parents et nos professeurs, par les livres et les journaux que nous lisons, par les traditions, nettement formulées ou muettes, des organisations économiques, politiques, ou ecclésiastiques auxquelles nous appartenons. S'il doit y avoir progrès humain authentique, il faut que le bonheur, le bien et la créativité soient maintenus par les individus des générations successives, durant toute la durée des vies qui sont, par leur nature, non progressives, et en dépit de circonstances qui doivent souvent, nécessairement, être défavorables. Parmi les philosophies fondamentales de la vie qui peuvent être imposées à un individu, ou qu'il peut choisir de faire siennes, les unes sont favorables au maintien du bonheur, du bien et de la créativité, — d'autres sont manifestement insuffisantes.

L'hédonisme, par exemple, est une philosophie insuffisante. Notre nature et le monde sont tels que, si nous faisons du bonheur notre but, nous n'atteindrons pas au bonheur. La philosophie implicite dans la publicité moderne (source d'où des millions de gens dérivent à présent leur *Weltanschauung*) est une forme spéciale de l'hédonisme. Le bonheur, nous apprennent les auteurs de réclames, doit être poursuivi comme une fin en soi; et il n'y a d'autre bonheur que celui qui nous vient de l'extérieur, comme résultat de l'acquisition de l'un des produits de la technologie en progrès. C'est ainsi que l'hédonisme est lié à cette foi du XIXe siècle, suivant laquelle le progrès technologique est nécessairement en corrélation avec le progrès humain. Si les bas en rayonne vous rendent heureuse, comme vous le serez encore davantage avec des bas en nylon, qui sont le produit d'une technologie plus avancée! Malheureusement, il se trouve que l'esprit humain ne fonctionne pas de cette manière. En conséquence, ceux qui, consciemment ou inconsciemment, acceptent la philosophie exposée par les auteurs de réclames, éprouvent de la difficulté à maintenir seulement le bonheur, sans parler du bien et de la créativité.

Plus suffisantes sont ces philosophies politiques qui, pour des millions de nos contemporains, ont pris la place des religions traditionnelles. Dans ces philosophies politiques, un nationalisme intense est uni à une théorie de l'état et à un système économique. Ceux qui acceptent ces philosophies, soit de leur plein gré, soit parce qu'ils ont été soumis dès leur petite enfance à une propagande incessante, sont inspirés dans bien des cas à se dévouer à la cause nationale et idéologique. Ils réalisent et maintiennent ainsi un certain genre de bonheur et un certain genre de bien. Malheureusement, une morale personnelle élevée s'associe souvent à l'iniquité publique la plus atroce; car la nation et le parti sont des divinités au service desquelles les fidèles sont fondés à faire n'importe quoi, quelque abominable que cela soit, qui semble faire avancer la cause sacrée. Et même le bonheur qui résulte de ce qu'on est au service d'une cause plus grande que soi a tendance, en pareil cas, à être quelque peu précaire. Car là où l'on emploie de mauvais moyens pour réaliser une fin désirable, le but qu'on atteint effectivement n'est jamais la bonne fin qu'on s'était proposée, mais simplement la conséquence inévitable de l'emploi de moyens mauvais. Pour cette raison, le bonheur qu'on a, à se consacrer à de semblables causes politiques, doit toujours être tempéré par l'échec chronique dans la réalisation de l'idéal ardemment désiré.

Dans les religions de dévotion, telles que certaines formes du christianisme, de l'hindouisme, et du buddhisme, la cause à laquelle se consacre le fidèle est surnaturelle, et la pleine réalisation de son idéal n'est pas « de ce monde ». En conséquence, leurs adhérents ont plus de chances de maintenir le bonheur, et, sauf là où des sectes rivales se disputent la puissance, sont moins fortement tentés de succomber à l'immoralité publique que ne le sont les fidèles des religions politiques.

Le stoïcisme a précédé les stoïciens, et leur a survécu. C'est le nom que nous donnons à la tentative des hommes, de réaliser l'indépendance à l'égard du milieu, et la maîtrise sur lui, par des moyens psychologiques plutôt que par mutation et sélection, ou, au niveau humain, par une technologie sans cesse plus efficace. Parce qu'il dépend principalement de la volonté superficielle, et parce que — quelque puissante et bien dressée que soit cette volonté, elle n'est pas à la hauteur des circonstances — le simple stoïcien n'a jamais pleinement réalisé son idéal de bonheur dans l'indépendance et le bien dans le détachement volontaire.

Les buts du stoïcisme sont pleinement réalisés, non pas par les stoïciens, mais par ceux qui, par la contemplation ou la dévotion, s'ouvrent à la « grâce », au « Logos », au « Tao », à l'« Atman-Brahman », à la « lumière intérieure ». Le progrès spécifiquement humain dans la voie du bonheur, du bien, et de la créativité, et l'équivalent psychologique du progrès biologique dans la voie de l'indépendance et de la maîtrise, se réalisent au mieux par la poursuite de la fin ultime de l'homme. C'est en visant à la réalisation de l'éternel que nous sommes en mesure de tirer parti au mieux — et ce mieux est un progrès continu — de notre vie temporelle.

II

Je vais essayer maintenant de projeter quelque lumière sur l'idée de progrès dans ses rapports avec la fin ultime de l'homme, la conscience du « Tu es Cela ». Du point de vue de la « philosophia perennis », le progrès biologique est une avance héritable dans la qualité et l'étendue de la conscience psychologique. Au cours de son évolution terrestre, la vie a élaboré le conscient, et chez l'homme, le produit le plus élevé de cette évolution, le conscient a atteint le point où tout individu donné peut (s'il le désire, s'il en connaît les moyens, et s'il est disposé à remplir certaines conditions) s'ouvrir à la connaissance unitive de la réalité spirituelle. L'évolution biologique ne conduit pas, par elle-même, automatiquement, à cette connaissance unitive. Elle conduit simplement à la possibilité d'une telle connaissance. Et elle conduit à cette possibilité, par le développement du libre arbitre et de la conscience du moi. Mais le libre arbitre et la conscience du moi sont les racines de l'ignorance et de la malfaisance spécifiquement humaines. Les facultés qui rendent possible la connaissance unitive de la réalité sont les facultés mêmes qui donnent aux êtres humains la tentation de s'adonner à cette conduite littéralement démente et diabolique dont est capable l'homme seul, parmi tous les animaux. Nous sommes dans un monde où personne n'obtient jamais quelque chose pour rien. L'aptitude à monter plus haut s'achète au prix de la possibilité de tomber plus bas. Seul un ange de lumière peut devenir le prince des ténèbres. Aux niveaux inférieurs du développement évolutionnel, il n'y a pas d'ignorance volontaire ni de malfaisance délibérément voulue; mais, pour cette raison même, il n'y a pas non plus d'illumination. Voilà pourquoi, en dépit de Buchenwald et de Hiroshima, il nous faut rendre grâces d'être nés à l'état d'hommes.

Toute créature qui vit selon l'instinct vit dans un état de ce qu'on peut appeler la grâce animale. Elle effectue, non pas sa volonté, mais la volonté de Dieu-dans-la-Nature. L'homme ne vit pas par l'instinct; ses types de conduite ne sont pas innés, mais acquis. Il est libre, à l'intérieur des restrictions imposées par la société et par ses propres habitudes de pensée, de choisir le meilleur ou le pire, les moyens moraux et intellectuels menant à la fin ultime, ou les moyens moraux et intellectuels conduisant à sa propre destruction. « Que Ta volonté, et non la mienne, soit accomplie. » C'est là l'essence de toute religion. Le libre arbitre est octroyé, afin que la volonté du moi puisse être anéantie dans l'équivalent spirituel de l'instinct. Le progrès biologique est une ligne droite; mais le progrès spirituel que nous sommes libres de surimposer au produit humain final du progrès biologique s'élève en une spirale vers un point correspondant, mais incommensurablement supérieur, à la position de l'animal qui vit selon l'instinct, ou volonté de Dieu-dans-la-Nature.

Le progrès spécifiquement humain en bonheur, en vertu, et en créativité, est précieux, en dernière analyse, en tant que condition d'une avance spirituelle vers la fin ultime de l'homme. La faim, les privations et la misère; la cupidité, la haine, la colère, et l'envie; la stupidité et l'insensibilité systématiques, — toutes ces choses sont des obstacles dans la voie de l'avance spirituelle. En même temps, il ne faut pas oublier que si le bonheur, la moralité et la créativité sont traités comme des fins en soi, et non comme des moyens en vue d'une fin ultérieure, ils peuvent devenir des obstacles à l'avance spirituelle, non moins sérieux, à leur manière, que la misère, le vice, et les vues conventionnelles. L'illumination ne peut être réalisée par la personne dont le but, dans la vie, est de « s'offrir du bon temps », par le puritain adorateur d'une morale répressive pour elle-même, ou par l'esthète qui vit pour la création ou l'appréciation de la beauté formelle. L'idolâtrie est toujours funeste; et les biens humains les plus élevés mêmes cessent d'être des biens s'ils sont adorés pour eux-mêmes, et non utilisés, comme ils sont destinés à l'être, pour la réalisation d'un bien ultime qui les transcende.

Nous arrivons maintenant au progrès dans ses rapports avec la vie spirituelle, — c'est-à-dire dans ses rapports avec la poursuite consciente de la fin ultime de l'homme. Est bien significative à ce sujet, cette remarque du Buddha, suivant laquelle celui qui dit être un *arhat* proclame par là même qu'il n'est point un *arhat.* En d'autres termes, il est funeste de se vanter d'une réalisation, ou de trouver une satisfaction dans une expérience qui, si elle participe authentiquement de l'illumination, est le produit d'une grâce plutôt que de l'effort personnel. Le progrès en spiritualité apporte la contrition aussi bien que la joie. L'illumination est ressentie comme une joie; mais cette félicité brillante illumine tout ce qui, dans le moi, demeure non-illuminé, dissipant notre suffisance normale et aveugle à l'égard des fautes et des imperfections, et nous forçant à regretter non pas simplement ce que nous sommes, mais jusqu'au fait même de notre individualité séparée. Dans l'illumination totale et ininterrompue, il ne saurait y avoir autre chose que l'amour, la joie et la paix qui sont les fruits de l'esprit; mais en cours de route, avant d'atteindre à ce couronnement final, il faut que la contrition alterne avec la félicité, et le progrès peut se mesurer à la nature de ce dont on se repent — les péchés, les imperfections, et finalement notre propre existence individualisée.

Côte à côte avec l'authentique progrès en spiritualité, il y a un progrès illusoire, par la voie d'expériences que l'on croit être des appréhensions de la réalité ultime, mais qui, en fait, ne sont rien de tel. Ces expériences appartiennent à l'une ou à l'autre de deux catégories principales. Dans la première catégorie, on trouve ces griseries émotives induites par la fixation de la dévotion sur une fiction de l'imagination — par exemple, l'image mentale de quelque personne divine. Certains genres d'exercices spirituels, tels que ceux qu'a conçus saint Ignace de Loyola, existent uniquement afin d'éduquer les facultés d'imagination et de susciter des émotions intenses se rapportant aux fantaisies ainsi conjurées de propos délibéré. Les mystiques authentiques, tels que saint Jean de la Croix ou l'auteur du *Voile de l'Ignorance,* insistent sur ce qu'il est impossible, en vertu de la nature même des choses, de parvenir à une prise de conscience de la réalité ultime, en cultivant l'imagination et les sentiments; car l'imagination et les sentiments appartiennent au moi séparé, alors que la Divinité immanente et transcendante ne peut être appréhendée par le conscient que lorsque le moi séparé a été réduit au silence et écarté, quand il a été créé dans l'esprit un espace vide, de façon à faire de la place, en quelque forte, à l'Atman-Brahman. L'extase résultant d'émotions nées de l'imagination est complètement différente de la connaissance unitive du Fondement divin.

Les expériences illusoires de la seconde catégorie sont celles qui sont provoquées par une forme de l'auto-hypnose. On attache une grande importance, dans beaucoup d'entre les sutras Mahayana, à la nécessité d'éviter le faux *samadhi* des *sravakas* et des *Pratyeka-Buddhas*. C'est là une condition négative, une absence de conscience plutôt que la transfiguration de celle-ci. On s'évade du monde; mais on ne le voit pas à neuf, *sub specie aeternitatis*. « Si les portes de la perception étaient nettoyées, a écrit Blake, toute chose apparaîtrait à l'homme telle qu'elle est, — infinie. » Mais dans ce faux *samadhi*, il n'y a pas de « nettoyage » de la perception; il y a simplement détournement, abolition temporaire, de la perception. C'est là un retour vers la condition de la matière inanimée, et non un progrès dans la voie de la fin ultime, qui est la connaissance unitive de la réalité divine à l'intérieur de l'âme, ainsi que dans le monde et au-delà.

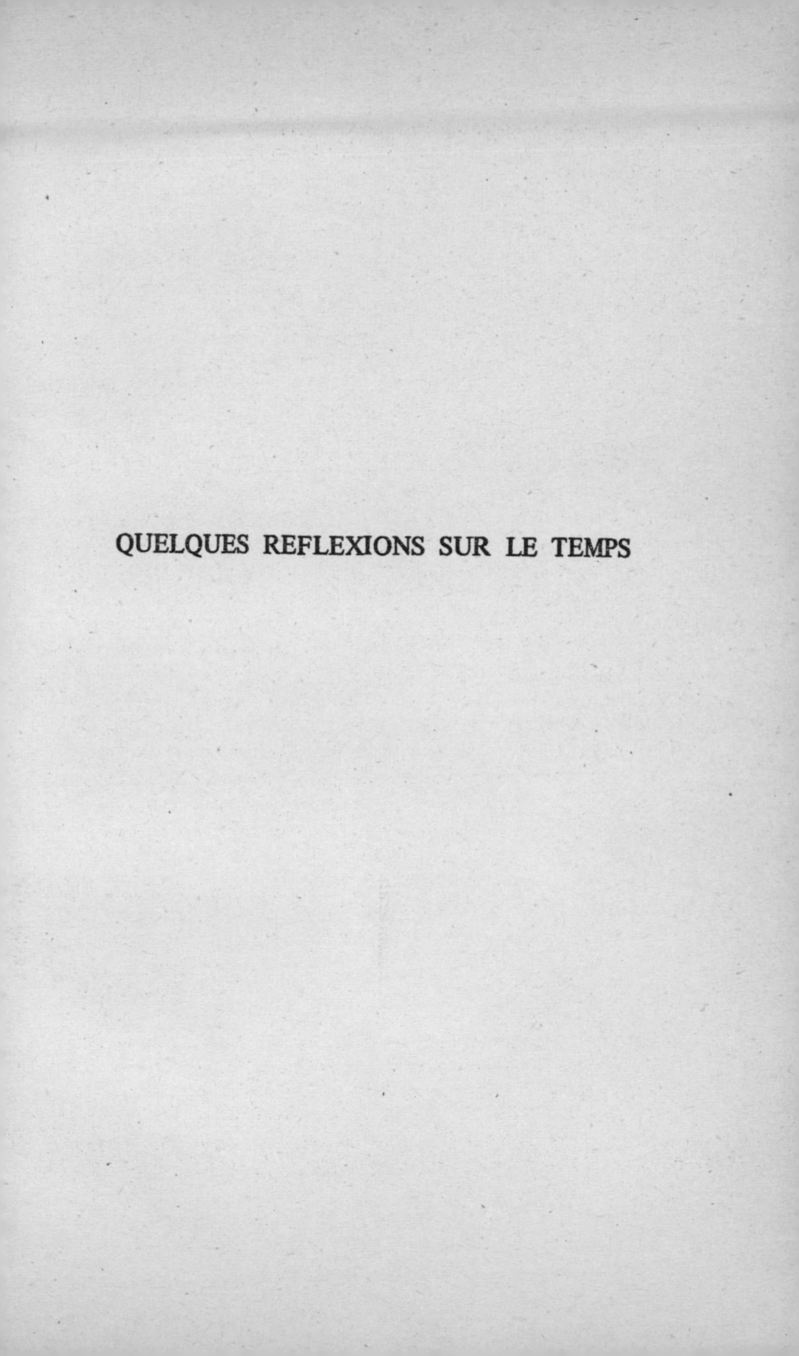

QUELQUES REFLEXIONS SUR LE TEMPS

Le temps détruit tout ce qu'il crée, et la fin de toute séquence temporelle est, pour l'entité qui y est impliquée, la mort, sous une forme ou une autre. La mort n'est entièrement transcendée que lorsque le temps est transcendé; l'immortalité est pour le conscient qui s'est évadé hors du temporel jusque dans l'intemporel. Pour tous les autres conscients, il y a tout au plus survie ou naissance nouvelle; et celles-ci entraînent de nouvelles séquences temporelles et la récurrence périodique de nouvelles morts et de nouvelles dissolutions. Dans toutes les philosophies et religions traditionnelles du monde, le temps est considéré comme le trompeur, la prison, et la chambre de torture. C'est seulement en qualité d'instrument, de moyen pour parvenir à autre chose, qu'il possède une valeur positive; car le temps fournit à l'âme incarnée des occasions de transcender le temps; chaque instant de chaque séquence temporelle est, en puissance, la porte par laquelle nous pouvons, si nous le désirons, nous échapper dans l'éternel. Tous les biens temporels sont des moyens en vue d'une fin qui les dépasse; ils ne doivent pas être traités comme des fins en soi. Les biens matériels doivent être prisés parce qu'ils soutiennent le corps qui, dans notre existence présente, est nécessaire à la réalisation de la fin ultime de l'homme. Les biens moraux ont de nombreuses valeurs utilitaires fort évidentes; mais leur valeur la plus élevée, leur valeur ultime, réside en ce fait qu'ils sont des moyens en vue de cette absence du moi, qui est la condition préalable de la conscience de l'éternel. Les biens de l'intelligence sont des vérités, et, en dernière analyse, celles-ci sont précieuses pour autant qu'elles dissipent les illusions et les préjugés qui éclipsent Dieu. Les biens esthétiques sont précieux parce qu'ils symbolisent la connaissance unitive de la réalité intemporelle, à laquelle ils sont analogues. Considérer l'un quelconque de ces biens temporels comme suffisant en soi et comme une fin ultime, c'est commettre une idolâtrie. Et l'idolâtrie, qui est fondamentalement antiréaliste et inappropriée aux faits de l'univers, a pour résultats, dans le cas le plus favorable, le démenti de soi-même, et, dans le plus défavorable, le désastre.

Le mouvement dans le temps, c'est l'irréversibilité dans une seule direction. « Nous vivons en avant, a dit Kierkegaard, mais nous ne pouvons comprendre qu'à reculons. » En outre, le flux de durée est indéfini et sans conclusion, c'est un cours perpétuel ne possédant en soi ni forme ni possibilité d'équilibre symétrique. La nature, il est vrai, impose à ce perpétuel périr une certaine apparence de forme et de symétrie. C'est ainsi que les jours alternent avec les nuits, que les saisons se reproduisent régulièrement, que les plantes et les animaux possèdent leurs cycles de vie, et sont remplacés par une descendance qui leur ressemble. Mais tous ces dessins, ces symétries, ces retours, sont caractéristiques, non pas du temps tel qu'il est en soi, mais de l'espace et de la matière tels qu'ils sont associés au temps dans notre conscient. Les jours, les nuits, et les saisons existent parce que certains corps célestes se déplacent d'une certaine façon. Si la terre mettait, non pas une année, mais un siècle, à tourner autour du soleil, notre sentiment de l'absence intrinsèque de forme, en ce qui concerne le temps, de son cours irrévocable et à sens unique vers la mort de toutes les entités qui y ont trait, serait beaucoup plus vif qu'il ne l'est à présent; car la plupart d'entre nous, dans ces circonstances hypothétiques, ne vivraient pas assez longtemps pour voir toutes les quatre saisons de la longue année, et n'auraient aucune expérience de cette récurrence et de ce renouveau, de ces variations cosmiques sur des thèmes connus, qui, dans les conditions astronomiques actuelles, déguisent la nature essentielle du temps en lui attribuant, ou en paraissant lui attribuer, quelques-unes des qualités de l'espace. Or, l'espace est un symbole de l'éternité; car dans l'espace il y a la liberté, il y a la réversibilité du mouvement, et il n'y a rien, dans la nature d'un espace, comme c'est le cas pour celle du temps, qui condamne ceux qui y sont mêlés à la mort et à la dissolution inévitables. En outre, lorsque l'espace renferme des corps matériels, il apparaît la possibilité d'un ordre, d'un équilibre, d'une symétrie, d'une forme — la possibilité, en un mot, de cette Beauté qui, avec le Bien et la Vérité, prend sa place dans la trinité de la Divinité manifestée. A ce sujet, il faut noter un point éminemment significatif. Dans tous les arts dont la matière première est d'une nature temporelle, le but primordial de l'artiste est de spatialiser le temps. Le poète, l'auteur dramatique, le romancier, le musicien — chacun d'eux prend un fragment du perpétuel périr, dans lequel nous sommes condamnés à entreprendre notre voyage à sens unique vers la mort, et essaye de le doter de quelques-unes des qualités de l'espace, savoir : la symétrie, l'équilibre, et l'ordre (les caractéristiques, productrices de beauté, d'un espace renfermant des corps matériels), ainsi que la multidimensionalité et la faculté de permettre librement le mouvement dans toutes les directions. Cette spatialisation du temps est réalisée, en poésie et en musique, par l'emploi de rythmes et de cadences récurrents, par l'emprisonnement de la matière traitée dans des formes conventionnelles, telles que celles du sonnet ou de la sonate, et par l'imposition, au fragment choisi d'indéfini temporel, d'un commencement, d'un milieu et d'une fin. Ce qu'on dénomme « construction », dans le drame et le récit, sert au même but de spatialisation. Le but, dans tous les cas, est de donner une forme à ce qui est essentiellement amorphe, d'imposer la symétrie et l'ordre à ce qui est en réalité un flux indéfini vers la mort. Le fait que tous les arts qui traitent de séquences temporelles aient toujours tenté de spatialiser le temps indique fort clairement la nature de la réaction naturelle et spontanée de l'homme à l'égard du temps, et projette une lumière sur la signification de l'espace en tant que symbole de cet état intemporel à quoi, à travers tous les obstacles de l'ignorance, l'esprit humain aspire, consciemment ou inconsciemment.

Il y a eu, chez certains philosophes occidentaux des quelques dernières générations, une tentative en vue d'élever le temps au-dessus de la position que lui avaient assignée les religions traditionnelles et les sentiments normaux de l'humanité. C'est ainsi que, sous l'influence des théories évolutionnistes, le temps est considéré comme le créateur des valeurs les plus élevées, si bien que Dieu lui-même est « émergent » — le produit du flux à sens unique du perpétuel périr, — et non (comme dans les religions traditionnelles) comme le témoin intemporel du temps, transcendant par rapport au temps, et, en raison de cette transcendance, capable d'immanence en lui. Proche parente de la théorie de l'émergence, il y a l'opinion bergsonienne, suivant laquelle la « durée » est la réalité primordiale et ultime, et la « force vitale » existe exclusivement dans le flux. Par ailleurs, nous avons les théories hégélienne et marxienne de l'histoire, qui s'écrit avec un H majuscule, et s'hypostasie sous forme d'une providence temporelle, œuvrant pour réaliser le royaume des cieux sur la terre — ce royaume des cieux sur la terre étant, selon l'avis de Hegel, une version glorifiée de l'État prussien, et, selon l'avis de Marx, qui fut exilé par les autorités de cet état, une version glorifiée de la dictature du prolétariat, conduisant « inévitablement », par le processus de la dialectique, à la société sans classes. Ces idées sur l'Histoire postulent que le divin, ou l'histoire, ou le processus cosmique, ou le *Geist*, — quel que soit le nom dont on désigne l'entité qui utilise le temps à ses fins — se préoccupe de l'humanité en masse, et non de l'homme et de la femme en tant qu'individus — et non de l'humanité à quelque moment donné, mais de l'humanité en tant que succession de générations.

Or, il semble n'y avoir absolument aucune raison de supposer qu'il en est ainsi, — absolument aucune raison de supposer qu'il y a une âme collective des générations successives, capable d'éprouver, de comprendre et d'agir d'après les impulsions transmises par le *Geist*, l'histoire, la force vitale, et tutti quanti. Au contraire, tous les indices font voir que c'est l'âme individuelle, incarnée à un moment donné du temps, qui seule peut établir le contact avec le divin, sans parler des autres âmes. La croyance (qui est fondée sur des faits patents et évidents en soi) selon laquelle l'humanité est représentée, à tout moment donné, par les personnes qui constituent la masse, et que toutes les valeurs de l'humanité résident en ces personnes, est considérée par ces philosophes de l'histoire comme ridiculement superficielle. Mais l'arbre se reconnaît à ses fruits. Ceux qui croient à la primauté des personnes et qui pensent que la fin ultime de toutes les personnes est de transcender le temps et de prendre conscience de ce qui est éternel et intemporel, sont toujours, comme les Hindous, les Buddhistes, les Taoïstes, les Chrétiens primitifs, des adeptes de la non-violence, de la douceur, de la paix, et de la tolérance. Ceux, au contraire, qui se plaisent à être « profonds » à la façon de Hegel et de Marx, qui croient que l'« histoire » traite de l'humanité-en-masse et de l'humanité-en-tant-que-générations-successives, et non d'hommes et de femmes individuels, ici même et maintenant, sont indifférents à la vie humaine et aux valeurs personnelles, adorent les Molochs qu'ils appellent l'État ou la Société, et sont joyeusement disposés à sacrifier des générations successives de personnes réelles et concrètes, au nom du bonheur totalement hypothétique qui, pensent-ils sans aucune raison, sera le lot de l'humanité dans l'avenir lointain. La politique de ceux qui considèrent l'éternité comme la réalité ultime se préoccupe du présent, et des voies et moyens d'organiser le monde présent de telle façon qu'il impose le moins possible d'obstacles dans la voie de la libération individuelle d'avec le temps et l'ignorance; ceux, au contraire, qui considèrent le temps comme la réalité ultime, se préoccupent primordialement de l'avenir, et considèrent le monde actuel et ses habitants comme de simples matériaux bruts, de la chair à canon, et de la main-d'œuvre esclave en puissance, qu'il faut exploiter, terroriser, liquider, ou faire voler en miettes, afin que des personnes qui, peut-être, ne naîtront jamais, à une époque future dont on ne peut rien connaître avec le moindre degré de certitude, puissent jouir de ce genre de « bon temps » merveilleux que les actuels révolutionnaires et fauteurs de guerres estiment qu'ils devraient avoir. Si cette démence n'était pas criminelle, on serait tenté de rire.

WILLIAM LAW

Le monde, dans sa réalité concrète, est complexe et innombrable presque à l'infini. Afin de le comprendre, nous sommes contraints d'abstraire et de généraliser, — en d'autres termes, d'omettre ce qu'il nous plaît sur le moment de considérer comme étranger à la question, et de réduire ce qui reste de diversité à quelque forme d'homogénéité. Ce que nous comprenons, ce n'est jamais la réalité concrète telle qu'elle est en soi, ni même telle qu'elle paraît être à l'expérience immédiate que nous en avons; ce que nous comprenons, c'est notre propre simplification arbitraire de cette réalité. Ainsi, celui qui fait des travaux de sciences naturelles abstrait, de la réalité concrète de l'expérience immédiate, uniquement ceux de ses aspects qui sont mesurables, uniformes, et moyens; de cette façon il peut (à condition de négliger les qualités, les valeurs, et le cas individuel et unique) parvenir à une compréhension du monde, limitée, mais extrêmement utile pour certains besoins. De même, l'historien parvient à sa compréhension beaucoup plus limitée et douteuse du passé et du présent de l'homme, en choisissant, d'une façon plus ou moins arbitraire, parmi la masse informe des faits enregistrés, ceux-là précisément qui manifestent le genre d'homogénéité qui se trouve convenir à un homme de son époque, de son tempérament et de son éducation particuliers. Cette homogénéité est ensuite généralisée suivant un principe, ou même hypostasiée sous forme d'un *Zeitgeist;* et ceux-ci sont utilisés à leur tour pour expliquer les événements et pour en élucider les significations. Les faits qui ne se laissent pas expliquer ainsi, ou bien on les escamote comme étant exceptionnels, anormaux, et étrangers à la question, ou bien on les passe complètement sous silence. On me permettra peut-être à ce sujet, de citer un passage d'un essai que j'ai écrit il y a quelques années à propos d'une étude historique de Mr Christopher Dawson, *The Making of Europe* [1].

Parfois, il est vrai, Mr Dawson fait une généralisation avec laquelle je me trouve en désaccord (avec toute la timidité du dilettante peu versé dans la question). Par exemple : « L'Européen moderne (dit-il) est habitué à considérer la société comme se préoccupant essentiellement de la vie actuelle et des besoins matériels, et la religion comme étant une influence sur la vie morale de l'individu. Mais pour le Byzantin, voire pour l'homme du moyen âge en général, la société primordiale était la religieuse, et les affaires économiques et séculières étaient une considération secondaire. » A titre de confirmation, Mr Dawson cite, entre autres documents, un passage des écrits de saint Grégoire de Naziance, sur l'intérêt que portaient à la théologie ses contemporains du IVe siècle. « Les changeurs parleront de l'Engendré et du Non-engendré, au lieu de vous donner votre argent; et si vous désirez prendre un bain, le tenancier des bains vous assurera que le Fils ne procède assurément de rien. » Ce que ne dit pas Mr Dawson, c'est que ce même saint Grégoire reproche aux gens de Constantinople l'intérêt qu'ils portent aux courses de chars, intérêt qui, à l'époque de Justinien, un siècle et demi plus tard, était devenu si passionnément dément, que les Verts et les Bleus s'assassinaient mutuellement par centaines et même par milliers. Là encore, il faut appliquer l'épreuve du comportement. Si les hommes se conduisent comme s'ils s'intéressaient passionnément à une chose — et il est difficile de prouver plus efficacement son dévouement à une cause, qu'en

1. La Formation de l'Europe. *(N. d. T.)*

tuant et se faisant tuer pour elle — alors il nous faut présumer que cet intérêt est sincère, qu'il est une considération primordiale, plutôt que secondaire. Les faits effectifs semblent démontrer que certains Byzantins s'intéressaient passionnément à la religion, et que d'autres (ou peut-être étaient-ce les mêmes) s'intéressaient non moins passionnément aux courses. En tout cas, ils se comportaient de la même façon au sujet de ces deux activités, et étaient aussi prêts à subir le martyre pour leur jockey préféré que pour leur article préféré du Symbole de saint Athanase. L'inconvénient des généralisations comme celle de Mr Dawson, c'est qu'elles passent sous silence le fait que la société n'est jamais homogène, et que les êtres humains appartiennent à de nombreuses espèces mentales différentes. Il semble que cela soit vrai, même chez les sociétés primitives manifestant, de la part de leurs membres, le maximum de « co-conscience ». C'est ainsi que Paul Radin, l'anthropologiste bien connu par ses travaux sur les Peaux-Rouges, est parvenu à la conclusion que les croyances monothéistes sont en corrélation avec un tempérament spécifique, et qu'on peut donc s'attendre à les voir apparaître avec une certaine fréquence spécifique, indépendamment de la culture. Si cela est exact, que devient une généralisation comme celle de Mr Dawson? Manifestement, elle s'écroule. On ne peut mettre en accusation une époque, non plus qu'on ne le peut d'une nation.

On voit donc qu'il n'y a pas de raison de croire à l'homogénéité des Siècles d'Obscurantisme ou du moyen âge. Il y a encore moins de raison de croire à l'homogénéité de périodes plus récentes, telles que le XVIIIe siècle, le « Siècle des Lumières ». Et, en fait, on constate que l'époque de Gibbon est aussi celle de Cagliostro et du comte de Saint-Germain, que l'ère de Bentham et de Goodwin est aussi celle de Blake et de Mozart; que l'époque de Hume et de Voltaire est aussi celle de Swedenborg, des Wesley, et de Jean-Sébastien Bach. Et ce même Siècle des Lumières a produit des fils encore plus étranges que ces visionnaires et magiciens, ces « revivalists » infatigables, ces poètes et musiciens lyriques. Il a produit le premier historien systématique du mysticisme, Gottfried Arnold; il a produit l'un des plus grands auteurs de lettres spirituelles pour la direction des mystiques pratiquants, J.-P. de Caussade. Il a produit, en la personne de Louis Grou, l'auteur d'un livre de dévotion mystique, digne de prendre place parmi les classiques de la vie spirituelle. Et enfin, en la personne de William Law, il a produit un grand philosophe et théologien du mysticisme.

L'idée suivant laquelle toute période historique donnée serait homogène et uniforme repose sur l'hypothèse tacite que l'éducation est tout, et que la nature n'est rien. De nature, comme l'observation la plus fortuite suffit à nous en convaincre, les êtres humains ne sont nullement tous du même genre; physiquement, intellectuellement, émotivement, ils se diversifient de la façon la plus étonnante. Les généralisations historiques ne peuvent être valables que si la force unificatrice de l'hérédité sociale est toujours beaucoup plus puissante que la force diversifiante de l'hérédité individuelle. Mais il n'y a aucune raison de supposer qu'elle soit toujours beaucoup plus puissante. Au contraire, il est manifeste que, quelle que soit la nature du milieu social et culturel, le physique et le tempérament individuels restent tels que les ont faits les chromosomes. L'éducation et l'hérédité sociale ne peuvent modifier les faits psycho-physiques de l'hérédité individuelle. Elles conditionnent simplement l'expression patente du physique et du tempérament, et fournissent à l'individu la philosophie suivant laquelle il pourra rationaliser ses actes. C'est ainsi que, dans un siècle de foi, il faut que les constatations des empiriques-nés et des sceptiques soient d'accord avec ce qui est considéré localement comme révélation divine et autorité religieuse; car c'est de cette façon seulement qu'on pourra les faire paraître plausibles intellectuellement, et moralement respectables. Dans un siècle positiviste, il faut que les constatations de ceux qui sont naturellement religieux soient présentées comme concordant avec les hypothèses scientifiques les plus récentes; car c'est à cette condition seulement qu'elles auront une chance d'être prises au sérieux par ceux qui ne sont pas congénitalement dévôts. Les individus dont les tendances innées sont contraires à celles que prescrivent les normes sociales et les traditions culturelles dominantes, sont contraints de choisir entre quatre voies possibles : — se forcer à une conformité sans enthousiasme, mais sincère (consciemment, tout au moins); feindre hypocritement de se conformer, en ne perdant pas de vue leur propre intérêt; faire de la dissidence, tout en rationalisant et justifiant leur non-conformisme en le rapportant à la philosophie couramment orthodoxe, qu'ils réinterprètent pour l'adapter à leurs besoins personnels; adopter une attitude de rébellion ouverte et sans réserve, en rejetant les rationalisations orthodoxes non moins complètement que les normes orthodoxes de conduite. N'importe quel genre d'individu peut être plongé par la naissance dans n'importe quel genre d'hérédité sociale. Il résulte de là qu'à toute période donnée, l'hérédité sociale régnante sera défavorable au plein développement de certains genres d'individus. Mais quelques-uns de ces individus non-conformistes réussiront néanmoins à s'évader des restrictions que leur impose le *Zeitgeist* — à être, par exemple, des romantiques dans un siècle de classicisme, ou des mystiques au mépris d'une hérédité sociale qui favorise les positivistes-nés et les matérialistes naturels.

A l'époque où les hommes pensaient encore selon des données théologiques plutôt que scientifiques, quand ils cherchaient encore à trouver les causes premières des événements, plutôt que leurs causes secondes, on expliquait les faits de l'hérédité individuelle par une théorie de la prédestination. Pour nos ancêtres, l'augustinisme fournissait une explication plausible et intellectuellement satisfaisante de la diversité humaine; pour nous, l'augustinisme paraît une explication totalement insuffisante, et c'est par le mendélisme que nous cherchons à comprendre les faits observables. L'hypothèse plus ancienne attribuait ces phénomènes au bon plaisir de Dieu; la nouvelle ne tient pas compte de Dieu, et se concentre sur le mécanisme au moyen duquel les différences sont créées, conservées et modifiées. Elles sont d'accord, toutefois, pour considérer les différences individuelles de physique et de tempérament comme des choses ordonnées par avance, et, dans une mesure considérable, non modifiables par le milieu.

Tous les indices révèlent ce fait, qu'il y a des mystiques-nés, et que ces mystiques-nés peuvent suivre leur vocation à l'encontre d'un milieu anti-mystique. En conclurons-nous donc que la pratique de la contemplation mystique est réservée exclusivement à ceux dont la constitution psycho-physique les prédestine en quelque sorte à la vie mystique? Le consensus général de ceux qui sont le mieux qualifiés pour prêcher à ce sujet, c'est qu'il n'en est point ainsi. La vie mystique est possible pour tous — pour les congénitalement actifs et pieux, non moins que pour les congénitalement contemplatifs. La transcendance du moi peut être effectuée par n'importe qui, quelle que soit sa constitution héréditaire, et quelle que soit la nature du milieu culturel; et dans tous les cas, la transcendance du moi se termine par la connaissance unitive de Dieu. Que la transcendance du moi soit plus difficile pour certains individus dans certains milieux, c'est là, bien entendu, une chose évidente. Mais bien que, pour beaucoup de gens, la voie de la connaissance unitive de Dieu soit affreusement ardue, il semble impie de croire, avec Calvin et ses prédécesseurs et successeurs, que le bon plaisir divin ait prédestiné le plus grand nombre des hommes et des femmes à un échec inévitable et irrémédiable. S'il y a peu d'élus, c'est parce que, consciemment ou inconsciemment, il y en a peu qui désirent être élus. « Que Ton règne advienne, que Ta volonté soit faite », c'est l'unique volonté et l'unique faim qui nourrisse l'âme du pain vivifiant du Ciel. « Cette volonté, poursuit Law, est toujours accomplie; il est impossible de s'en défaire; car il faut que le royaume de Dieu se manifeste avec toutes ses richesses dans cette âme qui ne veut aucune autre chose; il n'a jamais été et ne peut jamais être perdu, si ce n'est par la volonté qui recherche autre chose. D'où il appert avec la certitude la plus totale que, si vous n'avez point de paix intérieure, si le réconfort religieux vous fait encore défaut, c'est parce que vous avez plus d'une seule volonté. Car la multiplicité des volontés est l'essence même de la nature déchue, et c'est là que gît tout son mal, sa misère, et sa séparation d'avec Dieu; et aussitôt que vous retournerez à cette volonté unique, et n'autoriserez qu'elle seule, vous serez revenu à Dieu, et vous trouverez en vous la béatitude de Son royaume. »

Pour le mystique pratiquant, *Tat Twam asi* est un axiome, aussi évident en Europe que dans l'Inde, c'est tout autant une question d'expérience immédiate pour un Eckhart, un Ruysbrœck, ou un Law, qu'elle l'a été pour un Sankara ou un Ramakrishna. Ce qui suit est le commentaire de Law sur le précepte ordonnant d'« aimer Dieu de tout votre cœur, de toute votre âme et de toutes vos forces ».

« A quelle fin ce précepte d'un tel amour serait-il donné à l'homme, à moins qu'il ne participât essentiellement de la nature divine? Car être de cœur, d'âme et d'esprit, tout amour de Dieu, et pourtant n'avoir en soi rien de la nature de Dieu, c'est assurément trop absurde pour que quiconque le croie. Aussi sûrement, donc, que ce précepte provient de la Vérité même, il est sûr que tout homme (quelque disposé qu'il soit à n'entendre parler que de plaisir et de jouissance dans cette vaine ombre qu'est une vie) a pourtant une nature divine cachée en lui, et qui, lorsqu'il lui sera loisible d'entendre les appels de Dieu, entendra la voix de son Père céleste et désirera ardemment faire Sa volonté sur la terre comme elle est faite au Ciel. D'autre part, pour voir la divinité de l'original de l'homme, il suffit de lire ces mots : « Soyez parfait comme est parfait votre Père qui est au Ciel ». Car que pourrait avoir affaire l'homme avec la perfection de Dieu comme règle de sa vie, si la vérité et la réalité de la nature divine n'était en lui? Pourrait-il y avoir quelque raison dans le précepte, ou quelque convenance à nous ordonner d'être bons comme Dieu est bon, s'il n'y avait en nous cela qui est en Dieu? Enfin, « Tu aimeras ton prochain comme toi-même » est une autre preuve complète que Dieu est véritablement en nous, et que le Saint-Esprit a aussi certainement une naissance essentielle en nous que l'a l'esprit de ce monde. Car ce précepte pourrait aussi bien être donné à un renard qu'à un homme, si l'homme n'avait en lui quelque chose de tout à fait surnaturel. Car la simple nature et la créature naturelle ne sont rien que simple *moi*, ils ne peuvent rien opérer que pour le *moi* et se rapportant au *moi*. Et cela, non pas en raison de quelque corruption ou dépravation de la nature, mais parce que c'est le meilleur état de la nature, et elle ne saurait être autre chose, ni chez l'homme, ni chez la bête. »

Pour le mystique, je le répète, *Tat Twam asi* est un axiome; mais pour ceux qui n'ont pas éprouvé l'expérience immédiate du « Tu es Cela », il essaye de trouver des arguments pour soutenir cette vérité évidente pour lui, — des arguments fondés sur d'autres expériences immédiates plus généralement partagés que la conscience mystique de l'identité de l'Atman et de Brahman. Les arguments de Law dans le passage ci-dessus sont fondés d'une part sur les paroles du Christ, acceptées comme révélation, d'autre part sur le fait observable de l'amour désintéressé de Dieu, et pour les hommes, au nom de Dieu. On trouve une autre ligne d'argumentation dans le chapitre final de *Qu'est-ce que la Vie*, livre dans lequel un éminent physicien-mathématicien, le professeur Erwin Schrödinger, examine les problèmes de l'hérédité en les rapportant à la mécanique quantique. Le Dr Schrödinger écrit :

« Les expériences immédiates en elles-mêmes,

quelque diverses et disparates qu'elles soient, sont logiquement incapables de se contredire. Voyons donc si nous pouvons tirer la conclusion correcte, non-contradictoire, des deux prémisses suivantes :

« 1° Mon corps fonctionne comme un pur mécanisme, conformément aux Lois de la Nature.

« 2° Pourtant je sais, par expérience directe indiscutable, que j'en dirige les mouvements, dont je prévois les effets, qui peuvent être fatidiques et de toute importance, auquel cas j'en ressens et accepte la pleine responsabilité. »

La seule déduction possible à tirer de ces deux faits, c'est, à mon avis, que je — « je », suivant la plus large acception du mot, c'est-à-dire tout esprit conscient qui a jamais dit ou senti « je » — suis la personne, s'il en existe, qui maîtrise le « mouvement des atomes », conformément aux lois de la nature. En soi, cette intuition n'est pas nouvelle. Dès les premières grandes *Upanishads*, la cognition *Atman-Brahmam* a été, dans la pensée indienne, bien loin d'être blasphématoire, mais considérée comme représentant la quintessence de la pensée la plus profonde sur les événements du monde. Tous les érudits du Vedanta se sont appliqués, après avoir appris à la prononcer avec leurs lèvres, à assimiler véritablement en leur esprit cette plus grandiose de toutes les pensées.

La place ne me permet pas de citer les commentaires intéressants du Dr Schrödinger sur le fait que « la conscience ne s'exprime jamais au pluriel, mais seulement au singulier », et sur son hypothèse suivant laquelle la « pluralisation de la conscience » est la conséquence de ses rapports avec une « pluralité de corps semblables ». Il en a été cité suffisamment, toutefois, pour faire voir clairement que, s'il est impossible que le fait d'aucune expérience immédiate soit prouvé par le raisonnement, il est néanmoins possible de raisonner à partir des prémisses d'autres expériences, de façon telle que l'existence de la première expérience soit une chose plausible et probable — tellement plausible et probable qu'il vaut la peine de remplir les conditions moyennant lesquelles, et moyennant lesquelles seules, cette expérience peut entrer dans notre vie en tant que fait du conscient[1].

1. Cet essai a été publié ultérieurement comme introduction aux *Selected Mystical Writings of William Law*, édités par Stephen Hobhouse (New-York, Harper, Brothers, 1948). *(N. d. T.)*

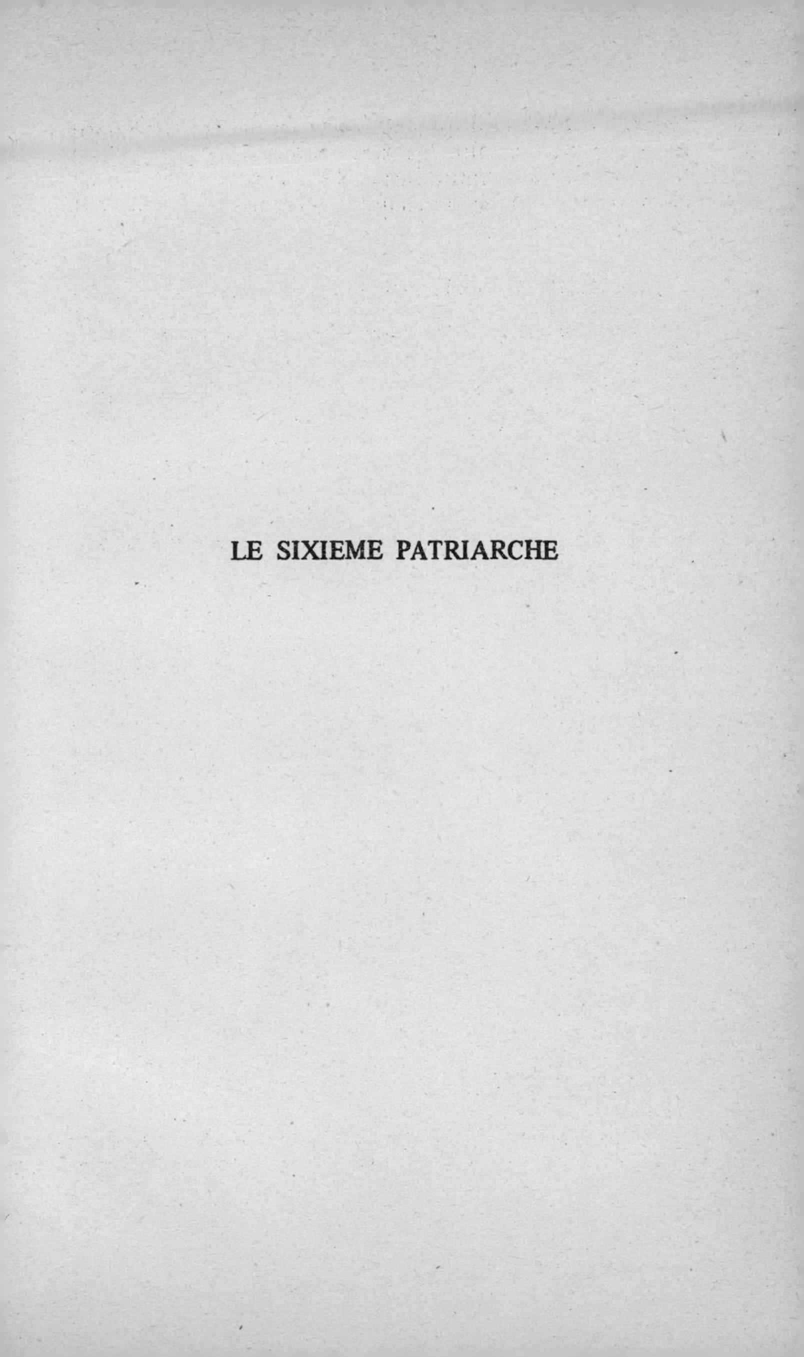

LE SIXIEME PATRIARCHE

Dans l'anthologie extrêmement précieuse de Dwight Goddard, *A Buddhist Bible*, il y a un document que j'aime tout particulièrement : Le Sutra dit par le Sixièmc Patriarche. Le mélange de buddhisme mahayana et de taoïsme, que les Chinois ont appelé Ch'an, et les Japonais d'une époque postérieure, Zen, est formulé pour la première fois dans ce récit de Hui-neng et de son enseignement. Et, alors que la plupart des autres sutras mahayana sont écrites en un style philosophique assez rébarbatif, ces souvenirs et ces paroles notés du Sixième Patriarche manifestent une fraîcheur et une vivacité qui les rendent absolument chaımants.

La première « conversion » de Hui-neng eut lieu alors qu'il était encore jouvenceau. « Un jour, tandis que je vendais du bois à brûler au marché, j'entendis un homme qui lisait un Sutra. A peine eus-je entendu le texte du Sutra, que mon esprit fut soudain illuminé. » S'étant rendu au monastère de Tung-tsen, il fut reçu par le Cinquième Patriarche, qui demanda « d'où je venais et ce que j'espérais obtenir de lui ». Je répondis que j'étais un homme du peuple, de Sun-chow, et je dis alors : « Je ne demande rien, que l'état de Buddha ».

Le gamin fut envoyé au grenier du monastère, où, pendant de longs mois, il travailla comme journalier, à décortiquer du riz.

Un jour, le Patriarche rassembla ses moines, et, après leur avoir rappelé l'inutilité du mérite, en comparaison de la libération, leur dit d'aller « chercher la sagesse transcendentale dans votre esprit, et d'écrire une strophe à ce sujet. Celui qui aura l'idée la plus nette de ce qu'est l'Essence de l'Esprit, recevra les insignes et deviendra le Sixième Patriarche. »

Shin-shan, le plus savant des moines, et qui était l'homme que tous s'attendaient à voir devenir le Sixième Patriarche, fut le seul à faire ce qu'avait ordonné l'Abbé.

Notre corps peut être comparé à un arbre Bodhi,
Tandis que notre esprit est un miroir brillant.
Nous les nettoyons avec soin et les observons d'heure [en heure,
Et ne permettons pas à la poussière de s'y rassembler.

Voilà ce qu'il écrivit; mais le Cinquième Patriarche lui dit de retourner dans sa cellule et de faire un nouvel essai. Deux jours plus tard, Hui-neng entendit quelqu'un réciter la strophe, sut immédiatement que son auteur n'était pas parvenu à l'illumination, et il dicta lui-même les vers ci-après à quelqu'un qui savait écrire :

Le Bodhi n'est certes pas une sorte d'arbre,
Non plus que l'esprit brillant et réfléchissant n'est un [ensemble de miroirs.
Puisque l'esprit est le Vide,
Où la poussière peut-elle se rassembler?

Ce soir-là, le Cinquième Patriarche fit venir le gamin dans sa cellule, et lui conféra les insignes.

Assez naturellement, les moines compagnons de Hui-neng furent jaloux, et il s'écoula de longues années avant qu'il fût reconnu d'une façon générale comme Sixième Patriarche. Voici quelques exemples de ses dires, tels qu'ils ont été notés par ses disciples.

« Puisque vous êtes venu ici à la recherche du Dharma, veuillez vous abstenir d'avoir une opinion sur quoi que ce soit, mais essayez de garder l'esprit parfaitement pur et réceptif. Je vous donnerai alors l'enseignement. Lorsqu'il l'eut fait pendant un temps considérable, je lui dis : Au moment particulier où vous ne songez ni au bien ni au mal, quelle est la véritable nature de votre moi? — Et dès qu'il entendit cela, il fut illuminé.

« Les gens qui vivent dans l'illusion espèrent expier leurs péchés par l'accumulation du mérite. Ils ne comprennent pas que les félicités qui seront ainsi gagnées dans des vies futures n'ont rien à voir avec l'expiation du péché. Si nous nous débarrassons du principe du péché dans notre propre esprit, — c'est alors, et alors seulement, un cas de véritable repentir.

« Les gens dans l'illusion s'obstinent à s'en tenir à leur propre façon d'interpréter le samadhi, qu'ils définissent comme le fait de rester tranquillement et continuellement assis sans permettre à aucune idée de naître en l'esprit. Une telle interprétation nous classerait parmi les êtres inanimés. Ce n'est pas la réflexion qui obstrue le Chemin, c'est l'attache à toute pensée ou opinion particulière. Si nous libérons notre esprit d'avec l'attache, d'une part, et d'avec la pratique de réprimer les idées, de l'autre, le Chemin sera libre et ouvert devant nous. Sinon, nous serons en esclavage.

« La tradition de notre école a été de prendre la « non-objectivité » comme fondement, l'absence d'idées comme objet, et l'absence d'attache comme principe fondamental. La « non-objectivité » consiste à n'être pas absorbé dans les objets quand nous sommes en contact avec des objets. L'absence d'idées consiste à n'être pas emporté par une idée quelconque qui peut se présenter pendant l'exercice de nos facultés mentales. L'absence d'attache consiste à ne pas chérir le désir ou l'aversion se rapportant à tout objet, ou mot, ou idée particuliers. L'absence d'attache est la caractéristique de l'essence de l'Esprit ou Réalité.

« En ce qui concerne la pensée, que le passé soit mort. Si nous permettons à nos pensées, passées, présentes et à venir, de se réunir en une série, nous nous mettons en esclavage.

« Notre nature véritable est intrinsèquement pure, et si nous nous débarrassons de la pensée discriminatrice, il ne restera que cette pureté intrinsèque. Néanmoins, dans notre système de Dharma, ou d'exercices spirituels, nous n'insistons pas sur la pureté. Car si nous concentrons notre esprit sur la pureté, nous créons simplement un nouvel obstacle sur la voie de la conscience prise de la Réalité, savoir : l'imagination illusoire de la pureté.

« Le *Sutra* dit que l'Essence de notre Esprit est intrinsèquement pure. Que chacun de nous se rende compte de cela pour lui-même, d'une sensation momentanée à une autre. »

Le récit des derniers jours du Patriarche est malheureusement trop long pour être cité *in extenso*. Environ un mois avant sa mort, Hui-neng annonça à ses disciples son départ imminent, et leur donna quelques derniers conseils, parmi lesquels les suivants sont à noter. « Vous êtes tout spécialement avertis de ne pas laisser l'exercice de la concentration de l'esprit dégénérer en simple quiétisme ou en un effort pour maintenir l'esprit dans un état de vacuité. » Et, par ailleurs : « Faites de votre mieux, chacun d'entre vous. Allez là où vous mèneront les circonstances. Écoutez cette strophe :

Avec ceux qui sont sympathiques
Vous pouvez discuter du Buddhisme.
Quant à ceux dont le point de vue diffère du nôtre,
Traitez-les courtoisement et essayez de les rendre heureux.
Ne disputez pas avec eux, car les disputes sont étrangères à notre école,
Elles sont incompatibles avec son esprit.
Être sectaire, discuter avec autrui à l'encontre de cette règle,
C'est soumettre l'Essence de son esprit à l'amertume de cette existence mondaine. »

Le dernier jour de sa vie, le Patriarche réunit ses disciples et leur dit qu'ils ne devaient pas verser de larmes ni le pleurer après sa mort. « Celui qui n'agira pas ainsi n'est pas mon disciple. Ce qu'il faut que vous fassiez, c'est de connaître votre propre esprit et d'avoir conscience de votre nature propre de Buddha, qui ne se repose ni ne se meut, ne devient ni ne cesse d'être, ne vient ni ne va, n'affirme ni ne nie, ne demeure ni ne s'en va. Si vous exécutez mes instructions après ma mort, mon départ ne fera aucune différence pour vous. Au contraire, si vous allez à l'encontre de mes enseignements, si même je demeurais auprès de vous, vous n'en tireriez aucun profit. »

Après quoi, il s'assit révérencieusement jusqu'à la troisième veille de la nuit, puis il dit soudain : « Je pars maintenant », et il trépassa en un instant. Au même instant, la pièce fut emplie d'un parfum particulier, et un arc-en-ciel lunaire parut relier le ciel à la terre; les arbres du bosquet pâlirent, et les oiseaux et les bêtes gémirent tristement.

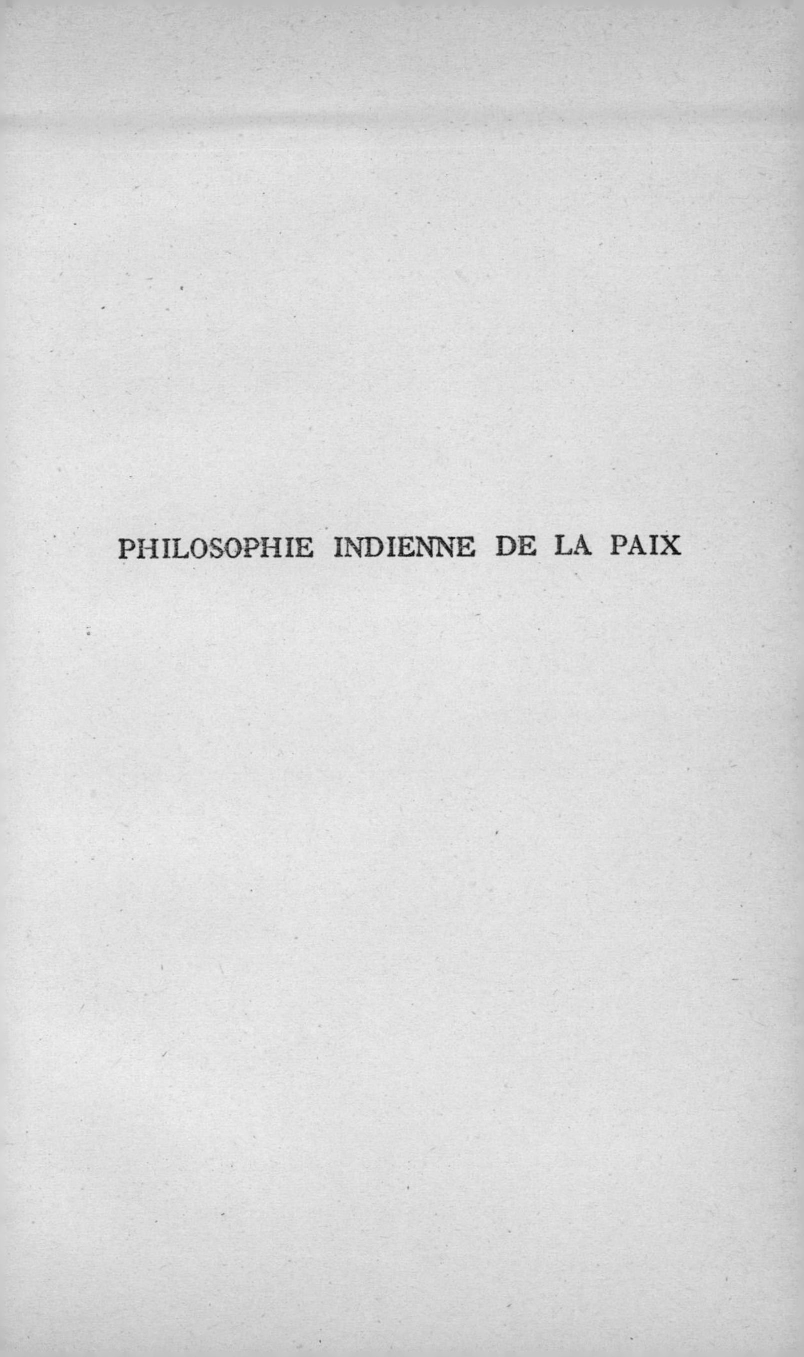

PHILOSOPHIE INDIENNE DE LA PAIX

Il n'y a point de panacées, ni de raccourcis. L'homme est un être amphibie qui vit simultanément ou successivement dans plusieurs univers, — dans le monde de la matière, le monde de l'esprit, le monde de l'âme, dans le monde individuel et dans le monde social; dans l'univers « fabriqué-maison » de ses propres produits ouvrés, institutions et imaginations, et dans l'univers donné, de la nature et de la grâce, qu'a créé Dieu. Il est conforme à la nature même des choses qu'aucun des problèmes majeurs auxquels un tel être a à faire face ne puisse être un problème simple. Ceux qui cherchent des solutions simples aux problèmes complexes peuvent être animés de la meilleure des intentions; mais il y a malheureusement un péché originel de l'intelligence aussi bien que de la volonté. Ce péché originel de l'intelligence est notre habitude de la simplification arbitraire poussée à l'excès. Ceux qui agissent sans prendre de précautions à l'encontre de ce vice de leur nature intellectuelle, se condamnent, et condamnent leurs semblables, à une désillusion perpétuelle.

Examinons un exemple concret. Comment peut-on éviter la violence en grand? Comment peut-on conserver, étendre, et intensifier la paix? Ces problèmes se posent, et doivent donc être résolus, à tous les niveaux de l'existence multiple de l'homme. Ils se posent, et doivent être résolus, au niveau politique; au niveau démographique; aux niveaux de la fertilité du sol et de la production des aliments et des matières premières; aux niveaux de l'industrie et de la répartition des richesses; aux niveaux idéologique et religieux; au niveau de la constitution, du tempérament et du caractère individuels. Attaquer l'ennemi sur un seul front, cela peut être magnifique, comme la charge de la Brigade légère [1]; mais il est absolument certain que cela ne réussira pas.

Les éléments principaux de notre problème complexe sont les suivants. D'abord, certaines personnes (les somatotoniques extrêmes, suivant la phraséologie de Sheldon) sont organiquement dures, agressives, impitoyables et aiment la puissance. *Secundo*, la religion effective, bien que non encore nominale, du xxe siècle, est l'idolâtrie nationaliste. Le monothéisme, qui n'a jamais joui d'une existence autre que précaire, a été remplacé partout par le culte de divinités locales, « fabriquées-maison ». C'est ainsi que le judaïsme a été réduit, à présent, de l'état de religion universelle à celui d'un simple culte de tribu; le christianisme grec orthodoxe est devenu (avec le communisme) l'instrument de l'impérialisme slave; et l'on tente actuellement d'utiliser les christianismes catholique romain et protestant au service des nationalismes occidentaux. Dans un monde dont la religion est l'idolâtrie nationaliste, et dont la politique est fondée sur le séparatisme souverain, les individus congénitalement agressifs sont exposés au maximum de tentation. Des idées insensées et un système politique défectueux leur donnent des occasions précieuses d'être eux-mêmes, sans aucune retenue. Inversement, la somatotonie sans restrictions en haut lieu a pour résultat une aggravation du système politique et la propagation d'une religion encore plus démente.

Le troisième élément majeur de notre problème est le fait que la population de notre planète s'accroît beaucoup plus rapidement que les approvisionnements actuellement disponibles de vivres et de matières premières. La faim est l'une des causes

1. A Balaclava, au cours de la guerre de Crimée, en 1854. *(N. d. T.)*

principales de la révolution politique et, dans un contexte nationaliste, de la guerre. Les conséquences politiques de cette pression démographique sur les ressources sont aggravées par une production inefficace et une répartition inéquitable; et le fait de ces inefficacités et de ces iniquités constitue le quatrième élément de notre problème. Si nous voulons la paix, il nous faut trouver des moyens pour attaquer simultanément toutes ces causes de violence en grand. Cette tâche, la chose n'est que trop évidente, est extrêmement difficile.

Dans un essai fort intéressant portant ce titre, le Dr Amiya Chakravarty discute de la philosophie indienne de la paix. Le grand mérite de cette philosophie, c'est qu'elle remonte aux principes premiers. La paix — elle y insiste — est plus qu'une simple affaire d'arrangements politiques et économiques. Puisque l'homme est placé à la limite qui sépare l'animal du divin, le temporel de l'éternel, la paix sur la terre possède une signification cosmique. « Tam Twam asi », Tu es Cela : en conséquence, toute abolition violente d'une vie humaine a une signification transcendante et éternelle. En outre, l'esprit de l'univers est, entre autres, la paix qui passe tout entendement. La fin ultime de l'homme est la conscience prise que, dans son essence, il ne fait qu'un avec l'esprit universel. Mais s'il veut prendre conscience de son identité avec la paix qui passe l'entendement, il lui faut commencer par vivre dans la paix qui ne passe pas l'entendement — la paix entre les nations et les groupes, la paix dans les rapports personnels, la paix à l'intérieur de la personnalité multiple et divisée. Il y a de nombreuses et excellentes raisons utilitaires de s'abstenir de la violence; mais la raison dernière et complètement convaincante est de nature métaphysique.

Cela ne signifie pas, bien entendu, qu'en insistant exclusivement sur la métaphysique, nous résoudrons nos problèmes. Avoir une bonne philosophie, c'est indispensable. Mais bien d'autres choses le sont aussi. Une bonne philosophie doit s'accompagner de bonnes institutions politiques, de bonnes mesures pour limiter l'accroissement excessif de la population, de bonne agriculture, de bonne conservation des sols, de bonne technologie, de bonne répartition des richesses, de bonnes mesures thérapeutiques, dans le cadre des occupations, pour les somatotoniques extrêmes. Dans la plupart des parties du monde on ne trouve ni les conditions physiques, ni les conditions métaphysiques, indispensables à la paix.

Même dans l'Inde, où les conditions métaphysiques, tout au moins, existaient jadis, la philosophie traditionnelle de la paix fait rapidement place à une philosophie de guerre. L'idolâtrie nationaliste, avec ses corollaires pratiques — les chars d'assaut, les troupes, les avions et un budget militaire énorme — prend à présent sa place comme religion effective du sous-continent. Dans le numéro du *Mother India* du 17 septembre 1949, on peut lire un article sur « Les faits sinistres de la situation au Kashmir ». Après avoir exposé ces faits, l'auteur demande : « Que faut-il faire? » La réponse a cette question est la suivante :

« Tout ce qu'on peut dire est fort judicieusement résumé dans les paroles prononcées par Sardar Balder Singh, le 28 août. Après avoir déclaré que l'Inde n'était mal disposée envers personne, et désirait un règlement amiable, il a émis une note d'avertissement : « J'ai entendu dire par les dirigeants du Pakistan que le Kashmir est essentiel à l'existence du Pakistan. Il y a des gens dans ce pays qui parlent même de régler l'affaire par la force des armes. Mais si quelqu'un s'imagine qu'on puisse gagner n'importe quoi par le bluff ou la menace de la force, il se trompe prodigieusement... Nos braves soldats ont combattu dans des conditions fort difficiles, et, par leurs actes de courage, ont prouvé leur valeur et sauvé de la destruction la magnifique vallée du Kashmir. Je ne doute pas un seul instant que les vaillants soldats et officiers de nos forces armées n'ajoutent encore un chapitre glorieux à leurs brillantes annales lorsqu'ils seront appelés à le faire. »

Hélas, il semble qu'on ait déjà entendu des paroles de ce genre, et non point des lèvres de Buddha ou de Mahatma Gandhi. Chose bien significative, le cadavre de celui-ci fut conduit au bûcher sur un affût de canon; des soldats faisaient la haie le long de la procession funèbre, et des avions de combat tournoyaient là-haut dans le ciel. Le dernier des grands interprètes de la philosophie traditionnelle de la paix, dans l'Inde, fut incinéré avec tous les honneurs militaires.

« DONNE-NOUS AUJOURD'HUI NOTRE PAIN QUOTIDIEN »

« Donne-nous aujourd'hui notre pain quotidien. » Cette formule s'applique à l'aliment matériel sur quoi repose la vie du corps, et en même temps à ce pain de la grâce et de l'inspiration sur quoi repose la vie de l'esprit. Dans le monde tel que nous le trouvons aujourd'hui, les deux catégories de pain font lamentablement défaut. La plupart des habitants de notre planète n'ont pas suffisamment à manger, et la plupart d'entre eux sont des adorateurs idolâtres de faux dieux — l'état, le parti, le patron, le dogme politique local qui prévaut. Étant adorateurs de faux dieux, ils se sont rendus plus ou moins complètement inaccessibles à la grâce, à l'inspiration et à la connaissance du Dieu véritable.

L'idolâtrie et la faim, l'adoration de la nation et la recherche des marchés des matières premières et du *Lebensraum* — ce sont là les causes primordiales de la guerre. S'il doit y avoir la paix et la collaboration harmonieuse entre les hommes, il faut travailler à l'élimination de ces deux facteurs producteurs de guerre. En d'autres termes, il faut travailler à pourvoir tous les êtres humains du pain qui nourrit le corps et de cet autre pain de la grâce divine qui nourrit l'âme. Tout ce qui se tient entre le besoin physiologique fondamental et le besoin spirituel fondamental est une source de division plutôt que d'unité. Tous les hommes sont d'accord sur la valeur de la nourriture, d'un abri et des vêtements, et tous ceux qui sont disposés à collaborer avec la grâce sont d'accord sur la valeur de l'expérience spirituelle. Mais tous les hommes ne s'accordent pas, et ne se sont jamais accordés, sur le gouvernement, sur le système économique, sur l'art, sur la religion (sous ses aspects dogmatique et ecclésiastique).

Cela étant, la seule conduite sensée à tenir, c'est de consacrer plus d'attention aux choses sur lesquelles nous pouvons nous accorder, et moins à celles au sujet desquelles aucun accord n'est probable ou même possible. Cela signifie, en pratique, que nous devons nous préoccuper primordialement, non pas comme c'est actuellement le cas, des problèmes du pouvoir et de l'orthodoxie idéologique, mais de ceux qui ont trait au pain, matériel et spirituel. Les problèmes de la première catégorie sont insolubles à leur propre niveau, et, dans le processus de n'être pas résolus, conduisent à la guerre. Les problèmes de la seconde catégorie sont solubles, et, dans le processus d'être résolus, contribuent à la solution des problèmes du pouvoir et de l'orthodoxie, et, partant, favorisent la paix. Dans le monde d'aujourd'hui, tourmenté par la guerre, les gens les plus utiles sont ceux dont la préoccupation est celle du pain quotidien — ceux qui produisent et maintiennent la nourriture pour le corps des hommes, et ceux qui se permettent, et apprennent aux autres à se permettre, d'être nourris par le pain de la grâce qui donne la vie à l'esprit.

Swami Prabhavananda appartient à la seconde catégorie de gens utiles, et l'un des moyens par lesquels il se rend le plus largement utile est celui de la traduction et de l'interprétation. En collaboration avec Christopher Isherwood, il nous a donné une version admirable du *Gita*, et plus récemment, en collaboration avec Frederick Manchester, il nous a donné une version également lisible des principales *Upanishads.*

« Celui qui voit tous les êtres dans le Moi, et le Moi dans tous les êtres, ne hait personne. » L'homme qui ramène hors du passé ce message constamment oublié, et qui est capable d'apprendre aux autres à voir tous les êtres dans le Moi, et le Moi dans tous les êtres, rend un service important à la société. Ceux, au contraire, qui se donnent comme serviteurs de la société — les politiciens et les idéologues — voient tous les êtres comme des éléments du super-Moi de l'état national, et le super-Moi de l'état dans tous les êtres; en conséquence, ils haïssent à peu près tout le monde, et prêchent à leurs semblables la nécessité de cette haine. Ces soi-disant serviteurs de la société sont en réalité les pires ennemis de la société. Tandis que les partisans décriés de l'« évasion », qui se préoccupent de ce qui est au-delà de la politique, au niveau spirituel (ainsi que les producteurs de nourriture, qui se préoccupent des questions au niveau physiologique) sont en réalité les meilleurs amis de la société et les inspirateurs de la seule politique raisonnable.

ORIGINES ET CONSÉQUENCES DE QUELQUES SCHÉMAS DE PENSÉE CONTEMPORAINS

Différente en cela de l'art, la science est authentiquement « progressive ». Les réalisations dans le domaine de la recherche et de la technologie sont cumulatives; chaque génération commence au point où la précédente s'est arrêtée. En outre, les résultats de la recherche désintéressée ont été appliqués d'une façon telle que les classes supérieures et moyennes-supérieures de toutes les sociétés industrialisées se sont vues devenir de plus en plus riches. Il fallait donc s'attendre que les penseurs professionnels de l'Occident, qui provenaient tous de ces classes sociales, et que leur éducation avait familiarisés avec les méthodes et les réalisations de la science, eussent extrapolé les tendances « progressives » de la technologie, et fondé sur elles une théorie générale de la vie humaine. Le monde, affirmaient-ils devenait constamment meilleur, matériellement, intellectuellement et moralement, et cette amélioration était en quelque sorte inévitable et inhérente à la nature même des choses. La théorie du progrès — théorie qui était devenue un dogme, et presque, en vérité, un axiome de la pensée populaire — était nouvelle, et, du point de vue chrétien orthodoxe, hérétique. Pour l'orthodoxie, l'homme était un être déchu, et l'humanité, si tant est qu'elle ne se détériorât, était statiquement mauvaise, d'un mal que la grâce seule, avec la coopération du libre arbitre de chaque individu, pouvait mitiger.

La croyance au progrès général est fondée sur le désir pris comme une réalité, selon lequel on peut obtenir quelque chose pour rien. Son postulat sous-jacent, c'est que les gains dans un domaine n'ont pas à être achetés au prix de pertes dans d'autres domaines. Pour les anciens Grecs, la *hubris*, ou insolence outrecuidante, qu'elle fût dirigée contre les dieux, ou contre ses semblables, ou contre la nature, devait nécessairement être suivie, tôt ou tard, d'une façon ou d'une autre, par la *nemesis* vengeresse. Les dogmatistes du progrès s'imaginent qu'ils peuvent être insolents avec impunité. Et leur foi est si forte, qu'elle a pu survivre à deux guerres mondiales et à plusieurs révolutions d'une sauvagerie presque sans précédent, et qu'elle demeure florissante en dépit du totalitarisme, du renouveau de l'esclavage, des camps de concentration, des bombardements « à saturation », et des projectiles atomiques.

La croyance au progrès a affecté la vie politique contemporaine en revivifiant et popularisant, sous une forme « à la page » et pseudo-scientifique, l'ancien apocalyptisme judaïque et chrétien. Un destin splendide attend l'humanité, un âge d'or à venir, dans lequel des appareils perfectionnés, des plans économiques plus grandioses, des institutions sociales plus complexes, auront, d'une façon ou d'une autre, créé une race d'êtres humains plus vertueux et plus intelligents. La fin ultime de l'homme n'est pas (comme l'ont toujours affirmé tous les maîtres de la spiritualité) dans le maintenant intemporel et éternel, mais dans l'avenir utopique et non trop éloigné. Afin d'actualiser cette fin ultime temporelle, les masses doivent accepter, et leurs dirigeants ne doivent éprouver aucun scrupule à imposer, n'importe quelle quantité de souffrance et de mal moral dans le présent. Il est éminemment significatif que tous les dictateurs modernes, qu'ils soient de droite ou de gauche, parlent sans cesse de l'avenir doré, et justifient les actes les plus atroces, ici même et maintetant, sous le prétexte que de tels actes sont des moyens en vue de cette fin splendide. Nous voyons donc que le progrès scientifique et technologique a produit une croyance sans bornes à l'avenir, comme une chose nécessairement meilleure que le passé ou le présent. Mais la seule chose que nous connaissions au sujet de l'avenir, c'est que nous sommes profondément ignorants de ce qui va advenir, et que ce qui arrive effectivement est en général fort différent de ce que nous avions prévu. En conséquence, toute foi fondée sur ce qui est censé devoir se produire dans un avenir lointain doit toujours et nécessairement manquer désespérément de réalisme. Mais agir d'après des croyances non réalistes est généralement funeste. Dans la pratique, la foi en le progrès de l'humanité vers un avenir postulé plus grand et meilleur que le présent, est l'un des ennemis les plus puissants de la liberté, de la paix, de la morale, et des convenances communes; car, comme l'a fait voir nettement l'histoire récente, les gouvernants se sentent fondés, en vertu de ce qu'ils croient savoir de l'avenir, à imposer les tyrannies les plus monstrueuses et à engager les guerres les plus destructrices, au nom des fruits entièrement hypothétiques que ces tyrannies et ces guerres doivent (Dieu sait pourquoi!) produire quelque jour, — mettons au XXIe ou au XXIIe siècle.

Le dogme du progrès n'est nullement la seule conséquence intellectuelle de l'avance scientifique et technologique. En théorie, la science pure est la réduction de la diversité à l'identité. En pratique, la recherche scientifique procède par simplification. Ces habitudes de la pensée et de l'action scientifiques ont été, dans une certaine mesure, transportées dans la théorie et la pratique de la politique contemporaine. Là où une autorité centralisée entreprend de faire des « plans » pour une société tout entière, elle est contrainte, par l'étourdissante complexité des faits donnés, de suivre l'exemple du travailleur en laboratoire, qui simplifie arbitrairement son problème afin de le rendre traitable. Scientifiquement, c'est là un processus raisonnable et qui se justifie entièrement. Mais quand on l'applique aux problèmes de la société humaine, le processus de simplification est, inévitablement, un processus de restriction et d'enrégimentement, de diminution de liberté et de déni de droits individuels. Cette réduction de la diversité humaine à une identité quasi-militaire s'effectue au moyen de la propagande, de la législation répressive, et, au besoin, par la force brutale. Philosophiquement, on tient pour respectable cet écrasement des particularités individuelles, parce qu'il est analogue à ce que font les hommes de science, lorsqu'ils simplifient arbitrairement une réalité d'une complexité impossible, afin de rendre la nature compréhensible dans le langage de quelques lois générales. Une société hautement organisée et enrégimentée, dont les membres manifestent un minimum de particularités personnelles, et dont la conduite est gouvernée par un plan magistral unique imposé d'en haut, donne aux auteurs du plan, et même (tel est le pouvoir de la propagande) à ceux qui le subissent, la sensation qu'elle est plus « scientifique » et, partant, meilleure, qu'une société d'individus indépendants, coopérant librement, et se gouvernant eux-mêmes.

Le premier pas dans la simplification de la réalité, sans laquelle (puisque les esprits humains sont finis, et la nature infinie) la pensée et l'action scientifiques seraient impossibles, est un processus d'abstraction. Confrontés avec les données de l'expérience, les hommes de science commencent par laisser de côté, sans en tenir compte, tous ces aspects des faits qui ne se prêtent pas à l'explication dans le langage de causes antécédentes, plutôt que dans celui des desseins, des intentions, et des valeurs. Pragmatiquement, ils sont fondés à se comporter de cette façon curieuse et extrêmement arbitraire; car, en concentrant leurs efforts sur les aspects mesurables des éléments de l'expérience qui peuvent s'expliquer dans le langage d'un système causal, ils ont pu réaliser une maîtrise considérable et sans cesse croissante sur les énergies de la nature. Mais le pouvoir n'est pas la même chose que la pénétration, et, en tant que représentation de la réalité, l'image scientifique du monde est insuffisante, pour la simple raison que la science ne professe même pas de traiter de l'expérience considérée comme un tout, mais seulement de certains de ses aspects en certains contextes. Tout cela est fort clairement compris des hommes de science ayant l'esprit un peu philosophique. Mais, malheureusement, certains hommes de science et beaucoup de techniciens ont manqué du temps et de l'inclination nécessaires pour étudier cette base et cet arrière-plan philosophiques de leur spécialité. En conséquence, ils ont tendance à accepter l'image du monde implicite dans les théories de la science, comme un énoncé complet et exhaustif de la réalité; ils ont tendance à considérer ces aspects de l'expérience que les hommes de science laissent de côté, parce qu'ils sont incompétents pour en traiter, comme étant en quelque sorte moins réels que les aspects qu'il a plu arbitrairement aux hommes de science d'abstraire de la totalité infiniment riche des faits donnés. En raison du prestige de la science comme source de puissance, et en raison de l'abandon dans lequel on a laissé, d'une façon générale, la philosophie, la *Weltanschauung* en faveur à notre époque renferme un élément considérable de ce qu'on peut appeler le mode de penser du « rien que ». Les êtres humains, admet-on plus ou moins tacitement, ne sont rien que des corps, des animaux, voire des machines; les seuls éléments véritables de la réalité sont la matière et l'énergie sous leurs aspects mesurables; les valeurs ne sont rien que des illusions, qui se sont trouvées, on ne sait comment, mêlées à notre expérience du monde; les événements mentaux ne sont que des épiphénomènes, produits par la physiologie et reposant entièrement sur elle; la spiritualité n'est rien que les désirs pris pour la réalité, et que du sexe mal dirigé; et ainsi de suite. Les conséquences politiques de cette philosophie du « rien que » apparaissent nettement dans l'indifférence générale à l'égard des valeurs de la personnalité humaine et de la vie humaine, si caractéristique de l'époque actuelle. Au cours des trente dernières années, cette indifférence s'est exprimée de bien des manières dangereuses et inquiétantes. Nous avons pu voir, d'abord, le renouveau massif de l'esclavage sous ses formes les pires et les plus inhumaines — l'esclavage imposé à des hérétiques politiques vivant sous les diverses dictatures, l'esclavage imposé à des classes entières de populations vaincues, l'esclavage imposé aux prisonniers de guerre. Puis nous pouvons noter l'absence croissante de distinction, quant aux massacres, en temps de guerre. Les bombardements de toute une région, les bombardements « à saturation », les bombardements par fusées, les bombardements par projectiles atomiques, — l'absence de distinction s'est constamment accrue au cours de la deuxième guerre mondiale, si bien qu'actuellement aucune nation ne feint même plus de respecter la distinction traditionnelle entre militaires et civils, mais que toutes se consacrent systématiquement au massacre général et à une destruction si complète des villes, que les survivants sont condamnés à souffrir de misère et de privations pendant des années à venir. Enfin, il y a les phénomènes de disette délibérément voulue et imposée à des populations entières, les camps de concentration, la torture, la vivisection humaine et les migrations forcées; ou le déplacement, à la pointe de la baïonnette, de millions d'êtres humains, hors de leurs foyers, vers d'autres lieux où leur présence sera plus commode aux gouvernants qui se trouvent sur le moment détenir le pouvoir. Quand le mode de pensée du « rien que » se combine aux autres produits intellectuels de la science appliquée — la foi au progrès et le désir d'uniformité et de simplicité « scientifiques » — les résultats, comme peut le voir quiconque prend la peine de regarder le monde qui l'environne, sont véritablement horrifiants.

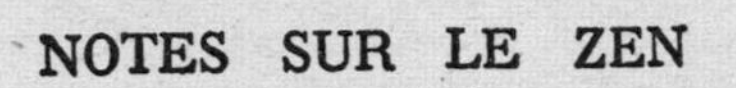

NOTES SUR LE ZEN

Nous sommes habitués, dans la littérature religieuse, à une certaine solennité pompeuse d'expression. Dieu est sublime; en conséquence, les mots dont nous nous servons au sujet de Dieu doivent être sublimes, eux aussi. Tel est le raisonnement inexprimé en faveur du style grandiose. Dans la pratique, toutefois, il arrive d'une façon encore assez fréquente que la sublimité de l'expression soit poussée à un point où elle se détruit elle-même. Par exemple, à l'époque de la grande disette de pommes de terre, en Irlande, il y a un siècle, on composa une prière spéciale qui devait être récitée dans toutes les églises d'appartenance anglicane. L'objet de cette prière était de supplier le Tout-Puissant de tenir en échec les ravages du fléau qui détruisait la récolte des pommes de terre irlandaises. Or, dès le début, le mot « pomme de terre » présentait une difficulté. Bien manifestement, aux yeux des ecclésiastiques du début de l'ère victorienne, il était trop vil, trop commun, trop prolétarien, pour être prononcé dans un endroit sacré. Le fait horriblement vulgaire des pommes de terre devait être dissimulé sous les obscurités décentes de la périphrase, et, en conséquence, Dieu fut prié d'agir au sujet d'une abstraction, dénommée avec sonorité « le tubercule succulent ». Le sublime s'était envolé jusque dans l'empyrée du ridicule.

Dans des circonstances analogues, on peut le conjecturer, un maître Zen eût évité, lui aussi, le mot « pomme de terre », non pas parce qu'il est trop vil pour être utilisé dans un contexte religieux, mais parce qu'il est trop conventionnel et respectable. Son idée d'un équivalent convenable eût été, non pas « tubercule succulent », mais la simple et populaire « patate ».

Sokei-an, le maître Zen qui a enseigné à New-York de 1928 jusqu'à sa mort en 1945, se conformait aux traditions littéraires de son école. Lorsqu'il publia un journal religieux, le titre qu'il lui choisit fut *Le Bâillement du Chat*. Ce nom savamment absurde et antipompeux rappelle à tous les intéressés que les mots sont radicalement différents des choses qu'ils représentent; que la faim ne peut être satisfaite que par les pommes de terre authentiques, et non par le verbiage, fût-il le plus élevé, au sujet du tubercule succulent; que l'esprit, de quelque nom qu'il nous plaise de le désigner, est toujours lui-même, et ne peut être connu sinon par une espèce d'action directe, pour laquelle les mots ne sont qu'une préparation et une incitation.

En soi, le monde est un continuum; quand nous y pensons au moyen de mots, nous sommes contraints, par la nature même de notre vocabulaire et de notre syntaxe, de le concevoir comme une chose composée d'objets séparés et de classes distinctes. Opérant sur les données immédiates de la réalité, notre conscient fabrique l'univers dans lequel nous vivons effectivement. Dans les écritures Hinayana, le désir et l'aversion sont désignés comme les facteurs de la pluralisation de la Réalité unique, l'illusion de ce que l'individu a de discret, d'« égoïté », et d'autonomie. A ces vices de la volonté, déformateurs du monde, les philosophes Mahayana ajoutent le vice intellectuel de la pensée verbalisée. L'univers habité par les gens ordinaires, non-régénérés, est en grande partie un « fabriqué-maison » — un produit de nos désirs, de nos haines, et de notre langage. En reniant son moi, un homme peut apprendre à voir le monde, non pas à travers le milieu réfringent du désir et de l'aversion, mais tel qu'il est en soi. (« Bienheureux les purs en esprit, car ils verront Dieu. ») Au moyen de la méditation, il peut contourner le langage, — le contourner enfin d'une façon si complète que son conscient individuel, déverbalisé, ne fasse plus qu'un avec la conscience unitaire de la Réalité.

Dans la méditation selon les méthodes du Zen, la déverbalisation du conscient s'effectue par le procédé curieux du koan. Le koan est une proposition ou question paradoxale, ou même absurde, sur laquelle l'esprit se concentre jusqu'à ce que, complètement contrecarré par l'impossibilité de trouver quelque signification à un paralogisme, il s'échappe en se rendant compte soudain qu'au-delà de la pensée verbalisée, il existe un autre genre de conscience d'un autre genre de réalité. Un exemple de la méthode Zen est fourni par Sokei-an dans son bref essai intitulé *Tathagata* :

« Un maître chinois du Zen recevait des amis pour prendre le thé, par une soirée glaciale... Kaizenji dit à ses disciples : « Il y a une certaine chose. « Elle est noire comme la laque. Elle soutient le « ciel et la terre. Elle paraît toujours en activité, « mais personne ne peut la saisir en activité. Mes « disciples, comment pouvez-vous la saisir? »

« Il indiquait la nature du *Tatha*, d'une façon métaphorique, bien entendu, tout comme les ministres chrétiens expliquent les attributs de Dieu...

« Les disciples de Kaizenji ne surent que répondre. Puis, enfin, l'un d'entre eux, appelé Tai Shuso, répondit : « On ne réussit pas à la saisir, parce qu'on « essaye de la saisir en mouvement. »

« Il indiquait par là que, lorsqu'il méditait en silence, Tathagata apparaissait à l'intérieur de son moi.

« Kaizenji congédia ses amis avant que la réunion n'eût vraiment commencé. Il était mécontent de cette réponse. Si vous aviez été son disciple, quelle réponse auriez-vous faite, de façon que le Maître eût pu poursuivre la réunion? »

Ma conjecture personnelle est que la réunion eût pu se prolonger, au moins pendant quelques minutes, si Tai Shuso avait répondu quelque chose comme ceci : « Si je ne puis saisir le tatha en activité, c'est que, manifestement, il faut que je cesse d'être *moi*, de façon que le tatha puisse saisir cet ex-moi et le réduire à l'un avec lui, non seulement dans l'immobilité et le silence de la méditation (comme il arrive aux arhats), mais aussi en activité (comme il advient aux bodhisattvas, pour qui le samsara et le nirvana sont identiques). » Ce sont là, bien entendu, de simples mots, mais l'état décrit, ou plutôt, faiblement indiqué, par ces mots, constituerait, s'il était éprouvé par l'expérience, l'illumination. Et la méditation sur la question contenue dans le koan, et à laquelle il est impossible de faire une réponse logique, peut soudain emporter l'esprit au-delà des mots, jusque dans l'état d'absence du moi, dans lequel le Tatha, ou Réalité, est conçu par le conscient en tant qu'acte de connaissance unitive.

L'esprit souffle où il veut, et ce qui se passe quand le libre arbitre collabore avec la grâce pour effectuer la connaissance de la Réalité, ne peut être prévu théoriquement, ne peut être préjugé dans le langage d'aucun système de théologie ou de philosophie, et l'on ne peut s'attendre qu'il se conforme à aucune formule verbale. L'expérience n'est déterminée que par l'expérience. Dans la littérature Zen, cette vérité est exprimée en anecdotes délibérément excessives au sujet de personnes illuminées qui font des feux de joie avec les écritures, et vont même jusqu'à nier que ce qu'a enseigné le Buddha mérite le nom de Buddhisme — car le Buddhisme est l'expérience immédiate, incommunicable à autrui, de la Réalité. Une histoire illustrant un autre danger de la verbalisation, savoir : sa tendance à obliger l'esprit à s'enfoncer dans les ornières de l'habitude, est citée dans le *Bâillement du Chat*, avec un commentaire de Sokei-an.

« Un jour que les moines étaient réunis dans la chambre du Maître, En Zenji posa à Kaku cette question : « Shaka et Miroku (c'est-à-dire Gotama « Buddha et Maitreya, le futur Buddha) sont les « esclaves d'un autre. Qui est cet autre? »

« Kaku répondit : « *Ko Sho san, Koku Ri shi* ».

(Ce qui signifie : les troisièmes fils des familles Ko et Sho, et les quatrièmes fils des familles Koku et Ri, — absurdité signifiant que l'aptitude à s'identifier à la Réalité existe chez tout être humain, et que Gotama et Maitreya sont ce qu'ils sont, du fait d'être d'une façon parfaite « les esclaves » de cette immanente et transcendante Nature-du-Buddha.)

« Le Maître accepta cette réponse.

« A cette époque, Engo était à la tête des moines du temple. Le Maître lui conta cet incident. Engo dit : « Pas mal, pas mal! Mais peut-être n'a-t-il pas « encore saisi le point capital. Vous n'auriez pas dû « lui donner votre approbation. Examinez-le de nou- « veau, au moyen d'une question directe. »

« Lorsque Kaku revint le lendemain dans la chambre d'En Zenji, le Zenji lui posa la même question. Kaku répondit : « J'ai donné la réponse « hier. »

« Le Maître dit : « Quelle fut ta réponse? »

« *Ko Sho san, Koku Ri shi* », dit Kaku.

« Non, non! » s'écria le Maître.

« Hier, vous avez dit oui. Pourquoi dites-vous non aujourd'hui? »

« C'était oui, hier; mais c'est non, aujourd'hui », répondit le Maître.

En entendant ces mots, Kaku fut soudain illuminé. »

La morale de cette histoire, c'est que, pour me servir des paroles de Sokei-an, « La réponse tombait dans un schéma, un moule, il était pris dans son propre concept ». Et, ayant été pris, il n'était plus libre de ne faire qu'un avec le vent de la Réalité, soufflant librement. Toute formule verbale — même une formule qui exprime correctement les faits — peut devenir, pour l'esprit qui la prend trop au sérieux et l'adore avec idolâtrie comme si elle était la réalité symbolisée par les mots, un obstacle sur la voie de l'expérience immédiate. Pour un Buddhiste Zen, l'idée qu'un homme puisse être sauvé en donnant son assentiment aux propositions contenues dans une croyance, semblerait être la plus folle, la plus irréaliste et la plus dangereuse des fantaisies.

A peine moins fantastique, à ses yeux, semblerait l'idée que des sentiments élevés puissent conduire à l'illumination, que les expériences émotives, quelque fortes et vives qu'elles soient, soient identiques, ou même de loin analogues, à l'expérience de la Réalité. « Le Zen, dit Sokei-an, est une religion de tranquillité. Ce n'est pas une religion qui suscite l'émotion, qui fait sourdre des larmes à nos yeux, ou qui excite à crier à haute voix le nom de Dieu. Quand l'âme et l'esprit se rencontrent en une ligne verticale, en quelque sorte, à ce moment l'unité complète entre l'univers et le moi sera rendue consciente. » Les fortes émotions, quelque élevées qu'elles soient, ont tendance à accentuer et à renforcer l'illusion funeste du moi, que le seul but et dessein de la religion consiste à transcender. « Buddha a enseigné qu'il n'y a pas de moi dans l'homme ni dans le dharma. Le mot « dharma » désigne ici la Nature et toutes les manifestations de la nature. Il n'y a de *moi* dans aucune chose. C'est pourquoi ce qu'on appelle « les deux sortes de non-moi » signifie qu'il n'y a pas de moi en l'homme et pas de moi dans les choses. » De la métaphysique, Sokei-an passe à l'éthique. « Conformément à cette foi du non-moi, demande-t-il, comment pouvons-nous agir dans la vie quotidienne? C'est là l'une des grandes questions. La fleur n'a point de moi. Au printemps, elle s'épanouit; à l'automne, elle meurt. Le cours d'eau ne possède pas de moi. Le vent souffle, et il apparaît des vagues. Le lit de la rivière s'enfonce brusquement, et il y a une cascade. Quant à nous, il faut réellement que nous sentions ces choses en nous... Il nous faut prendre conscience par notre propre expérience, de la façon dont ce non-moi fonctionne en nous. Il fonctionne sans aucun obstacle, sans aucune artificialité. »

Le non-moi cosmique est identique à ce que les Chinois appellent le Tao, ou à ce que les chrétiens appellent l'âme intérieure, avec quoi il nous faut collaborer, et par quoi il faut nous laisser inspirer d'instant en instant, nous rendant dociles à la Réalité, dans un acte incessant d'abandon de notre moi à l'ordre des choses, à tout ce qui advient, sauf au péché, qui est simplement la manifestation du moi, et auquel il faut donc résister en le repoussant. Le Tao, ou le non-moi, ou l'immanence divine, se manifeste sur tous les plans, du matériel au spirituel. Privés de cette intelligence physiologique qui gouverne les fonctions végétatives du corps et par l'entremise de laquelle la volonté consciente est traduite en action, manquant de l'aide de ce qu'on peut appeler « la grâce animale », nous ne pourrions absolument pas vivre. En outre, c'est un fait d'expérience que, plus la conscience superficielle du moi intervient dans les opérations de cette grâce animale, plus nous devenons malades, et moins bien nous effectuons tous les actes exigeant un degré élevé de coordination psycho-physique. Les émotions qui se rapportent au désir et à l'aversion gênent le fonctionnement normal des organes, et conduisent, à la longue, à la maladie. Les émotions analogues et la tension qui naît du désir du succès nous empêchent de réaliser l'excellence la plus élevée, non seulement dans des activités complexes telles que la danse, la musique, les sports, l'exécution de toute espèce de travail exigeant beaucoup d'habileté, mais aussi dans les activités psychophysiques naturelles telles que la vue et l'ouïe. On a constaté empiriquement que le mauvais fonctionnement des organes peut être corrigé, et que l'excellence dans les actes d'adresse peut être accrue, par l'inhibition des tensions et des émotions négatives. Si l'esprit conscient peut être dressé à inhiber ses propres activités concernant le moi, si l'on peut le persuader de lâcher prise et de renoncer à son effort en vue du succès, on peut faire confiance au non-moi cosmique, au Tao qui est immanent chez nous tous, pour faire ce qui doit être fait, avec quelque chose qui ressemble à l'infaillibilité. Au niveau de la politique et de l'économique, les organisations les plus satisfaisantes sont celles qui s'obtiennent en « planifiant pour déplanifier ». De même, aux niveaux psycho-physiologiques, la santé et l'excellence maximum s'obtiennent en utilisant l'esprit conscient de façon qu'il « planifie » sa collaboration et sa subordination à cet ordre des choses immanent qui est au-delà du champ de nos plans personnels, et dont le fonctionnement ne peut être que gêné par notre petit moi affairé.

La grâce animale précède la conscience du moi, et est une chose que l'homme partage avec tous les autres êtres vivants. La grâce spirituelle est au-delà de la conscience du moi, et seuls les êtres raisonnables sont capables de coopérer avec elle. La conscience du moi est le moyen indispensable pour parvenir à l'illumination; en même temps, elle est le plus gros obstacle sur la voie, non seulement de la grâce spirituelle qui apporte l'illumination, mais aussi de la grâce animale, sans laquelle notre corps ne saurait fonctionner efficacement, ni même se maintenir en vie. L'ordre des choses est tel que personne n'a jamais obtenu quelque chose pour rien. Il faut que tout progrès se paye. Précisément parce qu'il s'est avancé au-delà du niveau animal jusqu'au point où, au moyen de la conscience du moi, il peut parvenir à l'illumination, l'homme est également capable, au moyen de cette même conscience du moi, de parvenir à la dégénérescence physique et à la perdition spirituelle.

LA MOUTARDE JAUNE

Écrasés sous la nue au plafond bas et seul,
Les champs gisent, muets, en lourde somnolence,
Comme un vivant enveloppé de son linceul,
    Qui étouffe, en morne silence.

Nus de toute beauté qui ne serait la leur —
Gouffres d'ombre plus noire, ou bien pousses dorées —
Des crassiers gris, des monts de pierres sans couleur,
    Ferment la tombe ainsi murée.

A travers ce lugubre emblème d'un esprit
Assombri de regrets, je marchais lentement,
Son captif, enfermé moi-même, et tout meurtri
    D'un même découragement.

Lorsque, sur mon chemin, au lever d'un tournant,
Une splendeur soudaine apparut à ma vue,
Comme si un rayon unique et conquérant
    Eût déchiré la sombre nue,

Et touché, d'une main transfigurante et fière,
Dans cette plaine morne, un seul champ éclairé;
Et ce miracle pur ruisselant de lumière
    Se révélait en flot doré.

Et pourtant, les raisons du désespoir navrant
Demeuraient suspendues, sans un seul trou d'azur;
Nulle fente s'ouvrant là-haut sur l'air vivant
    Ne laissait passer ce flot pur.

C'est dans leur propre sol que ces champs avaient pris
Le soleil de quelque herbe à la fleur qui s'attarde;
Car toujours il sommeille en chaque terrain gris
    Quelque humble graine de moutarde.

QUELQUES VERS

Certes, il y a des bosquets, il y a des jardins; mais le
[cactus
N'est jamais loin, les sables ne sont jamais loin,
Même des cèdres et des rossignols,
Même des faunes de marbre, des petites gloriettes
Où, dans le silence haletant, les seins d'une jeune fille
Sont des colombes captives, et pareils à des raisins
Ses mamelons — jamais loin; car soudain [mûrs,
Il souffle un vent chaud, et, démente sur l'aile du vent,
La poussière, et plus de poussière encore, bouffée sur
[bouffée de poussière,
Peuple votre nuit d'été de l'illusion
D'ailes vivantes et de joie. Mais toute la danse
N'est que celle du silex pulvérisé; et — touchez! —
[les colombes
Sont mortes dans vos mains, et ces petits raisins
Sont flétris jusqu'à n'être que des noix de galle, et
[les rossignols
Sont étranglés en plein chant, les cèdres bruns, les
[pelouses
Folles de pierres et d'aloès, tandis que le vent
Souffle avec fracas parmi les feuilles, et que l'obscu-
[rité de juin
S'avance, en quelque sorte, avec le glissement subrep-
[tice et dur de poux.

Mais toujours, au milieu de la frénésie de la poussière,
Toujours, au-dessus de cette absence d'esprit gron-
[dante,
De cette absence de but où elle s'élance — éclipsé
Mais jamais défaillant, le chariot familier
Tourbillonne autour d'un point de feu fixe.

LE DESERT

L'immensité et le vide — ce sont là les deux symboles les plus expressifs de cette Divinité sans attribut, au sujet de laquelle tout ce qu'on peut dire est le *Nescio nescio* de saint Bernard, ou le « non pas ceci, non pas ceci » du Védantiste. La Divinité, dit maître Eckhart, doit être aimée « en tant que non-Dieu, non-Esprit, non-personne, non-image, doit être aimée telle qu'Elle est, l'Un pur, absolu, total, séparé de toute dualité, et en qui il nous faut choir éternellement de néant en néant ». Dans les écritures du Buddhisme septentrional et extrême-oriental, les métaphores spatiales reviennent maintes et maintes fois. A l'instant de la mort, écrit l'auteur du *Bardo Thodol*, « toutes choses sont semblables au ciel sans nuages; et l'Intelligence nue et immaculée est pareille à un vide translucide sans circonférence ni centre. « La grande Voie, suivant les paroles de Sosan, est parfaite, comme le vaste espace, sans rien de manquant, rien de superflu. » « L'esprit, dit Hui-neng (et il parle du fondement universel du conscient, où prennent naissance tous les êtres, les non-illuminés non moins que les illuminés) l'esprit est comme le vide de l'espace... L'espace renferme le soleil, la lune, les étoiles, la vaste terre, avec ses montagnes et ses rivières... Des hommes bons et des hommes mauvais, des choses bonnes et des choses mauvaises, le ciel et l'enfer — ils sont tous dans l'espace vide. Le vide de la nature du Moi est chez tous les gens exactement pareil à cela. » Les théologiens discutent, les dogmatistes déclament leurs credos; mais leurs propositions « n'ont aucun rapport intrinsèque avec ma lumière intérieure. Cette lumière intérieure (je cite d'après le *Chant de l'Illumination* de Yoka Daishi) peut être comparée à l'espace; elle ne connaît pas de limites; pourtant elle est toujours là, toujours auprès de nous, elle garde toujours sa sérénité et sa plénitude... On ne peut la saisir, et l'on ne peut s'en défaire; elle va son propre chemin. On parle, et elle est silencieuse; on demeure silencieux, et elle parle. »

Le silence est le ciel sans nuages perçu par un autre sens. Comme l'espace et le vide, il est un symbole naturel du divin. Dans les mystères de Mithra, on prescrivait au candidat à l'initiation de poser un doigt sur ses lèvres et de murmurer : « Silence! Silence! Silence! — symbole du Dieu vivant et impérissable! » Et bien avant que le christianisme parvînt à la Thébaïde, il y avait eu des religions égyptiennes de mystères, pour les adeptes desquelles Dieu était une source de vie, « fermée à celui qui parle, mais ouverte au silencieux ». Les écritures hébraïques sont éloquentes presque à l'excès; mais même là, parmi les grondements magnifiques de louange prophétique, d'impétration et d'anathème, il y a parfois des allusions à la signification spirituelle et aux vertus thérapeutiques du silence. « Tais-toi, et sache que je suis Dieu. » — « Le Seigneur est dans son temple sacré; que le monde entier fasse silence devant lui. » — « Garde le silence en présence du Seigneur Dieu. » — « La louange est silencieuse pour toi, ô Dieu. » Le désert, après tout, commençait à quelques kilomètres au-delà des portes de Jérusalem.

Les faits du silence et du vide sont traditionnellement les symboles de l'immanence divine, — mais non, bien entendu, pour tout le monde, et non pas en toutes circonstances. « Tant qu'il n'a traversé un désert aride, sans nourriture et sans eau, sous un soleil tropical et brûlant, nul ne peut se faire une conception de ce qu'est la détresse. » Ce sont là les paroles d'un chercheur d'or qui prit le chemin du sud pour se rendre en Californie en 1849. Même quand on le traverse à cent vingt kilomètres à l'heure, sur une route à quadruple voie, le désert peut paraître suffisamment formidable. Pour les hommes de 49, il était l'enfer sans atténuation. Les hommes et les femmes qui sont à sa merci éprouvent de la difficulté à voir dans la Nature et ses œuvres d'autres symboles que ceux de la force brutale, dans le cas le plus favorable, et, dans le pire, que ceux d'une malignité obscure et dénuée d'esprit. Le vide du désert et le silence du désert ne révèlent ce qu'on peut appeler leurs significations spirituelles qu'à ceux qui jouissent d'un certain degré de sécurité physiologique. Cette sécurité peut n'être rien de plus que la cabane de saint Antoine et sa ration quotidienne de pain et de légumes, rien de plus que la caverne de Milarepa, avec sa farine d'orge et ses orties bouillies, — moins que ce que tout économiste sain d'esprit considérerait comme le minimum indispensable, mais néanmoins la sécurité, néanmoins une garantie de vie organique, et, avec la vie, d'une possibilité de liberté spirituelle et de bonheur transcendental.

Mais même à ceux qui jouissent de la sécurité à l'égard des assauts du milieu, le désert ne révèle pas toujours ni inévitablement ses significations spirituelles. Les ermites chrétiens primitifs se sont retirés dans la Thébaïde parce que l'air y était plus pur, parce qu'il y avait moins de distractions, parce que Dieu y semblait plus proche que dans le monde des hommes. Mais, hélas, les endroits secs sont notoirement la demeure d'esprits impurs, qui cherchent le repos et ne le trouvent point. Si l'immanence de Dieu était parfois plus facile à découvrir dans le désert, il en était de même, et trop fréquemment, hélas, de l'immanence du diable. Les tentations de saint Antoine sont devenues légendaires, et Cassien parle des « tempêtes de l'imagination » par lesquelles devait passer tout nouveau venu à la vie érémitique. La solitude, écrit-il, fait sentir aux hommes « la folie aux multiples ailes de leur âme...; ils trouvent intolérable le silence perpétuel, et ceux qu'aucun travail de la terre ne pouvait lasser, sont vaincus en ne faisant rien et usés par la longue durée de leur paix. » *Tais-toi, et sache que je suis Dieu*; tais-toi, et sache que tu es, toi, l'imbécile délinquant qui grogne rageusement et marmotte des mots inintelligibles dans le sous-sol de tout esprit humain. Le désert peut rendre les hommes fous, mais il peut aussi les aider à devenir sains d'esprit au suprême degré.

Les gorgées immenses de vide et de silence prescrites par les ermites ne sont un remède sans danger que pour quelques âmes exceptionnelles. La plupart des hommes ne doivent absorber le désert qu'à l'état dilué, ou, s'il est à pleine concentration, par petites doses. Employé ainsi, il agit comme reconstituant spirituel, comme anti-hallucinant, comme abaisseur de tension et altératif.

Dans son livre, *The Next Million Years* (Le Million d'années à venir) Sir Charles Darwin[1] envisage un avenir de trente mille générations d'humains toujours plus nombreux exerçant une pression de plus en plus forte sur des ressources sans cesse décroissantes, et voués à la mort, en nombres constamment croissants, par la famine, la pestilence et la mort. Il se peut qu'il ait raison. Par contre, il se peut que l'ingéniosité humaine, d'une façon ou d'une autre, démente ses prédictions. Mais l'humaine ingéniosité même aura du mal à circonvenir l'arithmétique. Sur une planète d'une superficie limitée, plus il y aura de gens, moins il y aura, nécessairement, d'espace vide. Dominant les problèmes matériels et sociologiques d'une population croissante, il y a un problème psychologique sérieux. Dans un milieu complètement « fabriqué-maison », tel que le fournit n'importe quel grand centre urbain, il est aussi difficile de rester sain d'esprit que dans un milieu complètement naturel tel que le désert ou la forêt. O Solitude, où sont tes charmes? Mais, ô Multitude, où

1. C'est un livre tout récent, dont l'auteur, savant distingué, est un arrière-petit-fils du grand naturaliste. *(N. d. T.)*

sont les tiens? La chose la plus merveilleuse au sujet de l'Amérique, c'est que, même en ces années du milieu du XXe siècle, il y ait si peu d'Américains. En y mettant suffisamment de bonne volonté il serait encore possible de se faire manger par un ours dans l'État de New-York. Et sans se donner le moindre mal, on peut être mordu par un serpent à sonnettes dans les collines de Hollywood, ou périr de soif en errant par un désert inhabité, à moins de deux cent cinquante kilomètres de Los Angeles. Il y a à peine une génération, on aurait pu errer et mourir à moins de cent cinquante kilomètres seulement de Los Angeles. Aujourd'hui, la marée montante de l'humanité s'est infiltrée au travers des canyons intermédiaires et s'est répandue dans le vaste Mojave. La solitude bat en retraite, à raison de quatre kilomètres et demi par an.

Et pourtant, malgré tout, le silence persiste. Car ce silence du désert est tel, que les sons fortuits, et même le bruit systématique de la civilisation, ne peuvent l'abolir. Ils coexistent avec lui, — à titre de petites incohérences à angle droit par rapport à une signification énorme, de veines de quelque chose d'analogue à de l'obscurité dans une transparence persistante. De la terre irriguée montent les bruits sombres et brutaux du bétail meuglant, et là-haut les pluviers laissent traîner leurs filets de stridence qui vont s'évanouissant. Soudain, l'on tressaille : voilà qu'éclate, derrière le buisson d'armoises, un hurlement de coyotes — Trio pour Strige et Deux Ames Damnées. Sur le tronc des peupliers, sur les parois en bois des granges et des maisons, les piverts font entendre des crépitements pareils à ceux d'une perforeuse pneumatique. S'avançant péniblement parmi les cactus et les buissons de créosote, on entend, semblables à quelque minuscule mouvement d'horlogerie ronronnant, les soliloques d'invisibles roitelets, les appels, au crépuscule, des engoulevents et même, de temps à autre, la voix d'*homo sapiens* — six de l'espèce, dans une Chevrolet parquée, écoutant le compte rendu, donné par la radio, d'un combat de boxe, ou bien par couples, se câlinant à l'accompagnement délicieux de Bing Crosby. Mais la lumière pardonne, les distances oublient, et ce grand cristal de silence, dont la base est large comme l'Europe et dont la hauteur est pratiquement infinie, peut coexister avec des choses d'un ordre d'incohérence bien plus élevé que du sentiment en boîtes ou du sport par personne interposée. Des avions à réaction, par exemple — le silence est tellement massif qu'il est capable d'absorber même des avions à réaction. Le fracas hurlant s'enfle jusqu'à son maximum intolérable, puis s'efface, s'enfle à nouveau tandis qu'un autre de ces monstres déchire l'air, diminue encore une fois, et disparaît. Mais, même au fort de cet outrage sonore, l'esprit peut encore garder conscience de ce qui l'entoure, de ce qui l'a précédé et lui survivra.

— Le progrès, pourtant, est en marche. Les avions à réaction sont déjà aussi caractéristiques du désert que le sont les arbres de Josué ou les hiboux fouisseurs; bientôt ils seront presque aussi nombreux. Le désert est entré dans la course aux armements, et il y restera jusqu'au bout. Dans son vide aux hectares par millions, il y a assez de place pour faire éclater des bombes atomiques et pour faire des expériences sur les projectiles téléguidés. Le temps qu'il y fait, en ce qui concerne le vol, est uniformément excellent, et dans les plaines s'étendent les lits plats de nombreux lacs, à sec depuis l'ère glaciaire, et manifestement prévus par la nature pour les courses de bolides et les avions à réaction. D'énormes terrains d'aviation ont déjà été installés. Des usines s'élèvent. Des oasis se transforment en villes industrielles. Dans des Réserves flambant neuves, entourées de fils de fer barbelés et du F.B.I.[1], non pas des Indiens, mais des tribus de physiciens, de chimistes, de métallurgistes, d'ingénieurs des communications, et de mécaniciens, sont au travail, avec la frénésie coordonnée de termites. De leurs laboratoires et de

1. **Federal Bureau of Investigation.** *(N. d. T.)*.

leurs ateliers munis d'air conditionné s'écoule un flot constant de merveilles, dont chacune est plus coûteuse et plus démoniaque que la précédente. Le silence du désert est toujours là; mais il en est de même, d'une façon de plus en plus bruyante, des incohérences scientifiques. Donnez aux gars de la Réserve encore quelques années et encore cent milliards de dollars, et ils réussiront (car, avec la technologie, toutes choses sont possibles) à abolir le silence, à transformer ce qui est actuellement incohérence en la signification fondamentale du désert. Entre temps, et heureusement pour nous, c'est le bruit qui est exceptionnel; la règle est encore ce symbole cristallin de l'Esprit universel.

Les bulldozers grondent, le béton est mélangé et versé, et les avions à réaction déchirent l'air avec fracas, les fusées filent là-haut avec leurs chargements de souris blanches et d'instruments électroniques. Et pourtant, malgré tout cela, « la nature n'est jamais épuisée; il vit, au tréfonds des choses, la fraîcheur la plus chère ».

Et non pas simplement la plus chère, mais la plus étrange, la plus merveilleusement invraisemblable. Je me souviens, par exemple, d'une visite récente aux Réserves nouvelles. C'était au printemps de 1952, et, après sept années de sécheresse, les pluies de l'hiver précédent avaient été copieuses. D'un bout à l'autre, le Mojave était tapissé de fleurs — des tournesols, et des phlox nains, de la chicorée et des coréopsis, des roses-trémières sauvages, et toute la tribu des aulx et des lis. Et puis, quand nous approchâmes de la Réserve, le tapis de fleurs commença à bouger. Nous arrêtâmes la voiture, nous marchâmes à pied dans le désert pour voir de plus près. Sur le sol nu, sur chaque plante et sur chaque buisson, il rampait des chenilles innombrables. Elles étaient de deux sortes — l'une lisse, avec des raies vertes et blanches, et une corne, comme celle d'un rhinocéros en miniature qui lui pousserait à l'extrémité postérieure. La chenille était évidemment celle de l'un des sphingidés. Mêlés à celles-là, par millions non moins dénombrables, il y avait les rejetons bruns et velus du papillon belle-dame (il me semble). Il y en avait partout — couvrant des centaines de kilomètres carrés de désert. Et pourtant, une année auparavant, quand furent pondus les œufs d'où provenaient ces chenilles, la Californie avait été sèche comme un os. De quoi avaient donc pu vivre les insectes parents? Et quelle avait été la nourriture de leur innombrable progéniture? A l'époque où je faisais collection de papillons et les conservais, jeunes, dans des pots en verre sur l'appui de fenêtre de mon alcôve de dortoir, aucune chenille se respectant ne se fût nourrie d'autre chose que des feuilles auxquelles son espèce avait été prédestinée. Les queues-fourchues pondaient leurs œufs sur les peupliers, les sphinx sur les euphorbes, les molènes étaient fréquentées par les chenilles pies et bariolées d'un seul papillon assez rare et frigidement difficile. Si l'on offrait à mes chenilles une autre alimentation, elles se détournaient avec horreur. Elles étaient pareilles à des Juifs orthodoxes confrontés avec du porc ou des homards; elles ressemblaient à des brahmines devant un festin préparé par des intouchables. Manger? Jamais! Plutôt mourir. Et si la nourriture convenable n'était pas à leur disposition, elles mouraient effectivement. Mais ces chenilles du désert étaient apparemment différentes. Gagnant des régions irriguées, elles avaient dévoré les jeunes feuilles de vignobles et de jardins potagers entiers. Elles avaient rompu avec les traditions, elles s'étaient ri des tabous immémoriaux. Ici, près de la Réserve, il n'y avait pas de terre cultivée. Ces chenilles de sphinx et de belles-dames, qui étaient à leur plein développement, avaient dû se nourrir de végétation indigène, — mais je ne pus découvrir laquelle; car quand je les vis, toutes ces créatures rampaient au hasard, à la recherche de quelque chose de plus juteux à manger, ou bien de quelque endroit pour filer leurs cocons. Étant entrés dans la Réserve, nous les trouvâmes envahissant tout l'espace prévu pour le parquage des voitures, et même les marches de l'énorme bâtiment qui abritait les laboratoires et les bureaux administratifs. Les hommes de garde se contentaient de rire, ou de sacrer. Mais pouvaient-ils être *absolument* sûrs? La biologie a toujours été le fort des Russes. Ces innombrables bêtes rampantes — peut-être étaient-elles des agents soviétiques? Parachutés à partir de la stratosphère, sous un déguisement impénétrable, et si complètement endoctrinés, si foncièrement conditionnés par la suggestion post-hypnotique, que, même sous la torture, il leur serait impossible d'avouer, même sous l'effet du D.D.T....

Notre groupe exhiba son permis, et entra. L'étrangeté n'était plus celle de la nature; elle était strictement humaine. Près de quatre hectares de plancher, quatre hectares de l'invraisemblance la plus extravagante. Des armoises et des fleurs sauvages au-delà des fenêtres; mais ici, à l'intérieur, des machines-outils capables de fabriquer n'importe quoi, depuis un tank jusqu'à un microscope électronique; des cameras à rayons X d'un million de volts; des fours électriques; des tunnels aérodynamiques; des récipients réfrigérés à vide; et, de part et d'autre de corridors infinis, des portes fermées portant des inscriptions qui avaient manifestement été empruntées aux magazines de science romanesque de l'année dernière. (Les astronefs de cette année, bien entendu, ont attelé à leur service la gravitation et le magnétisme.) SERVICE DES FUSÉES, lûmes-nous sur toute une série de portes. SERVICE DES FUSÉES ET EXPLOSIFS; PERSONNEL DES FUSÉES... Et qu'y avait-il derrière les portes sans inscription? Des fusées et de la tularémie en boîtes? Des fusées et de la fission nucléaire? Des fusées et des cadets interplanétaires? Des fusées et des cours élémentaires de langue et littérature martienne?

Ce fut un soulagement de revenir auprès des chenilles. Quatre-vingt-dix-neuf, virgule neuf-neuf-neuf (pas tout à fait indéfiniment) pour cent de ces pauvres êtres allaient mourir, — mais non point pour une idéologie, non point en faisant de leur mieux pour semer la mort parmi d'autres chenilles, non point à l'accompagnement de *Te Deums*, de *Dulce et decorums*, de « Nous ne remettrons pas au fourreau l'épée que nous n'avons pas tirée à la légère, tant que... ». Tant que quoi? La seule capitulation complètement inconditionnelle viendra quand tout le monde — mais *tout le monde* — sera un cadavre.

Pour l'homme moderne, le seul caractère véritablement bienfaisant que possède la nature, c'est son caractère *autre*. Dans leur besoin de trouver un fondement cosmique aux valeurs humaines, nos ancêtres ont inventé une botanique emblématique, une histoire naturelle composée d'allégories et de fables, une astronomie qui disait la bonne aventure et illustrait les dogmes de la religion révélée. « Au moyen âge, écrit Émile Mâle, l'idée d'une chose que se formait un homme, était toujours plus vraie que la chose elle-même... L'étude des choses pour elles-mêmes n'avait point de sens pour l'homme réfléchi... La tâche de l'étudiant de la nature était de découvrir la vérité éternelle que Dieu voulait faire exprimer à chaque chose. » Ces vérités éternelles exprimées par les choses n'étaient pas les lois de l'être physique et organique, — lois qu'on ne peut découvrir que par l'observation patiente et le sacrifice d'idées préconçues et d'impulsions provenant du moi; c'étaient les idées et les fantaisies engendrées dans l'esprit de logiciens dont les prémisses majeures, pour la plupart, étaient d'autres fantaisies et idées, que leur avaient liguées des écrivains antérieurs. Seuls les mystiques protestaient contre la croyance selon laquelle de telles constructions purement verbales étaient des vérités éternelles; et les mystiques ne se préoccupaient que de cette « connaissance obscure », comme on l'appelait, qui survient lorsqu'un homme voit « tout dans tout ». Mais entre la connaissance réelle, mais obscure, du mystique, et la connaissance claire, mais non réelle, du verbaliste, s'étend la connaissance vaguement claire et vaguement réelle du naturaliste et de l'homme de science. C'était là un genre de connaissance que la plupart de nos ancêtres estimaient totalement inintéressante.

Quand nous lisons les vieilles descriptions des créatures de Dieu, les spéculations anciennes sur les façons et le fonctionnement de la Nature, nous commençons par nous en amuser. Mais l'amusement ne tarde pas à se charger en l'ennui le plus intense et en une sorte de suffocation mentale. Nous nous prenons à haleter, privés d'air dans un monde où toutes les fenêtres sont fermées, et où tout « porte la tache de l'homme et est empreint de l'odeur de l'homme ». Les mots sont la plus grande, la plus importante, de toutes nos inventions, et le domaine spécifiquement humain est le domaine du langage. Dans l'univers étouffant de la pensée médiévale, les faits donnés de la nature étaient traités comme les symboles d'idées familières. Les mots ne représentaient pas des choses; les choses remplaçaient des mots préexistants. C'est là un piège que, dans les sciences naturelles, nous avons appris à éviter. Mais en d'autres contextes que le scientifique, — dans celui de la politique, par exemple — nous continuons à prendre nos symboles verbaux avec le même sérieux désastreux que celui dont faisaient montre nos aïeux, croisés et persécuteurs. Pour les deux partis, les gens de l'autre côté du Rideau de Fer ne sont pas des êtres humains, mais simplement les incarnations des expressions péjoratives forgées par des propagandistes.

La nature est miséricordieusement non-humaine; et, pour autant que nous appartenons à l'ordre naturel, nous sommes, nous aussi, non-humains. Ce qu'ont d'« autre » les chenilles, de même que notre propre corps, c'est un « caractère autre », auquel est sous-jacente une identité primordiale. La non-humanité des fleurs, comme celle des niveaux les plus profonds de notre esprit, existe à l'intérieur d'un système qui comprend et transcende l'humain. Dans le domaine donné du non-moi intérieur et extérieur, nous sommes tous un seul être. Dans le domaine « fabriqué-maison » des symboles, nous sommes des partisans séparés et mutuellement hostiles. Grâce aux mots, nous avons pu nous élever au-dessus des bêtes; et grâce aux mots, nous sommes souvent tombés au niveau des démons. Nos hommes d'état ont essayé d'arriver à une entente au sujet de l'emploi de la puissance atomique. Ils n'y ont pas réussi. Et si même ils y étaient parvenus, que serait-il arrivé? Aucun accord relatif à la puissance atomique ne peut produire un bien durable, à moins qu'il ne soit précédé d'un accord sur le langage. Si nous faisons un mauvais usage de la fission nucléaire, ce sera parce que nous aurons fait un mauvais usage des symboles selon lesquels nous pensons à nous-mêmes et à autrui. Individuellement et collectivement, les hommes ont toujours été victimes de leurs propres mots; mais, sauf dans le domaine émotivement neutre de la science, ils n'ont jamais été disposés à reconnaître leur incapacité linguistique, et à rectifier leurs erreurs. Pris trop au sérieux, les symboles ont motivé et justifié toutes les horreurs de l'histoire qui a laissé des traces. A tous les niveaux, depuis le personnel jusqu'à l'international, la lettre tue. Théoriquement, nous le savons fort bien. En pratique, cependant, nous continuons à commettre les erreurs qui mènent au suicide, auxquelles nous nous sommes accoutumés.

Les chenilles étaient encore en marche lorsque nous quittâmes la Réserve, et il nous fallut une demi-heure ou davantage, à seize cents mètres par minute, pour en être débarrassés. Parmi les phlox et les tournesols, par millions parmi des centaines de millions, elles proclamaient (en même temps que les dangers de la surpopulation), la vigueur, la fécondité, les ressources infinies de la vie. Nous étions dans le désert, et le désert était en fleur, le désert était grouillant. Je n'avais rien vu d'analogue depuis cette journée de printemps, en 1948, où nous nous étions promenés à l'autre extrémité du Mojave, près de la grande faille due à un tremblement de terre, par où la grand-route descend sur San Bernardino et les champs d'orangers. L'altitude y est d'environ douze cents mètres, et le désert est ponctué de buissons sombres de genévriers. Soudain, tandis que nous nous déplacions à travers le vide immense, nous eûmes conscience d'une interruption totalement imprévue du silence. Devant, derrière, à droite, à gauche, le son semblait venir de toutes les directions. C'était un petit crissement vif, comme un pétillement universel de « bacon » dans une poêle, comme les premières flammes d'innombrables feux de joie qu'on aurait allumés. Il semblait n'y avoir aucune explication. Et puis, en y regardant de plus près, l'énigme livra sa solution. Ancrée à la tige d'un buisson d'armoise, nous vîmes la pupe cornée d'une cigale. Elle avait commencé à s'entr'ouvrir, et l'insecte complet se mettait à se frayer une sortie. Chaque fois qu'il se débattait, sa gaine de chitine ambrée s'ouvrait un peu plus. Le crépitement continu que nous entendions était causé par l'émergence simultanée de milliers et de milliers d'individus. Combien de temps ils avaient passé sous terre, je n'ai jamais pu le découvrir. Le Dr Edmund Jaeger, qui est mieux versé que quiconque dans la faune et la flore des déserts de l'ouest, me dit que les habitudes de cette cigale particulière n'ont jamais été étudiées de près. Lui-même n'avait jamais été témoin de la résurrection en masse sur laquelle nous avions eu la chance de tomber par hasard. Tout ce dont on peut être sûr, c'est que ces êtres avaient passé de deux à dix-scpt années dans le sol, et qu'ils avaient choisi cette matinée particulière de mai pour sortir de la tombe, crever leur cercueil, sécher leurs ailes humides, et s'embarquer dans leur vie sexuelle et chansonnière.

Trois semaines plus tard, nous entendîmes et vîmes un autre détachement de l'armée enfouie, sortant au soleil parmi les pins et les fremontias en fleur des montagnes de San Gabriel. Le froid des six cents mètres d'altitude supplémentaires avait retardé la résurrection; mais lorsqu'elle se produisit, elle se conforma exactement au modèle offert par les insectes du désert : les pupes surgies de terre, le craquement de la corne fendillée, l'imago impuissante, attendant que le soleil la réchauffe à l'état parfait, et puis l'envol, le chant infatigable, tellement incessant qu'il devient une partie intégrante du silence. Les gars des Réserves font de leur mieux; et peut-être, si on leur donne le temps et l'argent nécessaires, parviendront-ils réellement à rendre la planète inhabitable. La science appliquée est un prestidigitateur, dont le chapeau sans fond livre impartialement le plus mœlleux des lapins Angora et la méduse la plus pétrifiante. Mais je suis encore assez optimiste pour croire à l'invincibilité de la vie, je suis encore prêt à parier que ce qu'il y a d'« autre » et de non-humain dans la racine de l'être de l'homme finira par triompher de tous les moi humains, hélas trop humains, qui conçoivent les idéologies et organisent les suicides collectifs. Notre survie, si tant est que nous survivions, sera due moins à notre sens commun (nom que nous donnons à ce qui se produit quand nous essayons de penser au monde en le rapportant aux symboles inanalysés fournis par le langage et les coutumes locales) qu'à notre sens « chenille » et « cigale », à l'intelligence, en d'autres termes, telle qu'elle fonctionne au niveau organique. Cette intelligence-là est à la fois une volonté de persistance et une connaissance héritée des moyens physiologiques et psychologiques grâce auxquels, en dépit de toutes les folies du moi loquace, la persistance peut être réalisée. Et au delà de la survie il y a la transfiguration; au-delà de la grâce animale, et la comprenant, il y a la grâce de cet autre non-moi, dont le silence du désert et le vide du désert sont les symboles les plus expressifs.

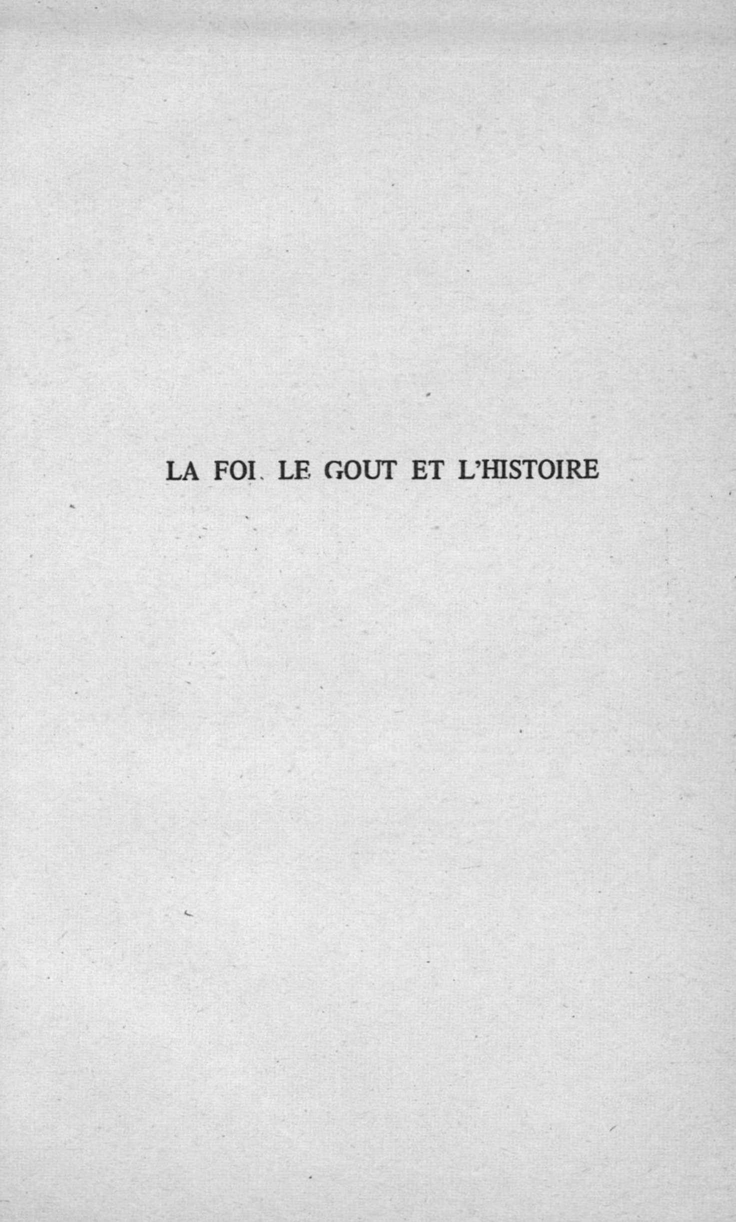

LA FOI, LE GOUT ET L'HISTOIRE

Parmi les histoires « marseillaises », assurément l'une des plus « marseillaises » est l'histoire du Mormonisme. Un fondateur dont les révélations manifestement « fabriquées-maison » furent acceptées comme mieux que vérités d'évangile par des milliers de disciples, un lieutenant et successeur qui était « pour l'audace, un Cromwell, pour l'intrigue, un Machiavel, pour la force d'exécution, un Moïse, et pour l'absence totale de conscience, un Bonaparte »; un corps de doctrine unissant les intuitions psychologiques les plus pénétrantes à l'histoire saugrenue et à la métaphysique absurde; une société de polygames puritains mais fréquentant le théâtre et aimant la musique; une église condamnée jadis par la Cour suprême comme étant une rébellion organisée, mais à présent un monolithe de « respectabilité »; des adhérents d'une fidélité passionnée, qui se font remarquer, même dans ces années du milieu du XXe siècle, par les vertus démodées, propres aux protestants et aux pionniers, de confiance en soi et d'aide mutuelle, — voilà un ensemble constituant un récit qu'aucun lecteur qui se respecte (même un lecteur de romans scientifiques échevelés) ne devrait être invité à avaler. Et pourtant, malgré son manque total de plausibilité, ce récit se trouve être vrai.

Ma connaissance livresque de sa véracité avait été acquise voilà longtemps, et remise à jour d'une façon intermittente. Ce ne fut, toutefois, qu'au printemps de 1953 que j'eus l'occasion de voir et de toucher effectivement les indices concrets de cette étrange histoire.

Nous avions roulé toute la journée sous une pluie torrentielle, parfois même sous une neige hors de saison, à travers l'État de Nevada. Heure sur heure dans le vaste vide de plaines désertes, à côté de montagnes noires et nues qui nous cernaient parmi la pluie battante, pour redisparaître, après une trentaine de kilomètres hivernaux, dans le lointain de grisaille. A la frontière de l'état, le temps s'était éclairci temporairement, et là, en contrebas, surnaturel sous un rayon de soleil momentané, s'étendait le Grand Désert Salé de l'Utah, d'une blancheur de neige entre les précipices plus proches, avec une rangée de pics bleus, ou noirs comme de l'encre, s'élevant au loin, à partir de la rive opposée de ce fantôme desséché d'une mer intérieure.

Il y eut une nouvelle tempête au moment où nous entrâmes à Salt Lake City, et ce fut au travers de nappes d'eau se déversant en trombes, que nous aperçûmes pour la première fois, au-dessus des marronniers, un objet éclairé par des projecteurs, auquel il était aussi difficile de croire, en dépit du témoignage de nos sens, qu'à l'étrange récit qu'il commémore. L'invraisemblance de cet édifice, le plus grand des temples mormons, ne réside pas en son étonnante laideur. La plupart des églises de l'ère victorienne sont étonnamment laides. Elle réside en une certaine combinaison de bizarrerie, d'ennui et de « monumentalité », unique, à ma connaissance, dans les annales de l'architecture.

Les édifices victoriens sont, pour la plupart, des pastiches plus ou moins savants d'autre chose — de quelque chose de gothique, de quelque chose de grec ou de noblement romain, de quelque chose d'élizabéthain ou de flamand flamboyant, ou même de vaguement oriental. Mais ce temple ne ressemble à rien de ce qui se voit ici-bas, — et réussit pourtant à manquer totalement d'originalité, à être complètement et uniformément prosaïque. En outre, alors que la plupart des églises construites au siècle dernier sont des constructions de pacotille, en briques revêtues d'imitation de pierre, en lattis enduit de plâtre ressemblant à de la maçonnerie, ce vaste essai de platitude excentrique a été exécuté, depuis la crypte jusqu'au faîte, en granit le plus solide qui soit. Ses fondations sont cyclopéennes, ses murailles ont près de trois mètres d'épaisseur. Comme l'Escurial, comme la Grande Pyramide, il a été construit pour durer indéfiniment. Longtemps après que les autres exemples d'architecture victorienne et du XXe siècle auront croulé en poussière, cet objet se dressera dans le désert occidental, — objet, pour les sauvages néo-néolithiques des temps post-atomiques, de vénération aveugle et d'effroi superstitieux.

Dans quelle mesure les arts sont-ils conditionnés par la religion, ou lui doivent-ils quelque chose? Et y a-t-il, à n'importe quel moment donné de l'histoire, une source socio-psychologique commune qui donne aux divers arts — à la musique et à la peinture, à l'architecture et à la sculpture — quelque espèce de tendance commune? Ce que j'ai vu ce soir-là dans Temple-Square, et ce que j'ai entendu le lendemain au cours d'un récital d'orgue dans le Tabernacle, souleva à nouveau ce vieux problème, dans un contexte nouveau et, par bien des côtés, illuminateur.

Voici sous les feux des projecteurs, la plus grandiose, de loin, de toutes les cathédrales occidentales. Ce Chartres du désert fut commencé et édifié en grande partie dans des conditions économiques et sociales qui se distinguaient à peine de celles qui régnaient en France ou en Angleterre au Xe siècle. En 1853, quand fut posée la première pierre des fondations du Temple, Londres s'enorgueillissait de son Palais de Cristal, pouvait contempler, d'un œil rétrospectif plein de complaisance, sa Grande Exposition des merveilles technologiques du début de l'ère victorienne. Mais ici, dans l'Utah, les hommes vivaient encore dans les âges d'obscurantisme, — sans routes, sans villes, sans moyens de communication plus rapides que le char à bœufs ou le train de mulets, sans industrie, sans machines, sans outils plus compliqués que des scies, des faux et des marteaux — et avec fort peu, même, de ces outils rudimentaires. Les blocs de granit dont est construit le temple furent extraits de la carrière à la force des bras, taillés à la force des bras, coltinés sur trente kilomètres de désert sans pistes à la force des bras et à celle des bœufs, hissés à leur emplacement à la force des bras. Comme les cathédrales de l'Europe médiévale, le Temple est un monument, entre autres, à la force et à l'endurance héroïque du muscle mis à nu.

Dans les colonies espagnoles, comme dans le Sud américain, le muscle mis à nu était activé par le fouet. Mais ici, dans l'Ouest, il n'y avait pas d'esclaves africains, ni d'approvisionnement local d'aborigènes domesticables. Ce que les colons voulaient exécuter, il fallait que ce fût exécuté par leurs propres mains. Les colons du type courant ne désiraient que des maisons, des moulins et des mines, et (si les pépites étaient de grosseur suffisante) des modes parisiennes, importées, moyennant une dépense énorme, en passant par le Cap Horn. Mais ces Mormons désirèrent quelque chose de plus — un temple en granit, d'une solidité indestructible. Dans l'espace de quelques années après leur arrivée dans l'Utah, ils se mirent à l'œuvre. Il n'y avait pas de fouets pour stimuler leurs muscles, — rien que la foi : mais en quelle abondance! C'était ce genre de foi propre à mouvoir les montagnes, qui donne aux hommes le pouvoir de réaliser l'impossible et de supporter l'intolérable, — ce genre de foi pour laquelle les hommes tuent et meurent, et outrepassent, dans leur travail, les limites de la capacité humaine, — ce genre de foi qui a lancé les Croisades et édifié les tours d'Angkor-Vat. Une fois de plus, elle accomplit son miracle historique. Malgré des difficultés énormes, une grande cathédrale fut édifiée dans le désert. Hélas, au lieu de Bourges ou de Cantorbéry, ce fut Ceci.

On peut compter sur la Foi, la chose est manifeste, pour produire une action soutenue, et, plus rarement, une contemplation soutenue. Rien, toutefois, ne garantit qu'elle produira de l'art de bonne qualité. La religion patronne toujours les arts, mais son goût n'est nullement impeccable. L'art religieux est parfois excellent, parfois atroce; et l'excellence n'est pas nécessairement associée à la ferveur, ni l'atrocité à la tiédeur. C'est ainsi qu'au tournant de notre ère, le Buddhisme était florissant dans l'Inde du nord-ouest. La piété, à en juger d'après le grand nombre de monuments qui subsistent, était fort développée; mais le mérite artistique était assez bas. Ou bien, considérons l'art hindou. Au cours des trois derniers siècles, il a été d'une faiblesse étonnante. Les nombreuses variétés d'hindouisme ont-elles été moins prises au sérieux qu'à l'époque où l'art indien était en pleine gloire? Il n'y a pas la moindre raison de le penser. De même, il n'y a pas la moindre raison de penser que la ferveur catholique ait été moins intense à l'époque des maniéristes, qu'elle ne l'avait été trois générations auparavant. Au contraire, il y a de bonnes raisons de croire qu'au cours de la Contre-Réforme, le catholicisme a été pris plus au sérieux par un plus grand nombre de gens, qu'à toute autre époque depuis le XIVe siècle. Mais le mauvais catholicisme de la haute Renaissance a produit de l'art religieux superbe; le bon catholicisme de la fin du XVIe siècle et du XVIIe a produit beaucoup d'art religieux plutôt piteux. Passant maintenant à l'artiste individuel — car, après tout, l'« Art » n'existe point : il n'y a que des hommes au travail — nous constatons que les créateurs de chefs-d'œuvre religieux sont parfois, comme Fra Angelico, extrêmement dévôts, parfois rien de plus que conventionnellement orthodoxes, et parfois (comme le Pérugin, l'interprète suprême du piétisme dans l'art) des mécréants actifs et ouvertement avoués.

Pour l'artiste dans l'exercice de sa profession, la religion est importante parce qu'elle lui offre une grande richesse de sujets intéressants, et de nombreuses occasions d'exercer son talent. Elle n'a que peu ou point d'influence sur la qualité de sa production. L'excellence d'une œuvre d'art religieux dépend de deux facteurs, dont ni l'un ni l'autre n'a rien à voir avec la religion. Elle dépend primordialement de la présence, chez l'artiste, de certaines tendances, de certaines sensibilités, de certains talents; et, subsidiairement, elle dépend de l'histoire antérieure de l'art qu'il a choisi, et de ce que l'on peut appeler la logique de ses rapports formels. A tout moment donné, cette logique interne pointe vers des conclusions dépassant celles qui, à titre de fait historique, ont été atteintes par la majorité des artistes contemporains. La reconnaissance de ce fait peut pousser certains artistes — tout particulièrement les jeunes artistes — à essayer d'actualiser ces conclusions possibles dans la réalité concrète. Parfois, ces tentatives réussissent pleinement; parfois, malgré le talent de leur auteur, elles échouent. Dans l'un et l'autre cas, le résultat ne dépend pas de la nature des croyances métaphysiques de l'artiste, ni de l'ardeur avec laquelle il les entretient.

Les Mormons avaient la foi, et leur foi leur a permis de réaliser un idéal prodigieux — la construction d'un Temple dans le désert. Mais, bien que la foi puisse mouvoir les montagnes, elle ne peut, par elle-même, façonner ces montagnes sous forme de cathédrales. Elle est capable d'activer le muscle, mais elle est impuissante à créer du talent architectural là où il n'en existe point. Elle est encore moins capable de modifier les faits de l'histoire de l'art et la logique interne des formes.

Pour un grand nombre de raisons diverses, les unes sociologiques, les autres intrinsèquement esthétiques, certaines aisément discernables et d'autres obscures, les traditions des arts et métiers européens s'étaient désintégrées, dès les années moyennes du XIXe siècle, en un chaos de mauvais goût futile et de vulgarité omniprésente. Dans leur ferveur, dans l'intensité de leur préoccupation des problèmes métaphysiques, dans leur empressement à embrasser les croyances et les pratiques les plus excentriques, les Mormons, comme leurs contemporains de cent communautés chrétiennes, socialistes, ou spiritualistes, appartenaient à l'Ere des Gnostiques. A tous les autres points de vue, ils étaient des produits typiques de l'Amérique rustique du XIXe siècle. Et, dans le domaine des arts plastiques, l'Amérique du XIXe siècle, et tout particulièrement l'Amérique rustique, était plus mal en point même que l'Europe du XIXe siècle. Le Parlement de Barry[1] dépassait tout autant les possibilités de ces bâtisseurs de temples, que Bourges ou que Cantorbéry.

Le lendemain matin, dans l'énorme Tabernacle en bois, nous entendîmes le récital d'orgue quotidien. Il y eut du Bach, une pièce de César Franck, et enfin quelques variations improvisées sur un thème de cantique. Ces dernières nous rappelèrent irrésistiblement les bons jours anciens de l'écran muet, — les jours où, dans un silence solennel et sous les feux des projecteurs, l'organiste en habit à queue, à la console de son Wurlitzer, soulevé majestueusement du fond de son sous-sol, tournait et courbait ses reins de cygne pour remercier des applaudissements, se rasseyait, et allongeait ses mains blanches. Silence, et puis — bou-oum! Le « Cinéma-Palace » s'emplissait du ronflement énorme de contre-trombones et de bombardes de dix mètres. Et après les ronflements, arrivaient l'air de Londonderry sur la *vox humana*, *A little Grey Home in the West* sur la *vox angelica*, et peut-être (quelle félicité!) *The End of a Perfect Day* sur la *vox mélassiana*, la *vox chambre-à-coucher-ica*, la *vox innommabilis*.

Comme il est étrange, me pris-je à songer, tandis que la marée glutineuse déferlait sur moi, comme il est étrange que les gens écoutent avec un délice apparemment égal, ces choses-là et le Prélude et Fugue en mi bémol majeur! Ou bien avais-je pris la chose par le mauvais bout? C'était peut-être la mienne qui était l'attitude étrange, l'essentiellement

1. Sir Charles Barry est l'architecte du Parlement actue de Westminster, commencé en 1840. *(N. d.T.)*

anormale. Peut-être y avait-il quelque chose de défectueux chez un auditeur qui éprouvait de la difficulté à adorer à la fois ces gazouillis autour d'un air de cantique *et* le Prélude et Fugue.

De ces questions sans réponse possible, mon esprit passa à d'autres, à peine moins embarrassantes, du domaine de l'histoire. Voici cet énorme instrument. Dans son état original et déjà monumental, il était un projet dû à la foi de pionniers. Un musicien australien, converti de bonne heure au mormonisme, Joseph Ridges, avait établi le projet et surveillé l'exécution. Le bois d'œuvre utilisé pour la confection des tuyaux fut coltiné par des bœufs, à partir de forêts distantes de cinq cents kilomètres, dans le sud. Le mécanisme compliqué d'un grand orgue fut exécuté sur place par des ouvriers locaux. Quand l'ouvrage fut achevé, quel genre de musique, on se le demande, fut jouée devant les Mormons rassemblés dans le Tabernacle? Des cantiques, bien entendu, à profusion. Mais aussi du Haendel, du Haydn et du Mozart, ainsi que du Mendelssohn, et peut-être même quelques pièces de ce drôle de vieux bonhomme que Mendelssohn avait ressuscité, Jean-Sébastien Bach.

C'est l'un des paradoxes de l'histoire, que les gens qui ont édifié les monstruosités de l'époque victorienne aient été les mêmes que ceux qui ont applaudi, dans leurs salles et leurs églises hideuses, des chefs-d'œuvre d'ordonnance et de grandeur sans affectation telles que *Le Messie*, et qui ont préféré à tous ses contemporains, le plus élégamment classique des modernes, Félix Mendelssohn. Le goût populaire dans un domaine peut être plus ou moins complètement en opposition avec le goût populaire en dehors de ce domaine. Chose encore plus surprenante, les tendances fondamentales des professionnels dans l'un des arts peuvent être en opposition avec les tendances fondamentales des professionnels dans les autres arts.

Jusqu'à une époque toute récente, la musique des XVe et XVIe siècles et du début du XVIIe était presque complètement inconnue, sauf de quelques spécialistes érudits. A présent, grâce aux disques « microsillon », une partie de plus en plus considérable de ce trésor enfoui arrive à la surface. L'amateur que cela intéresse est enfin en mesure d'entendre par lui même ce dont, précédemment, il ne pouvait avoir connaissance que par la lecture. Maintenant, pour la première fois, il peut entendre effectivement ce que chantaient les gens lorsque Botticelli peignait *Vénus et Mars*; ce qu'aurait pu entendre Van Eyck en fait de chansons d'amour et de masses polyphoniques; quel genre de musique était chantée ou jouée dans la cathédrale de Saint-Marc pendant que le Tintoret et Véronèse travaillaient à côté, dans le Palais des Doges; quels développements étaient en train dans l'art-frère au cours de la carrière, de plus de soixante ans, du Bernin comme sculpteur et architecte.

Dunstable et Dufay, Ockeghem et Josquin, Lassus, Palestrina, Victoria — leurs vies, qui chevauchent l'une sur l'autre, couvrent la totalité des XVe et XVIe siècles. La musique, au cours de ces deux siècles, a subi des changements importants. Les dissonances de la polyphonie primitive, gothique, furent réduites à une consonance universelle; les divers artifices — l'imitation, la diminution, l'augmentation, et les autres — furent perfectionnés et utilisés, par les maîtres d'une certaine importance, afin de créer des motifs d'une subtilité et d'une richesse incroyables. Mais durant toute cette période, à peu près toute la musique sérieuse a conservé ces formes à fin ouverte, librement flottantes, qu'elle avait héritées du chant grégorien et, d'une façon plus lointaine, de quelque ancêtre oriental. En contraste, la musique populaire européenne était symétrique, carrée, avec des retours réguliers au même point de départ et des phrases équilibrées, comme dans la poésie métrique, de longueur préétablie et prévisible. Fondée sur le plain-chant et écrite, pour la majeure partie, comme accompagnement aux textes liturgiques, la musique savante était analogue, non pas aux vers scandés, mais à la prose. C'était une musique sans barres de mesure, c'est-à-dire sans régularité de temps fort. Ses éléments composants étaient de longueurs différentes; il n'y avait pas de retours à des points de départ reconnaissables, et son analogue géométrique n'était pas quelque figure fermée, comme le carré ou le cercle, mais une courbe ouverte ondulant jusqu'à l'infini. Qu'une telle musique parvînt à une fin, cela était dû, non pas à la logique interne de ses formes, mais uniquement au fait que les plus longs mêmes des textes liturgiques arrivaient enfin à leur Amen. Quelque tentative afin de fournir une raison purement musicale de ne pas continuer à tout jamais fut effectuée par les compositeurs qui écrivirent leurs masses autour d'un *cantus firmus* — mélodie empruntée, presque invariablement, à la musique fermée, symétrique, des chansons populaires. Chanté ou joué sur une mesure très lente, et caché dans la partie de ténor, parfois même dans la basse, le *cantus firmus* était pratiquement inaudible. Il existait au profit, non pas des auditeurs, mais du compositeur; non pas pour rappeler aux fidèles lassés ce qu'ils avaient entendu la veille au soir à la taverne, mais aux fins d'un but strictement artistique. Même quand le *cantus firmus* était présent, l'effet général d'une continuité inconditionnée, librement flottante, persistait. Mais, pour le compositeur, la tâche de l'organisation avait été facilitée, car, enfouie dans le cœur fluide de la musique, il y avait l'armature inflexible d'un chant pleinement métrique.

Alors que Dufay était encore enfant de chœur à Cambrai, Ghiberti travaillait aux Portes de Bronze de Sainte-Marie-des-Fleurs, le jeune Donatello avait reçu ses premières commandes. Et lorsque Victoria, le dernier et le plus grand des maîtres romains, mourut en 1613, Lorenzo Bernini était déjà un enfant prodige en plein épanouissement. Depuis le début de la Renaissance jusqu'au Baroque, la tendance fondamentale des arts plastiques fut, en passant par la symétrie et le transcendant, de s'éloigner des formes fermées, vers le motif ouvert, non équilibré, et l'infinité impliquée. En musique, au cours de cette même période, la tendance fondamentale fut, en passant par la forme ouverte et le transcendant, de s'éloigner de la continuité flottante vers le mètre, vers la symétrie carrée, vers la récurrence régulière et prévisible. C'est à Venise que ces deux tendances opposées, de la peinture et de la musique, se firent d'abord visibles. Pendant que le Tintoret et Véronèse se dirigeaient vers la forme ouverte et l'asymétrique, les deux Gabrielis se dirigeaient, dans leurs motets et leur musique instrumentale, vers l'harmonie, vers la scansion régulière et la forme fermée. A Rome, Palestrina et Victoria continuaient à travailler dans l'ancien style librement flottant. A Saint-Marc, la musique de l'avenir — la musique qui allait dûment se développer pour devènir celle de Purcell et de Couperin, de Bach et de Haendel — était en voie de naître. Dès les années 1630, alors que la sculpture elle-même avait pris son envol vers l'infini, le contemporain plus âgé du Bernin, Heinrich Schuetz, l'élève de Giovanni Gabrieli, écrivait (non pas toujours, mais de temps à autre) de la musique symétrique que l'on prendrait presque pour du Bach.

Pour quelque raison bizarre, ce genre de musique a été dénommé récemment « baroque ». Le choix de ce qualificatif est assurément malheureux. Si le Bernin et ses disciples italiens, allemands et autrichiens sont des artistes baroques (et ils sont ainsi désignés depuis de nombreuses années), il n'y a aucune raison (sinon dans le fait qu'ils se sont trouvés vivre à la même époque) pour appliquer la même épithète à des compositeurs dont les tendances fondamentales, en ce qui concerne la forme, étaient radicalement différentes des leurs.

A peu près le seul compositeur du XVIIe siècle à qui le terme de « baroque » puisse s'appliquer, dans le sens suivant lequel nous l'appliquons au Bernin, est Claudio Monteverdi. Dans ses opéras et sa musique religieuse, il y a des passages où Monteverdi unit le caractère ouvert et illimité de la polyphonie ancienne, à une « expressivité » nouvelle. Ce tour de force est réalisé en associant une mélodie inconditionnellement planante, à un accompagnement, non pas d'autres voix, mais d'accords diversement colorés. Les prétendus compositeurs baroques ne sont baroques (au sens établi du mot) que dans leur désir d'une expression plus directe et plus dramatique du sentiment. Afin de réaliser ce désir, ils ont développé la modulation dans le cadre d'un système pleinement tonal, ils ont troqué la polyphonie contre l'harmonie, ils ont varié le *tempo* de leur musique et son volume de son, et ils ont inventé l'orchestration moderne. Dans cette préoccupation de l'« expressivité », ils ont été les proches parents de leurs contemporains dans les domaines de la peinture et de la sculpture. Mais dans leur désir du carré, du fermé, et de la symétrie, ils ont été radicalement à l'opposé des hommes dont l'ambition primordiale était de renverser la tyrannie du centrage, de s'évader du cadre ou de la niche enserrants, de transcender le simplement fini et le trop humain.

Entre 1598 et 1680 — années de la naissance et de la mort du Bernin, — la peinture et la sculpture baroques allaient dans une direction, la musique baroque, comme elle est appelée à tort, en prenait une autre, presque opposée. La seule conclusion que nous puissions tirer, c'est que la logique interne et l'histoire récente de l'art auquel travaille un homme, exercent sur lui une influence plus puissante que ne le font les événements sociaux, religieux et politiques de l'époque dans laquelle il vit. Les sculpteurs et les peintres du xve siècle ont hérité d'une tradition de symétrie et de formes fermées. Les compositeurs du xve siècle ont hérité d'une tradition de formes ouvertes et d'asymétrie. De part et d'autre, la logique intrinsèque des formes fut développée jusqu'à sa conclusion ultime. Dès la fin du xvie siècle, ni les artistes plastiques, ni les musicaux, ne pouvaient aller plus loin dans les voies qu'ils avaient suivies. Allant au delà d'eux-mêmes, les peintres et les sculpteurs poursuivirent la voie de l'asymétrie à terminaison ouverte, les musiciens librement flottants se tournèrent vers l'exploration de la récurrence régulière et de la forme fermée. Entre temps, les guerres, persécutions et massacres sectaires habituels, battaient leur plein; il y eut des révolutions économiques, des révolutions politiques et sociales, des révolutions en matière de science et de technologie. Mais il semble que ces événements simplement historiques n'aient affecté les artistes que sur le plan matériel — en les ruinant ou en leur permettant de faire fortune, en leur donnant ou en leur refusant une occasion de déployer leur talent, en modifiant la situation sociale ou religieuse de mécènes en puissance. Leur pensée et leur façon de sentir, leurs tendances artistiques fondamentales, ont été des réactions à des événements totalement différents — à des événements qui ne se passaient point dans le monde social, mais dans l'univers spécial de l'art élu de chacun de ces hommes.

Prenons le cas de Schuetz, par exemple. La majeure partie de sa vie adulte se passa à fuir les horreurs récurrentes de la guerre de Trente ans. Mais les changements et les hasards d'une existence discontinue n'ont pas laissé de traces correspondantes sur son œuvre. Que ce fût à Dresde ou en Italie, au Danemark ou de nouveau à Dresde, il continua à tirer les conclusions logiques, du point de vue artistique, des prémisses formulées sous la direction de Gabrieli à Venise, et graduellement modifiées, avec le cours des années, par ses propres productions successives, et les productions de ses contemporains et cadets.

L'homme est un tout, mais un tout doué d'une aptitude étonnante à vivre, simultanément ou successivement, dans des compartiments étanches. Ce qui se passe ici n'a que peu ou point d'effet sur ce qui se passe là. Le goût du XVIIe siècle pour les formes fermées en musique était incompatible avec le goût du XVIIe siècle pour l'asymétrie et les formes ouvertes dans les arts plastiques. Le goût victorien pour Mendelssohn et Haendel était incompatible avec le goût victorien pour les temples mormons, les

Albert Halls[1], et les gares de Saint-Pancras[2]. Mais, en fait, ces goûts qui s'excluent mutuellement ont coexisté et n'ont pas eu d'effets perceptibles l'un sur l'autre. La cohérence est un critère verbal, qui ne peut s'appliquer aux phénomènes de la vie. Prises toutes ensemble, les diverses activités d'un même individu peuvent être incohérentes, tout en étant parfaitement compatibles avec la survie biologique, le succès séculier et le bonheur personnel.

Le temps objectif est le même pour chacun des membres d'un groupe humain, et, à l'intérieur de chaque individu, pour chacun des habitants d'un compartiment étanche. Mais le moi de l'un des compartiments n'a pas nécessairement le même *Zeitgeist* que les moi des autres compartiments, ni que les moi dans lesquels d'autres individus accomplissent leur vie également incohérente. Quand les tensions exercées par l'histoire sont à leur maximum, les hommes et les femmes tendent à y réagir de la même façon. Par exemple, si leur pays est engagé dans une guerre, la plupart des individus deviennent héroïques et sacrifient leur moi. Et si la guerre produit la famine et la pestilence, la plupart d'entre eux meurent. Mais là où les pressions historiques sont plus modérées, les individus sont libres, dans certaines limites assez larges, d'y réagir de façons différentes. Nous sommes toujours synchrones avec nous-mêmes et avec autrui; mais il arrive souvent que nous ne soyons les contemporains d'aucun d'entre eux.

A Logan, par exemple, à l'ombre d'un autre temple, dont les tourelles crénelées lui donnaient un air de « folie » du début de l'ère victorienne, de retour à l'époque d'Edmund Kean dans *Richard III*, nous entrâmes en conversation avec un contemporain charmant, non pas de Harry Emerson Fros-

1. L'Albert Hall est une vaste salle de concert — modèle de laideur — au sud des Kensington Garden, à Londres. *(N. d. T.)*
2. C'est le terminus de l'ancien Midland Railway, en style néo-gothique. *(N. d. T.)*

drick ou de feu l'évêque Barnes, mais de Frère Genièvre — un Mormon dont la foi avait toute la ferveur, toute la littéralité sans réserve, de la foi paysanne au XIIIe siècle. Il nous parla longuement des baptêmes hebdomadaires des morts. Quinze cents d'entre eux baptisés par procuration chaque samedi soir, et admis ainsi, enfin, à ce paradis où tous les liens de famille persistent pendant les éternités. Pour un membre d'une génération nourrie de Freud, ces perspectives posthumes paraissaient un peu sinistres. Mais non point pour le Frère Genièvre. Il en parla avec une sorte de calme ravissement. Et de quelle beauté céleste, à ses yeux, était cette gloriette cyclopéenne! Combien inestimable, le privilège, qu'il avait mérité, d'être autorisé à en franchir les portes! Portes fermées à jamais aux Gentils et même à une moitié des Mormons. Autour de ce Temple céleste, les buissons de lilas en pleine senteur, et les montagnes qui bordaient la fertile vallée étaient blancs du symbole neigeux de la pureté divine. Mais le temps nous pressait. Nous laissâmes le Frère Genièvre à son paradis, et poursuivîmes notre route.

Ce soir-là, dans le minuscule musée d'histoire naturelle d'Idaho Falls, nous nous trouvâmes converser avec deux personnes issues d'un passé beaucoup plus lointain — un couple séduisant frais émoulu d'une caverne. Non pas d'une de vos cavernes magdaléniennes de fantaisie, portant sur leurs parois tout ce travail d'art moderniste, — non, non; d'une bonne caverne vieux-jeu et cul-terreuse appartenant à de braves gens ordinaires de trois mille générations antérieurs à l'invention de la peinture. C'étaient des Piltdowniens, dont la réaction envers le gros ours gris empaillé fut une remarque au sujet de tranches de viande d'ours encore grésillantes au sortir du feu; c'étaient des Néanderthaliens primitifs qui ne pouvaient voir un poisson, un oiseau ou une bête à quatre pattes, sans songer aussitôt à le massacrer et à s'en repaître.

« Mon gosse! dit la dame des cavernes, tandis que

nous nous tenions, à leur côté, devant la tête solennelle, semblable à celle d'un *clergyman*, d'un orignal énorme. Ce qu'i's'rait bon, ç'ui-là, aux oignons! »

Il était heureux, songeai-je, que nous fussions tellement maigres, et eux si remarquablement bien nourris et aimables.

Achevé d'imprimer en janvier 1984
sur les presses de l'Imprimerie Bussière
à Saint-Amand (Cher)

— N° d'édit. 939. — N° d'imp. 2642. —
Dépôt légal : 1er trimestre 1977.
Imprimé en France

Nouveau tirage 1984.